L'Illuminismo è la vittoria dell'uomo sulla sua volontaria immaturità. L'immaturità è l'incapacità di usare il proprio intelletto senza la guida di un altro. Questa immaturità è volontaria quando ha per causa non la mancanza di intelletto, ma la mancanza del coraggio di utilizzarlo. L'Illuminismo ha solo bisogno della libertà, una libertà che implica di fare pubblicamente uso del proprio intelletto in ogni circostanza. Perché vocazione di ciascuno è pensare con la propria testa.

IMMANUEL KANT (1783)

Il re mi ha confidato che c'era una donna che in qualche modo misterioso governava l'Universo. E anche che esisteva una cerchia di uomini che erano stati designati per commettere tutto il male del mondo, e che tra essi ce n'erano sette, ai quali egli apparteneva, che erano stati designati in modo particolare. Se egli provava amicizia per qualcuno, era perché anche costui apparteneva a questa cerchia di eletti.

U.A. HOLSTEIN, *Memorie*

Parte prima

I QUATTRO

Capitolo 1

Il pigiatore

1.

Il 5 aprile 1768 Johann Friedrich Struensee fu assunto quale medico personale del re di Danimarca Cristiano VII, e quattro anni più tardi fu giustiziato.

Dieci anni dopo, il 21 settembre 1782, quando l'espressione "il tempo di Struensee" era ormai diventata di uso corrente, l'ambasciatore inglese a Copenaghen Robert Murray Keith riferiva al proprio governo un episodio di cui era stato testimone. Giudicava l'episodio sconcertante.

Per questo faceva rapporto.

Aveva assistito a una rappresentazione teatrale al Teatro di corte di Copenaghen. Tra il pubblico c'erano anche il re, Cristiano VII, e Ove Høegh-Guldberg, l'effettivo detentore del potere politico in Danimarca, in pratica il sovrano assoluto.

Si era conferito il titolo di "Primo ministro".

Il rapporto riguardava l'incontro dell'ambasciatore Keith con il re.

Inizia con le sue impressioni sull'aspetto esteriore dell'allora appena trentatreenne Cristiano VII. "È all'apparenza già un vecchio, molto piccolo, smagrito, con il volto sciupato, i cui occhi febbricitanti testimoniano un'insana condizione mentale." Ancor prima che cominciasse la rappresentazione, "l'alienato" re Cristiano, così è definito, si era messo a vagare tra il pubblico borbottando, il volto scosso da singolari contrazioni.

Guldberg non l'aveva perso d'occhio un istante.

Ciò che aveva colpito Keith era la relazione tra i due. Poteva essere descritta come quella di un infermiere con il suo paziente, o di una coppia di fratelli, o come se Guldberg fosse un padre con un bambino disubbidiente o malato; comunque Keith usa l'espressione "quasi affettuosa".

Al tempo stesso, scrive che i due parevano uniti in modo "quasi perverso".

La perversione non stava nel fatto che i due, pur avendo notoriamente giocato ruoli di primo piano nel corso della rivoluzione danese, allora da avversari, fossero oggi a tal punto dipendenti l'uno dall'altro. Era perversa la maniera che aveva il re di comportarsi come un cane spaurito ma ubbidiente, e Guldberg come il suo padrone severo ma affettuoso.

Sua Maestà aveva manifestato una sorta di angosciata deferenza, quasi temesse di essere punito. I cortigiani non avevano mostrato alcun rispetto nei confronti del monarca, l'avevano piuttosto ignorato, o si erano fatti da parte sogghignando quando si avvicinava, come per evitare il disagio della sua presenza.

La presenza di un bambino fastidioso di cui da tempo si erano stancati.

L'unico che si era curato del re era stato Guldberg. Il re gli si era sempre tenuto a tre o quattro metri di distanza, seguendolo docilmente, apparentemente ansioso di non essere abbandonato. Talora Guldberg, con un cenno del capo o della mano, gli aveva fatto piccoli segnali. Succedeva ogni qualvolta il re mormorava a voce troppo alta, si comportava in modo sconveniente, o gli si allontanava troppo.

A quei segni Cristiano si affrettava a ubbidire e "ritornava a piccoli passi saltellanti".

Una volta, quando il borbottio del re si era fatto particolarmente rumoroso e irritante, Guldberg gli si era avvicinato, l'aveva preso dolcemente per il braccio e aveva sussurrato qualcosa. Il re aveva allora iniziato a inchinarsi, meccanicamente e ripetutamente, con movimenti a scatti, quasi spastici, come se il sovrano di Danimarca fosse un cane ansioso di assicurare piena sottomissione e devozione al suo amato padrone. Aveva continuato a inchinarsi fino a quando Guldberg, con un nuovo bisbiglio, non aveva interrotto i bizzarri gesti della regale persona.

Allora Guldberg aveva dato al re un cortese buffetto sulla guancia, e ne era stato ricambiato con un sorriso talmente pieno di gratitudine e sottomissione che gli occhi dell'ambasciatore Keith "si erano riempiti di lacrime". La scena, scrive, era così carica di disperata tragicità da essere quasi insopportabile. Egli aveva notato la gentilezza di Guldberg o, come scrive, "la sua responsabile attenzione nei confronti del piccolo re malato", e che il disprezzo beffardo manifestato in generale dal pubblico era in Guldberg assente. Questi sembrava essere il solo ad assumersi la responsabilità del re.

C'è tuttavia un'espressione che torna varie volte nel rapporto: "come un cane". Il sovrano assoluto di Danimarca veniva trattato come un cane. Ma, a differenza degli altri, Guldberg pareva mostrare un affettuoso senso di responsabilità nei confronti di quel cane.

"Vederli insieme – entrambi straordinariamente piccoli e gracili – fu per me un'esperienza singolare e sconcertante, perché tutto il potere del paese, sia formalmente che concretamente, era detenuto da questi due bizzarri nani."

Il rapporto si sofferma soprattutto su quanto accadde durante e dopo quello spettacolo teatrale.

Nel bel mezzo della rappresentazione – una commedia del francese Gresset, *Le méchant* – re Cristiano si era improvvisamente alzato dal suo posto in prima fila, aveva raggiunto a passi incerti il palcoscenico e si era messo a recitare come se fosse uno degli attori. Aveva assunto pose teatrali e declamato qualcosa che poteva somigliare a delle battute, tra le quali si erano potute distinguere le parole "tracasserie" e "anthropophagie". Keith aveva notato in particolare quest'ultima, che sapeva significare "cannibalismo". Il re, in tutta evidenza, si era lasciato totalmente coinvolgere dalla recita di cui si credeva un attore; Guldberg si era limitato a salire con calma sul palcoscenico, e l'aveva preso per mano. Egli era allora di colpo ammutolito, e si era lasciato ricondurre al suo posto.

Il pubblico, composto esclusivamente da cortigiani, sembrava abituato a questo genere di interruzioni. Nessuno aveva mostrato il minimo segno d'imbarazzo. Solo qua e là era scoppiata qualche risata.

Dopo lo spettacolo era stato servito del vino. Proprio allora Keith si era casualmente ritrovato accanto al re, che si era voltato verso di lui, avendolo palesemente riconosciuto quale ambasciatore inglese, e balbettando aveva cercato di spiegargli il contenuto essenziale della commedia. "Quest'opera, mi disse il re, tratta dell'alto grado di malvagità di cui danno prova quei cortigiani che assomigliano a scimmie oppure a diavoli; gioiscono delle sventure degli altri e si dolgono dei loro successi, atteggiamento che ai tempi dei druidi si chiamava cannibalismo, *anthropophagie*. Ci troviamo quindi in mezzo a cannibali."

Questo "sfogo" del re, per venire da un malato di mente, era sorprendentemente ben formulato sul piano linguistico.

Keith si era limitato ad annuire, con aria partecipe, come se tutto ciò che il re aveva detto fosse interessante e sensato. Aveva comunque notato che l'analisi del contenuto satirico della commedia fatta da re Cristiano non era poi del tutto sbagliata.

Il re aveva parlato sottovoce, come se volesse confidare a Keith un importante segreto.

Per tutto il tempo, a qualche metro di distanza, Guldberg aveva osservato con attenzione o inquietudine la loro conversazione. Lentamente si era poi avvicinato.

Avvedendosene,. Cristiano aveva cercato di concludere il discorso. E a voce più alta, quasi per provocazione, aveva esclamato:

"Mentono. Mentono! Brandt era un uomo saggio ma impulsivo. E Struensee era una persona per bene. Non sono stato io a ucciderli. Lo capite?".

Keith si era limitato a inchinarsi in silenzio. Cristiano aveva allora aggiunto:

"Ma è vivo! Credono che sia stato giustiziato! Ma Struensee è vivo, lo sapete?".

A quel punto Guldberg era arrivato tanto vicino da intendere le ultime parole. Aveva saldamente afferrato il re per un braccio, e con un sorriso forzato ma tranquillizzante aveva detto:

"Struensee è morto, Vostra Maestà. Lo sappiamo bene, non è vero? Non è vero che lo sappiamo? Siamo d'accordo su questo, non è vero?".

Il tono era gentile ma con una nota di rimprovero. Cristiano aveva subito dato inizio ai suoi curiosi inchini meccanici; si era poi interrotto, per chiedere:

"Eppure si parla del tempo di Struensee, non è vero? Non del tempo di Guldberg. Il tempo di Struensee!!! Strano, no!!!".

Per un attimo, Guldberg aveva squadrato il re in silenzio, come se fosse rimasto senza parole, o non sapesse che dire. Keith aveva notato che appariva teso, o irritato; poi Guldberg si era ripreso e aveva pacatamente osservato:

"Sua Maestà deve calmarsi. Riteniamo che fra poco Sua Maestà possa andare a coricarsi e dormire. Lo pensiamo davvero".

Aveva quindi fatto un gesto con la mano, e si era allontanato. Cristiano aveva allora ripreso i suoi inchini maniacali, poi si era arrestato, come sovrappensiero, si era voltato verso l'ambasciatore Keith, e con voce perfettamente calma e senza traccia di esaltazione aveva detto:

"Io sono in pericolo. Per questo devo ora raggiungere la mia benefattrice, che è la Sovrana dell'Universo".

Qualche minuto dopo era sparito. Questo era nella sua integralità l'episodio che l'ambasciatore inglese Keith aveva riferito al proprio governo.

2.

Non esiste oggi in Danimarca alcun monumento dedicato a Struensee.

Nel corso della sua permanenza danese, gli furono fatti numerosi ritratti: incisioni, stampe e dipinti a olio. Non essendone stato realizzato alcuno dopo la sua morte, per la maggior parte sono idealizzati, e nessuno è infame. Il che è naturale; prima della sua visita non deteneva alcun potere, non c'era dunque ragione per immortalarlo, e dopo la sua morte nessuno voleva ricordarsi della sua esistenza.

Perché d'altronde si sarebbe dovuto erigere un monumento? Una statua equestre?

Di tutti i dominatori della Danimarca, così spesso immortalati a cavallo, fu senza dubbio il cavaliere più abile, e quello che più amava i cavalli. Quando fu condotto al patibolo a Østre Fælled, il generale Eichstedt, forse per manifestare il suo disprezzo o per una sottile crudeltà verso il condannato, giunse in sella a Margrethe, la giumenta personale di Struensee, un animale bianco pomellato a cui lui stesso aveva dato quel nome insolito per un cavallo. Tuttavia, se il gesto era stato concepito per infliggere un ulteriore dolore al condannato, non raggiunse lo scopo. Struensee si era illuminato, aveva sollevato la mano come per volerne accarezzare il muso, e un debole, quasi felice sorriso si era impresso sul suo volto, quasi avesse creduto che il cavallo fosse venuto a dirgli addio.

Aveva tentato di accarezzarlo sul muso, ma non ci era arrivato.

Perché poi una statua equestre? Era un onore riservato solo ai vincitori.

Si sarebbe potuto immaginare una statua equestre di Struensee a Fælled, dove fu giustiziato, rappresentato sulla sua giumenta Margrethe che tanto aveva amato, su quella spianata che esiste ancora oggi, ed è utilizzata per dimostrazioni e feste popolari, accanto all'Idrottsparken, uno spazio per lo sport e i divertimenti che assomiglia ai parchi reali che un tempo Struensee aveva aperto a un popolo che gli aveva mostrato scarsa gratitudine. Fælled esiste ancora oggi, un vasto parco stupendo dove Niels Bohr e Heisenberg, una sera di ottobre del 1941, fecero la loro famosa passeggiata ed ebbero quella misteriosa conversazione in seguito alla quale Hitler mai arrivò a costruire la sua bomba atomica; un crocevia della storia. Esiste ancora, anche se il patibolo è sparito, come il ricordo di Struensee. E nessuna statua equestre è mai stata eretta alla memoria di un perdente.

Nemmeno Guldberg ebbe la sua statua equestre.

Pur essendo in fondo il vincitore, colui che aveva troncato la rivoluzione danese; ma non si dedica una statua equestre a un piccolo parvenu che si era chiamato Høegh prima di assumere il nome di Guldberg. E che non era che il figlio di un impresario di pompe funebri di Horsens.

Tutti e due, del resto, erano dei parvenu, ma pochi sono coloro che hanno lasciato un'impronta così netta nella storia; una statua equestre, se si apprezza il genere, la meriterebbero entrambi. "Nessuno parla del tempo di Guldberg": era ingiusto, ovviamente.

Guldberg aveva reagito a buon diritto. Era comunque il vincitore. I posteri avrebbero realmente parlato del "tempo di Guldberg". Questo tempo durò dodici anni.

Poi anch'esso finì.

3.

Guldberg aveva imparato a sopportare il disprezzo con distacco.

I nemici li conosceva. Parlavano di lumi, ma diffondevano oscurità. Senza dubbio ciò che i suoi nemici intendevano era che il tempo di Struensee non sarebbe mai potuto finire. Ecco quel che pensavano. Era tipico della loro infamia, e senza rapporto con la realtà. Si *sperava* che così fosse. Da parte sua, aveva sempre saputo dominarsi, come quella volta a cui aveva assistito un ambasciatore inglese. Si era costretti a dominarsi, quando si mancava di "presenza".

Guldberg, quanto a presenza, era decisamente insignificante. Il suo ruolo nella rivoluzione danese, e nel tempo che seguì, è però tutt'altro che insignificante. Guldberg aveva sempre sperato che una sua eventuale biografia iniziasse con le parole "C'era un uomo chiamato Guldberg", nello stile delle saghe islandesi. In cui non si giudicava la grandezza di un uomo in base alla sua apparenza.

Guldberg era alto un metro e quarantotto, la sua pelle era grigia e precocemente invecchiata, fitta di piccole rughe comparse fin da giovane età. Sembrava precocemente trasformato in un vecchio; da qui dapprima il disprezzo e il disinteresse di cui fu oggetto, e più tardi la paura che ispirò.

Quando ebbe in mano il potere, impararono a prescindere dalla mediocrità del suo aspetto. Si fece allora ritrarre con la mascella d'acciaio. I suoi migliori ritratti furono realizzati al tempo in cui era al potere. Interpretano la sua personalità interiore, che era grande, dotata di una mascella d'acciaio. I ritratti evidenziano la sua brillantezza, la sua cultura e la sua durezza; non il suo aspetto esteriore. Ed era giusto così. Questo era, secondo lui, il compito dell'arte.

I suoi occhi erano grigi di ghiaccio, come quelli di un lupo, mai batteva le ciglia e guardava dritto negli occhi il suo interlocutore. Prima che soffocasse la rivoluzione danese, lo chiamavano "la lucertola".

Poi smisero di farlo.

C'era un uomo chiamato Guldberg, di limitata statura esteriore, ma pieno di intima grandezza; questo era lo stile giusto.

Da parte sua, non usò mai l'espressione "la rivoluzione danese".

In tutti i ritratti che esistono di loro, hanno entrambi occhi molto grandi.

Sapendo che gli occhi erano considerati lo specchio

dell'anima, erano stati dipinti molto grandi, troppo grandi; sembrano quasi uscire dal volto. Sono brillanti, attenti, sono occhi importanti, insistenti in modo quasi grottesco. Negli occhi è documentato il loro intimo.

Sta poi all'osservatore interpretarli.

Lo stesso Guldberg avrebbe respinto con insofferenza l'idea di una statua equestre. Detestava i cavalli, e ne aveva paura. Mai in vita sua aveva montato un cavallo.

I suoi libri, la sua attività letteraria, ciò che aveva creato prima di dedicarsi alla carriera politica, e ciò che aveva poi fatto gli bastavano come monumento. In tutti i suoi ritratti, Guldberg è rappresentato come un uomo forte, fiorente, per nulla precocemente invecchiato. Il fatto che fosse al potere influenzava ovviamente le sue raffigurazioni; non aveva bisogno di dare indicazioni sulle caratteristiche del ritratto. I pittori si adeguavano senza averne avuto l'ordine, come sempre.

Gli artisti e i ritrattisti li considerava al servizio della politica. Loro compito era rappresentare la realtà, che era, in questo caso, la verità interiore oscurata da un modesto aspetto esteriore.

La modestia dell'aspetto gli fu peraltro a lungo di una certa utilità. Durante la rivoluzione danese, era stato protetto dalla sua aria insignificante. I personaggi importanti sparirono, si annientarono a vicenda. Restò Guldberg, l'insignificante, e tuttavia il più grande nella foresta di alberi abbattuti che si era trovato davanti.

L'immagine dei grandi alberi abbattuti lo seduceva. In una lettera, scrive della relativa piccolezza dei grandi alberi nel periodo di crescita, e della loro caduta. Nel corso dei secoli tutti i grandi alberi del regno di Danimarca erano stati abbattuti. Soprattutto le querce, che si usavano per costruire navi. Era rimasto un regno privo di querce di qualche importanza. In quel paesaggio devastato, dice di sentirsi crescere come un arbusto che s'innalza sopra i ceppi dei grandi alberi abbattuti e sconfitti.

Non lo scrive, ma il sottinteso è evidente. Così la grandezza sorge dalla mediocrità.

Guldberg si considerava un artista che ha rinunciato alla sua arte e ha scelto il campo politico. Per questo ammirava e insieme disprezzava gli artisti.

Johann Friedrich Struensee
(1737-1772)
in un ritratto di Jens Juel del 1771.

Ove Høegh-Guldberg
(1731-1808).

Il suo saggio sul *Paradiso perduto* di Milton, pubblicato nel 1761, nel periodo in cui era professore all'Accademia di Sorø, è un'analisi che si leva contro le descrizioni fittizie del paradiso. Fittizie nel senso che la poesia si concede delle libertà nei confronti dei fatti oggettivi stabiliti dalla Bibbia. Milton, scrive, era un poeta magnifico, ma gli si devono rimproverare le tendenze speculative. Si prende delle libertà. La "cosiddetta poesia sacra" si prende delle libertà. In sedici capitoli respinge con forza le ragioni degli "apostoli dell'emancipazione del pensiero" che "inventano". Creano confusione, rompono gli argini e spargono ovunque la sozzura della poesia.

La poesia non deve alterare i documenti. La poesia è una insozzatrice di documenti. E non parlava allora delle arti figurative.

Era spesso così con gli artisti, che si prendevano delle libertà. Quelle libertà potevano portare all'inquietudine, al caos e alla sporcizia. Per tale ragione anche i poeti devoti dovevano essere corretti. Milton comunque lo ammirava, pur controvoglia. Lo definiva anche "magnifico". Era un poeta magnifico, che si prendeva delle libertà.

Quanto a Holberg, lo disprezzava.

Il saggio su Milton fece la sua fortuna. Fu in particolare ammirato dalla pia regina madre, che tanto ne apprezzò la religiosità e l'acutezza di analisi da far assumere Guldberg come precettore del principe ereditario, il fratellastro di re Cristiano, che era un debole di mente o, con un termine spesso usato, un ritardato.

È così che iniziò la sua carriera politica: attraverso l'analisi della relazione tra fatti – le chiare affermazioni della Bibbia – e finzione, quale era il *Paradiso perduto* di Milton.

4.

No, nessuna statua equestre.

Il paradiso di Guldberg era quello che si era conquistato sul cammino, dall'impresa di pompe funebri di Horsens al castello reale di Christiansborg. Un cammino che l'aveva indurito e che gli aveva insegnato a odiare la sporcizia.

Il suo paradiso Guldberg se l'era conquistato da solo. Non ereditato. Conquistato.

Per qualche anno fu perseguitato da una perfida diceria; si era data una malevola interpretazione del suo dimesso aspetto esteriore, quell'aspetto che finì tuttavia per essere corretto e ingigantito grazie agli artisti, non appena aveva conquistato il potere nel 1772. La diceria voleva che quando aveva quattro anni e la sua voce aveva suscitato unanime stupore e ammirazione, fosse stato evirato dai suoi amorevoli ma poveri genitori, che erano venuti a sapere che in Italia erano offerte ai cantanti grandi possibilità. Con loro grande delusione, dopo i quindici anni si era invece rifiutato di cantare, e aveva scelto la carriera politica.

Non c'era niente di vero.

Suo padre era un modesto impresario di pompe funebri di Horsens che mai aveva assistito a un'opera, né mai aveva sognato di ricavare guadagni da un bambino castrato. La maldicenza, Guldberg ne era sicuro, veniva dalle cantanti d'opera italiane della corte di Copenaghen, che erano tutte delle puttane. Tutti gli illuministi e i blasfemi, soprattutto quelli della cerchia di Altona, quel nido di serpi degli illuministi, si servivano delle puttane italiane. Da loro veniva tutta la sporcizia, come questa sporca voce.

Anche il suo curioso invecchiamento precoce, che in realtà era solo esteriore, si era manifestato molto presto, verso i quindici anni, e i medici non l'avevano saputo spiegare. Per questo Guldberg disprezzava anche i medici. E Struensee era medico.

Quanto alle voci sull'"operazione", non se ne liberò che quando gli fu affidato il potere e non apparve quindi più insignificante. Sapeva che la diceria che fosse stato "reciso" riempiva il suo ambiente di un senso di disagio. Ma aveva imparato a conviverci.

Certo teneva ben presente il significato delle maldicenze, per quanto false fossero. La verità personale era che i suoi devoti genitori gli avevano assegnato un ruolo di impresario di pompe funebri, ma lui l'aveva rifiutato.

Lui si era assegnato un ruolo di politico.

L'immagine del re e di Guldberg fornita dall'ambasciatore inglese nel 1782 è dunque sorprendente, ma contiene un'intrinseca verità.

L'ambasciatore appare stupito per "l'amore" che Guldberg dimostra a un re cui ha rubato il potere e distrutto la reputazione. Ma lo stesso Guldberg non si era sempre stupito delle manifestazioni dell'amore? Come si poteva descriverlo? Se l'era sempre domandato. Questa gente così bella, così grande, così brillante, questa gente che aveva cognizione dell'amore; e tuttavia così accecata! La politica era un meccanismo, poteva essere analizzata, costruita; in un certo senso non era che un ingranaggio. Ma questa gente forte, eminente, questi che avevano cognizione dell'amore, con quale ingenuità consentivano che il gioco politico fosse oscurato dall'idra della passione!

Ah, questa continua confusione tra sentimento e ragione degli intellettuali illuministi! Guldberg sapeva che quello era il punto molle e vulnerabile nel ventre del mostro. Una volta si era reso conto di quanto lui stesso fosse stato vicino a esporsi al contagio di quel peccato. Era venuto dalla "piccola sgualdrina inglese". Per lei era stato costretto a inginocchiarsi accanto al proprio letto.

Mai l'avrebbe dimenticato.

È in questo contesto che Guldberg parla del bosco delle grandi querce, degli alberi che sono stati abbattuti e dell'insignificante cespuglio rimasto come solo vincitore. Descrive ciò che accadde nel bosco tagliato e di come lui stesso, mutilato e insignificante, ottenne il diritto di crescere e di regnare dal luogo in cui assisteva allo svolgersi di tutto, tra i tronchi rasi al suolo di quella foresta annientata.

Ed era convinto di essere il solo a vedere.

5.

Guldberg va guardato con rispetto. È ancora quasi invisibile. Non tarderà a rendersi visibile.

Vide e capì presto.

Nell'autunno del 1769, Guldberg scrive in una nota che la giovane regina è per lui diventata "un enigma sempre più grande".

La chiama "la piccola sgualdrina inglese". La sporcizia della corte la conosceva bene. Conosceva la storia. Federico IV era pio e aveva innumerevoli amanti. Cristiano VI era bigotto ma viveva nella lussuria. Federico V girava di notte per i bordelli di Copenaghen e passava il tempo a bere, a giocare e a fare discorsi osceni e volgari. Si era ammazzato dal bere. Le prostitute si assiepavano attorno al suo letto. E dappertutto in Europa era la stessa storia. Era incominciata a Parigi, e poi si era diffusa come un morbo in tutte le corti. Dappertutto sporcizia.

Chi difendeva allora la purezza?

Da bambino aveva imparato a convivere con i cadaveri. Suo padre, che per mestiere si occupava di cadaveri, gli aveva permesso di aiutarlo. Quante membra rigide e fredde non aveva toccato e trasportato? I morti erano puri. Non si rotolavano nella sporcizia. Attendevano il grande fuoco purificatore che li avrebbe liberati, o tormentati per l'eternità.

La sporcizia l'aveva già vista. Ma mai tanta come a corte.

Quando la piccola sgualdrina inglese era arrivata per diventare sposa del re, la signora von Plessen era stata nominata Prima dama di corte. La signora von Plessen era rimasta pura. Era il suo ruolo. Doveva proteggere la giovane dalla sporcizia della vita. E per lungo tempo vi era riuscita.

Un fatto avvenuto nel giugno del 1767 aveva particolarmente turbato Guldberg. Bisogna sapere che fino a quella data le Altezze Reali non avevano avuto alcuna relazione sessuale, pur essendo ormai sposati da sette mesi.

La mattina del 3 giugno 1767, la signora von Plessen si era lamentata con Guldberg. Era entrata nella stanza in cui svolgeva la sua attività di precettore senza farsi annunciare, e si era messa a deplorare senza mezzi termini il comportamento della regina. Guldberg dice di aver considerato la signora von Plessen una creatura particolarmente repellente ma, in virtù della sua purezza interiore, di un certo valore per la regina. La signora von Plessen puzzava. Non un odore di stalla, di sudore o di altre secrezioni, ma un odore di vecchia, come di muffa.

Benché non avesse che quarantun anni.

La regina, Caroline Mathilde, era a quell'epoca quindicenne. La signora von Plessen, come d'abitudine, era entrata nella sua camera per tenerle compagnia, o giocare a scacchi, o comunque per alleviarne la solitudine con la propria presenza. La regina era stesa sul letto, un letto molto grande, e fissava il soffitto. Era vestita di tutto punto. La signora von Plessen aveva chiesto perché non le rivolgesse la parola. La regina era rimasta a lungo silenziosa, non aveva mosso né il corpo completamente abbigliato né il capo, e non aveva risposto. Alla fine aveva detto:

"Soffro di malinconia".

Le aveva allora domandato che cosa le pesasse tanto sul cuore. La regina aveva infine risposto:

"Lui non viene mai. Perché non viene?".

Nella stanza faceva freddo. La signora von Plessen aveva fissato un attimo la sua sovrana e aveva poi detto:

"Il re si compiacerà certamente di venire. Fino a quel momento, Vostra Maestà può apprezzare di essere libera dall'idra della passione. Non dovreste dolervene".

"Che volete dire?" aveva chiesto la regina.

"Il re," aveva allora precisato la signora von Plessen con la straordinaria aridità che la sua voce riusciva così bene a produrre, "il re vincerà sicuramente la propria timidezza. Fino a quel momento la regina può rallegrarsi di essere al riparo dalla sua passione."

"Perché dovrei rallegrarmi?"

"Quando ne sarete afflitta, non sarà che un tormento!" aveva esclamato la signora von Plessen con un'espressione di inaspettata rabbia.

"Sparite!" aveva sorprendentemente detto la regina dopo un attimo di silenzio.

La signora von Plessen aveva abbandonato offesa la stanza.

L'indignazione di Guldberg risale tuttavia all'episodio che accadde più tardi, la sera di quello stesso giorno.

Guldberg era seduto nel corridoio tra l'anticamera alla sinistra della cancelleria e la biblioteca della segreteria reale, e fingeva di leggere. Non spiega perché "fingeva". A un certo punto era arrivata la regina. Lui si era alzato, inchinandosi. Lei aveva fatto un gesto con la mano, ed entrambi si erano seduti.

La regina indossava un abito rosso chiaro che le lasciava le spalle nude.

"Signor Guldberg," aveva detto a bassa voce, "posso farvi una domanda molto personale?"

Lui aveva annuito, senza capire.

"Mi è stato riportato," aveva sussurrato lei, "che in gioventù vi hanno liberato dal... dal tormento della passione. Vorrei allora domandarvi..."

Si era interrotta. Lui era rimasto in silenzio, ma si era

sentito crescere dentro una rabbia inaudita. Con grande sforzo era tuttavia riuscito a dominarsi.

"Vorrei soltanto sapere..."

Era rimasto in attesa. Alla fine il silenzio si era fatto insopportabile, e Guldberg aveva risposto:

"Sì, Vostra Altezza Reale?".

"Vorrei sapere... se questa liberazione dalla passione dà... una gran pace? Oppure... un gran vuoto?"

Lui non aveva risposto.

"Signor Guldberg," aveva sussurrato lei, "è un vuoto? O un tormento?"

Si era chinata verso di lui. Le rotondità del suo seno gli erano molto vicine. Lui aveva provato un turbamento "al di là di ogni ragione". Aveva immediatamente capito le sue intenzioni, e questa sua capacità di penetrazione gli sarebbe stata di massima utilità nel corso degli avvenimenti che seguirono. La sua perversità era evidente: quella nudità, la rotondità dei suoi seni, la morbidezza della sua pelle giovane, tutto questo gli era molto vicino. Non era la prima volta che constatava che a corte si spargevano voci maligne sulla causa della sua pochezza fisica. Come si sentiva indifeso davanti a quelle calunnie! Gli era impossibile spiegare che i castrati assomigliavano a dei buoi obesi, gonfiati e bolsi, e che certo non possedevano quella fisicità grigia, affilata, sottile e quasi rinsecchita che gli era caratteristica!

Si parlava di lui, e le voci erano giunte all'orecchio della regina. La piccola sgualdrina che lo considerava come inoffensivo, come qualcuno con cui potersi confidare. E che, con tutta la malizia della sua giovane perversità, si chinava ora molto vicino a lui, consentendogli di vedere i seni nella loro quasi totale pienezza. Sembrava volesse metterlo alla prova, verificare se c'era ancora della vita in lui, se i suoi seni possedevano un'attrazione capace di risvegliare gli eventuali resti di ciò che aveva di umano.

Sì, se potevano attirare i resti di un uomo in lui. Di un essere umano. O se era soltanto un animale.

Così lo vedeva lei. Come un animale. Si esponeva indecentemente davanti a lui come per dire: io so. Per dire che lo sapeva mutilato e spregevole, non più un essere umano, non più a portata di mano del desiderio. E lo faceva in quel momento in piena consapevolezza, con cattive intenzioni.

Il suo viso in quell'incidente era vicinissimo a quello di Guldberg, e i suoi seni scoperti gridavano l'insulto che gli rivolgeva. Tentando di ritrovare la padronanza di se stesso, pensò: che Dio la punisca, che possa questa donna soffrire per sempre le fiamme dell'inferno. Che per punizione un palo sia conficcato in quel suo grembo lascivo, che le sue malvagie intimità siano ricompensate con il tormento e la pena eterna.

Il turbamento era così forte che le lacrime gli erano salite agli occhi. E temeva che quella giovane creatura perversa se ne fosse accorta.

Tuttavia l'aveva forse male interpretata. Descrive infatti più tardi come lei gli avesse sfiorato la guancia con la mano con un tocco rapido, leggero come una farfalla, e avesse sussurrato:

"Perdonatemi. Oh, perdonatemi, signor... Guldberg. Non volevo".

Guldberg si era allora alzato di scatto e se n'era andato.

Da bambino Guldberg aveva una voce molto bella. Fin qui, è tutto vero. Odiava gli artisti. E odiava anche l'impurità.

I cadaveri irrigiditi li ricordava come puri. Non creavano mai caos, loro.

La grandezza e l'onnipotenza di Dio si manifestavano nel fatto che aveva designato anche i piccoli, gli umili, gli insignificanti e i disprezzati come propri strumenti. Questo era il miracolo. Questo era l'insondabile miracolo di Dio. Il re, il giovane Cristiano, appariva piccolo, forse debole di mente. Eppure era stato designato.

A lui era stato dato tutto il potere. Questo potere, questa designazione, venivano da Dio. E non era stato dato ai belli, ai forti, ai brillanti; erano loro i veri parvenu. Il più debole era l'eletto. Ecco il miracolo divino. Guldberg l'aveva capito. In qualche misura, il re e Guldberg erano parte dello stesso miracolo.

Questo lo riempiva di soddisfazione.

Aveva visto Struensee per la prima volta ad Altona nel 1766, il giorno in cui la giovane regina vi aveva sostato nel viaggio da Londra a Copenaghen, in vista delle nozze. Struensee era là, nascosto tra la folla, circondato dai suoi amici illuministi.

E Guldberg l'aveva visto: alto, bello e libertino.

Guldberg, un giorno, era uscito dall'anonimato.

Chi è stato insignificante, e poi un giorno è uscito dall'anonimato, sa che tutti gli anonimi possono diventare degli alleati. È solo un problema di organizzazione. La politica comporta organizzazione, saper indurre gli anonimi ad ascoltare, e riferire.

Aveva sempre creduto nella giustizia, e aveva capito che il male doveva essere sgominato da un uomo piccolo e non considerato, che nessuno prendeva in serio conto. Questa era la sua motivazione interiore. Dio l'aveva designato, e gli aveva dato l'aspetto di un nanerottolo grigio, perché le vie del Signore sono imperscrutabili. Ma le azioni di Dio sono piene di astuzia.

Dio è il politico più scaltro.

Fin da giovane aveva imparato a odiare l'impurità, e il male. Il male erano i lussuriosi, coloro che disprezzavano Dio, gli scialacquatori, gli atei, i libertini, i bevitori. Tutta gente che stava a corte. La corte era il male. Per questo non aveva mai smesso di mantenere sul volto un lieve sorriso gentile, come rassegnato, quando osservava il male. Tutti immaginavano che il piccolo Guldberg assistesse con invidia alle orge. Il piccolo Guldberg vorrebbe certo partecipare, pensavano, ma non può. Gli manca – lo strumento. Si accontenta di guardare.

I loro sorrisetti di scherno.

Ma avrebbero dovuto osservare i suoi occhi.

Un giorno, pensava, verrà il tempo del controllo, quando la conquista del controllo sarà avvenuta. E allora nessun sorriso sarà più necessario. Allora verrà il tempo della potatura, della purezza, allora i rami sterili dell'albero saranno recisi. Allora finalmente il male sarà castrato. Allora verrà il tempo della purezza.

E il tempo delle femmine lussuriose sarà scaduto.

Che cosa avrebbe fatto delle femmine lussuriose tuttavia non lo sapeva. Non potevano essere castrate. Forse le femmine lussuriose si sarebbero afflosciate e putrefatte come un fungo d'autunno.

Amava questa immagine. Le femmine lussuriose si sarebbero afflosciate e putrefatte, come un fungo d'autunno.

Il suo sogno era la purezza.

I radicali di Altona erano impuri. Disprezzavano i piccoli e i castrati e sognavano in segreto gli stessi poteri che dicevano di combattere. Li aveva visti da parte a parte. Parlavano di luce. Di fiaccole nelle tenebre. Ma le loro fiaccole non generavano che tenebre.

C'era stato, ad Altona. Era significativo che quello Struensee venisse proprio da Altona. Parigi era il nido di serpi degli enciclopedisti, ma Altona era peggio. Si sarebbe detto che cercassero di mettere una leva sotto la casa del mondo: e il mondo vacillava finché non salivano a galla inquietudini e nauseabonde esalazioni. Ma Dio onnipotente aveva designato uno dei più umili, il più disprezzato, lui stesso, a fronteggiare il Male, a salvare il Re e ad allontanare la sporcizia dall'eletto di Dio. Come aveva scritto il profeta Isaia, *Chi è costui che arriva da Edom, da Bosra con abiti splendenti, maestosamente avvolto nel suo mantello, che si avanza nella pienezza della sua forza? "Sono io che professo la giustizia, e ho la forza per poter salvare." "Perché così rosso è il tuo vestito e i tuoi panni son simili a quelli di chi pigia nel tino?" "Da solo ho pigiato nel tino e nessuno del popolo era con me. Allora li ho pigiati nella mia collera e li ho calpestati nel mio furore; il loro sangue è schizzato sui miei abiti, e ho macchiato tutte le mie vesti. Perché il giorno della vendetta è nel mio cuore, ed è giunto l'anno della redenzione. Ho guardato attorno, e nessuno mi ha aiutato, ho mostrato la mia angoscia e nessuno mi ha sostenuto. Ma il mio braccio è venuto in mio soccorso, e il furore mi ha sostenuto. Ho schiacciato i popoli nella mia collera, li ho inebriati con la mia ira, e ho sparso sulla terra il loro sangue."*

E gli ultimi saranno i primi, come è detto nelle Sacre Scritture.

Era lui che Dio aveva chiamato. Lui, la piccola Lucertola. E un grande terrore si sarebbe abbattuto sulla terra quando il più Umile e il più Reietto avrebbe stretto nelle sue mani le briglie della vendetta. E la collera di Dio li avrebbe colpiti tutti.

Una volta abbattuti il male e la lussuria, avrebbe pensato a restituire l'onorabilità al re. E anche se il male aveva guastato il re, questi sarebbe di nuovo tornato a essere come un bambino. Guldberg sapeva che, fondamentalmente, Cristiano era sempre rimasto bambino. Non era malato di mente. Quando tutto fosse finito, e il bambino eletto da Dio fosse stato salvato, il re l'avrebbe di nuovo seguito come un'ombra, come un bambino, umile e puro. Sarebbe stato di nuovo un bambino puro, e uno degli ultimi sarebbe di nuovo stato uno dei primi.

Avrebbe difeso il re. Contro di loro. Perché anche il re era uno degli ultimi, e dei più disprezzati.

Ma non si erigono statue equestri a un pigiatore.

6.

Il giorno della morte di re Federico, il padre di Cristiano, Guldberg si trovava al suo capezzale.

Era il mattino del 14 gennaio 1766.

Negli ultimi anni re Federico era fisicamente diventato sempre più greve; beveva senza sosta, le sue mani tremavano e la carne si era gonfiata ed era diventata flaccida, grigia, il suo volto pareva quello di un annegato, sembrava fosse possibile staccarne dei pezzi; e all'interno di quella massa si celavano gli occhi spenti, che secernevano un umore giallastro come se il cadavere avesse già cominciato a putrefarsi.

Il re, in preda all'inquietudine e all'angoscia, esigeva costantemente che delle prostitute dividessero il suo letto per alleviare la sua ansia. Con il passare del tempo, molti dei pastori che gli stavano accanto si erano indignati della situazione. Così quelli che avevano l'ordine di leggere al suo capezzale le preghiere destinate a esorcizzare la sua angoscia, si davano per malati. A causa della sua fiacchezza fisica, il re non era più in grado di soddisfare i desideri carnali; pretendeva tuttavia che le meretrici raccattate in città fossero spogliate e introdotte nel suo letto. I pastori fecero notare che in tal modo le preghiere, e in particolare il rito della comunione, assumevano un carattere blasfemo. Il re sputava il Sacro Corpo di Cristo, ma beveva a grandi sorsi il Suo Sangue, mentre le prostitute gli accarezzavano il corpo con malcelato disgusto.

Il peggio era che i pettegolezzi sulle condizioni del re si erano diffusi tra il popolo, e i pastori cominciavano a sentirsi infangati dalle chiacchiere.

L'ultima settimana prima della sua morte, il re fu preso da una grande paura.

Usava questa semplice parola, "paura", invece che "angoscia" o "inquietudine". I suoi attacchi di vomito erano sempre più frequenti. Il giorno in cui morì, ordinò che

Cristiano, il principe ereditario, fosse chiamato al suo capezzale.

Il vescovo della città pretese allora che tutte le prostitute fossero allontanate.

Il re aveva dapprima osservato a lungo e in silenzio coloro che aveva intorno, i valletti, il vescovo e i due pastori, poi, con una voce tanto carica d'odio da farli indietreggiare, aveva urlato che le donne un giorno sarebbero state con lui nel regno dei cieli, mentre sperava che tutti quelli che gli stavano attorno, e in particolare il vescovo di Aarhus, venissero colpiti dai tormenti eterni dell'inferno. Il re in effetti non aveva ben presente la situazione: il vescovo di Aarhus se n'era già tornato alla sua parrocchia subito dopo la veglia.

Poi il re aveva vomitato e, con difficoltà, si era rimesso a bere.

Un'ora più tardi, di nuovo infuriato, aveva fatto chiamare suo figlio, per dargli la sua benedizione.

Cristiano, il principe ereditario, era stato introdotto nella sua stanza verso le nove. Era accompagnato da Reverdil, il precettore svizzero. Cristiano, a quell'epoca sedicenne, aveva fissato suo padre con orrore.

Il re si era infine accorto di lui, e gli aveva fatto cenno di avvicinarsi, ma Cristiano non si era mosso, come pietrificato. Reverdil l'aveva allora preso per un braccio, per condurlo al letto di morte del re, ma Cristiano si era aggrappato al precettore e aveva pronunciato qualche parola inaudibile. I movimenti delle labbra erano evidenti, stava cercando di dire qualcosa, ma non ne usciva alcun suono.

"Vieni... qui... figlio mio... beneamato..." aveva mormorato il re, e con un violento gesto del braccio aveva fatto cadere la brocca vuota del vino.

Vedendo che Cristiano non obbediva all'ordine, il re si era messo a gridare con voce lamentosa e violenta, e quando uno dei pastori gli aveva chiesto se desiderasse qualcosa, aveva detto:

"Desidero... per tutti i diavoli... benedire quel piccolo... quel piccolo... miserabile!".

Dopo un breve istante, senza resistenza, Cristiano si era lasciato condurre al capezzale di suo padre. Il re gli aveva afferrato il collo cercando di attirarlo più vicino.

"Come... riuscirai... a cavartela, piccolo... miserabile..."

Poi era parso che il re non riuscisse a trovare le parole, ma un momento più tardi la voce gli era tornata.

"Piccolo verme! Tu devi diventare duro... duro... DURO!!! Sei duro tu... poverino...? Devi diventare... invulnerabile!!! Altrimenti..."

Cristiano non aveva potuto rispondere, immobilizzato com'era dalla mano che lo premeva contro il torso nudo del re. Questi adesso ansimava pesantemente, come se non riuscisse a respirare, ma poi aveva detto in un sibilo:

"Cristiano! Tu devi diventare duro... duro... duro!!! Altrimenti ti divorano!!! Altrimenti ti mangiano... ti schiacciano...".

Era quindi ricaduto sul cuscino. Nella stanza era ora tornata la calma. Non si udivano che i violenti singhiozzi di Cristiano.

Il re, che aveva chiuso gli occhi, la testa sul cuscino, aveva poi aggiunto a voce bassa e quasi senza farfugliare:

"Tu non sei abbastanza duro, piccolo miserabile. Io ti benedico".

Un liquido giallo gli colava dalla bocca. Qualche minuto dopo re Federico V era morto.

Guldberg aveva visto tutto, e ricordava tutto. Aveva visto Reverdil, il precettore svizzero, prendere il ragazzo per mano, come se il nuovo re fosse un bambino piccolo, e condurlo via per mano, come un bambino; gesto che suscitò lo stupore di tutti e di cui più tardi si sarebbe molto parlato. Lasciarono la stanza in quel modo, attraversarono l'anticamera, passarono davanti al corpo di guardia che presentò le armi, e uscirono nel cortile del castello. Era ormai quasi mezzogiorno, c'era un sole debole, nella notte era caduta un po' di neve. Il ragazzo continuava a singhiozzare, disperato, e stringeva spasmodicamente la mano di Reverdil.

In mezzo al cortile si fermarono bruscamente. Molti li stavano osservando. Perché si erano fermati? E dove stavano andando?

Il ragazzo era gracile e piccolo di statura. La corte, che era stata raggiunta dalla notizia della tragica e inattesa dipartita del re, era affluita nel cortile d'onore. Un centinaio di persone erano là, silenziose e in attesa.

Tra loro c'era anche Guldberg, ancora il più insignificante, ancora senza particolari qualità. Presente solo in virtù del diritto che gli conferiva il suo titolo di insegnante dell'ottuso principe Federico; senza altro diritto, senza potere, ma convinto che i grandi alberi sarebbero caduti, che aveva tempo, e poteva aspettare.

Cristiano e il suo precettore rimanevano immobili, palesemente confusi, in attesa di niente. Rimanevano lì in quel sole pallido, nel cortile d'onore coperto da un sottile strato di neve, in attesa di niente, mentre il ragazzo continuava il suo pianto.

Reverdil stringeva forte la mano del giovane re. Com'era piccolo, questo nuovo re di Danimarca, come un bambino. Guldberg provò uno sconfinato dolore guardandoli. Qualcuno aveva preso accanto al re il posto che gli spettava. Ci sarebbe voluto molto lavoro per conquistarsi quel posto. Il suo dolore era ancora immenso. Ma poi si era controllato.

Il suo tempo sarebbe venuto.

Ecco ciò che accadde quando Cristiano ricevette la benedizione.

Quel pomeriggio stesso, Cristiano VII fu proclamato nuovo re di Danimarca.

Capitolo 2

L'invulnerabile

1.

Il precettore svizzero era magro, curvo di spalle, e sognava l'Illuminismo come un'alba serena e meravigliosa; all'inizio impercettibile, poi si sarebbe levata e sarebbe sorto il giorno.

Così lo immaginava. Un processo dolce, tranquillo, senza resistenze. Così avrebbe dovuto essere.

Si chiamava François Reverdil. Era lui nel cortile del castello.

Reverdil aveva tenuto Cristiano per mano perché aveva dimenticato l'etichetta, e aveva semplicemente provato compassione per le lacrime del ragazzo.

Era per questo che erano rimasti immobili, nel cortile del castello, sulla neve, dopo che Cristiano aveva ricevuto la benedizione.

Nel pomeriggio dello stesso giorno, al balcone del palazzo, Cristiano fu dichiarato re di Danimarca. Reverdil era al suo fianco, appena un po' arretrato. Non era stato apprezzato il fatto che il nuovo re avesse salutato con la mano, ridendo.

Era parso inopportuno. Ma non fu data alcuna spiegazione del comportamento del re.

Assunto nel 1760 come precettore dell'allora undicenne principe ereditario Cristiano, il professore svizzero François Reverdil era riuscito a nascondere a lungo la sua origine ebrea. I suoi altri due nomi – Elie e Salomon – non erano stati trascritti nel contratto.

Quella precauzione era sicuramente inutile. Da oltre dieci anni a Copenaghen non si erano verificati pogrom.

Nemmeno fu menzionato il fatto che Reverdil fosse un illuminista. A suo parere era un'informazione inutile, se non dannosa. Le sue opinioni politiche erano una faccenda privata.

La prudenza era il suo principio base.

Le sue prime impressioni del ragazzo furono molto positive.

Cristiano era "incantevole". Era gracile, piccolo di statura, quasi effeminato, ma il suo comportamento e il suo spirito erano affascinanti. Aveva un'intelligenza pronta, si muoveva con naturalezza ed eleganza e parlava correntemente tre lingue: il danese, il tedesco e il francese.

Già dopo qualche settimana l'immagine si fece più complessa. Il ragazzo pareva essersi rapidamente affezionato a Reverdil; dopo un mese diceva che "non gli ispirava la minima paura". Quando Reverdil aveva riflettuto sulla sconcertante parola "paura", aveva creduto di capire che la paura era lo stato naturale del ragazzo.

Con il passare del tempo, l'aggettivo "incantevole" non fu più sufficiente per definire l'intera immagine di Cristiano.

Durante le passeggiate obbligatorie, fatte a scopo terapeutico per rinvigorirne il corpo, senza che altri fossero presenti, il principe undicenne esprimeva sensazioni e giudizi che Reverdil trovava sempre più spaventosi. Pronunciati oltretutto in un gergo curioso. Così il desiderio di diventare "forte" o "duro", che Cristiano ripeteva in modo maniacale, non denotava affatto la volontà di sviluppare una costituzione fisica robusta; il principe intendeva qualcos'altro. Voleva fare "progressi", ma nemmeno questo concetto poteva essere interpretato in modo razionale. Il suo linguaggio sembrava consistere di un gran numero di parole create secondo un codice segreto, impossibile da decifrare per un estraneo. Questo idioma cifrato non era mai impiegato nelle conversazioni tenute alla presenza di una terza persona, o della corte. Ma, a tu per tu con Reverdil, assumeva una frequenza quasi maniacale.

I termini più singolari erano "carne", "cannibale" e "punizione", usati senza un senso preciso. Alcune espressioni divennero tuttavia presto comprensibili.

Quando ritornavano allo studio dopo la passeggiata, capitava che il ragazzo dicesse che stavano andando verso un "duro esame" oppure "un severo interrogatorio". In termini giuridici danesi, queste espressioni erano sinonimi di

Ritratto di re Cristiano VII
(1749-1808)
donato a re Giorgio II *d'Inghilterra.*

"tortura", pratica a quel tempo non solo consentita, ma anche largamente applicata. Scherzosamente Reverdil aveva chiesto un giorno al ragazzo se si immaginava tormentato con pinzette e altre tenaglie.

Il ragazzo aveva risposto sorpreso di sì.

Era naturale.

Solo dopo un certo tempo Reverdil aveva capito che tale espressione non era una parola in codice che nascondeva un qualche segreto, era semplicemente un'informazione oggettiva.

Lo torturavano. Era normale.

2.

Compito del precettore era formare un despota di Danimarca dai poteri illimitati.

Non era tuttavia solo in quella mansione.

Quando Reverdil assunse le sue funzioni, erano passati esattamente cent'anni dal rovesciamento del 1660, che aveva notevolmente diminuito il potere della nobiltà e restituito al re la sovranità assoluta. Reverdil inculcò al principe anche l'importanza della sua posizione, che faceva di lui il detentore dell'avvenire del paese. Tuttavia, per discrezione, tralasciò di parlare al giovane Cristiano del contesto generale: del declino del potere regale degli ultimi sovrani, e della degenerazione dei suoi predecessori, che avevano concesso i pieni poteri a una corte che controllava ormai la sua stessa educazione, la sua istruzione e il suo modo di pensare.

"Il ragazzo" – questo è il termine utilizzato da Reverdil – sembra aver provato solo inquietudine, avversione e disperazione per il suo futuro ruolo di re.

Il re era sovrano assoluto, ma il potere era totalmente esercitato dai funzionari. Tutti accettavano questa situazione. L'educazione, per quanto riguardava Cristiano, era adeguata a questo concetto. Dio aveva conferito il potere al re. Questi, a sua volta, non lo esercitava, ma lo delegava. Che il re non eserciti il suo potere non è cosa ovvia. La condizione necessaria era che fosse malato di mente, gravemente alcolizzato, oppure restio a operare. Se non entrava in queste categorie, bisognava distruggere la sua volontà. L'apatia e la degenerazione del sovrano erano perciò sia innate, sia ottenute con un'appropriata educazione.

Essendo Cristiano dotato d'intelligenza, chi gli stava attorno aveva dedotto che era necessario ricorrere all'educazione per provocarne l'apatia. Reverdil descrive i metodi adottati col "ragazzo" come "una pedagogia sistematicamente tesa a conseguire incapacità e degenerazione, allo scopo di mantenere l'influenza dei veri detentori del potere". Egli intuì ben presto che alla corte di Danimarca, per raggiungere il risultato ottenuto con i sovrani precedenti, si era pronti a sacrificare la salute mentale del giovane principe.

L'obiettivo era far diventare questo bambino "un nuovo Federico". Si voleva, scriverà più tardi nelle sue memorie, "creare attraverso la decadenza della monarchia un vuoto di potere che permettesse loro di esercitare impunemente il proprio. Non si prevedeva allora che in quel vuoto potesse giungere un giorno la visita di un medico di nome Struensee".

È Reverdil a usare l'espressione "la visita del medico". Non vuol fare dell'ironia. Osserva piuttosto la distruzione del ragazzo con sguardo lucido, e con rabbia.

Della famiglia di Cristiano si sa solo che sua madre era morta quando lui aveva due anni, e che il padre l'aveva conosciuto unicamente attraverso la sua cattiva reputazione. L'uomo che aveva programmato e guidato la sua educazione, il conte Ditlev Reventlow, era una persona retta.

Reventlow aveva un carattere forte.

La sua convinzione era che l'educazione fosse "un addestramento che poteva assumersi anche il più stupido dei contadini, purché avesse in mano una buona frusta". Per questa ragione il conte Reventlow aveva sempre in mano una frusta. Dava grande peso alla "sottomissione mentale" e al fatto che "l'autonomia doveva essere spezzata".

Non aveva esitato ad adottare con il principe Cristiano questi metodi, che del resto non erano insoliti nell'educazione infantile del tempo. La sola singolarità, giudicata eccezionale dai contemporanei, era che questo genere di educazione non veniva impartito nei ranghi della nobiltà o dell'alta borghesia. E in questo caso, colui che si doveva piegare con la frusta, con l'addestramento e la sottomissione mentale per essere privato di ogni autonomia, era il sovrano assoluto di Danimarca designato da Dio.

Una volta spezzato e sottomesso, annullata la sua volontà, il sovrano avrebbe ricevuto il potere, per cederlo ai suoi educatori.

Molto tempo dopo, ben oltre la fine della rivoluzione danese, Reverdil si chiede nelle sue memorie perché non fosse intervenuto.

Non trova nessuna risposta. Si descrive come un intellettuale, e la sua analisi è molto lucida.

Ma a questa precisa domanda non dà risposta.

Reverdil iniziò il suo incarico come insegnante subalterno di tedesco e di francese. Al suo arrivo stese il bilancio dei risultati ottenuti dall'educazione nei dieci anni precedenti.

È vero: lui era un subalterno. Il conte Reventlow stabiliva i principi. In assenza dei genitori.

"È dunque con dispiacere che ogni giorno, per cinque anni, lasciavo il castello; vedevo a qual punto ci si sforzasse di distruggere le facoltà mentali del mio allievo, perché non imparasse alcuna cosa connessa alla sua missione di regnante e al suo diritto al potere. Egli non aveva ricevuto la minima istruzione relativa alla legislazione civile del suo paese; non sapeva niente di come le diverse amministrazioni dello stato si dividessero i compiti, né dei dettagli di governo; nemmeno del principio che il potere era emanato dalla Corona e si ramificava ai diversi funzionari dello stato. Non gli avevano mai parlato delle relazioni che avrebbe dovuto intrattenere con i paesi vicini, ignorava del tutto la consistenza delle forze di terra e di mare del suo regno. Il Gran maestro di corte, che guidava la sua educazione e che ogni giorno controllava le mie lezioni, era diventato ministro delle Finanze senza lasciare il suo incarico di supervisore, ma non insegnava al suo allievo alcuna nozione che riguardasse la sua carica. Le somme che il paese versava alla monarchia, il modo in cui pervenivano alla tesoreria, la loro destinazione, tutto ciò era completamente ignoto alla persona che un giorno avrebbe dovuto disporne. Qualche anno prima suo padre il re gli aveva regalato un podere; ma il principe non vi aveva nemmeno assunto un guardiano, non aveva speso un ducato di propria iniziativa, né piantato un solo albero. Il Gran maestro di corte e ministro delle Finanze Reventlow dirigeva tutto di testa sua e diceva a giusto titolo: 'i miei meloni, i miei fichi...'!"

Nel corso dell'educazione del re, questo ruolo giocato dal conte Reventlow – ministro delle Finanze e gentiluomo di campagna – fu fondamentale, constata il precettore. Consentì in certa misura a Reverdil di sciogliere l'enigma che gli aveva posto il linguaggio cifrato del ragazzo.

Le singolarità somatiche del principe divennero in realtà sempre più marcate. Una forma d'inquietudine sembrava tormentarne il corpo: esaminava in continuazione le sue mani, si pizzicava lo stomaco, si picchiettava la pelle con la punta delle dita e mormorava che presto avrebbe "fatto progressi". Stava attendendo lo "stato di perfezione" che gli avrebbe consentito di diventare "come i commedianti italiani".

Nel giovane Cristiano, i concetti di "teatro" e di "*Passauer Kunst*" si confondevano. Non esisteva in ciò alcuna logica, tranne quella provocata al ragazzo dai "severi interrogatori".

Tra le tante idee bizzarre che fiorivano all'epoca nelle corti europee, c'era la credenza che esistessero dei modi per rendere l'essere umano invulnerabile. Il mito si era creato in Germania durante la guerra dei Trent'anni; un sogno di invulnerabilità che avrebbe giocato un ruolo non da poco anche tra i sovrani. Sia il padre che il nonno di Cristiano avevano prestato fede a quest'arte, chiamata *Passauer Kunst*.

La credenza in questa *Passauer Kunst* fu per Cristiano un tesoro segreto che serbava nel profondo dell'animo.

Di continuo si esaminava le mani, lo stomaco, per vedere se aveva fatto progressi, se "stava avanzando" verso l'invulnerabilità. I cannibali attorno a lui erano dei nemici che lo minacciavano senza posa. Se fosse diventato "forte", e il suo corpo "invulnerabile", sarebbe riuscito a essere insensibile ai maltrattamenti dei nemici.

Nemici lo erano tutti, ma in particolare il despota Reventlow.

Il fatto che menzionasse "i commedianti italiani" come modelli divini era legato a questo sogno. Agli occhi del giovane Cristiano gli attori di teatro apparivano simili a divinità. Gli dei erano duri, e invulnerabili.

Questi dei recitavano anch'essi i loro ruoli. Per questo rimanevano al di fuori della realtà.

All'età di cinque anni Cristiano aveva assistito a una rappresentazione di un gruppo di attori italiani. Il nobile portamento dei commedianti, la loro alta statura e i costumi sontuosi gli avevano fatto un'impressione così forte che aveva finito per considerarli esseri superiori. Erano divini. E se lui, di cui si diceva fosse l'eletto di Dio, avesse fatto progressi, avrebbe potuto unirsi a quegli dei, diventare attore, ed essere così liberato dal "tormento del potere reale".

Viveva costantemente la propria missione come un tormento.

Col tempo gli venne anche l'idea di essere stato scambiato da bambino. In realtà era figlio di contadini. Era diventata una sua idea fissa. L'elezione era un tormento. I "severi interrogatori" erano un tormento. Dal momento che era stato scambiato non avrebbe dovuto essere dispensato da quei tormenti?

Il prescelto di Dio non aveva niente di un normale essere umano. Perciò ricercava, sempre più febbrilmente, degli elementi che provassero che era un essere umano. Bastava un segno! La parola "segno" ricorreva costantemente. Cercava "un segno". Se avesse trovato delle prove che era un essere umano, non un eletto, sarebbe stato liberato dal ruolo di re, dal tormento, dall'insicurezza e dai severi interrogatori. D'altra parte, se fosse riuscito a rendersi invulnerabile, come i commedianti italiani, sarebbe forse riuscito a sopravvivere anche come eletto.

Ecco come Reverdil interpretava il modo di ragionare di Cristiano. Non ne era sicuro. Ma di una cosa era sicuro: che vedeva l'immagine che un bambino distrutto aveva di se stesso.

L'idea che il teatro fosse irreale, e perciò l'unica vita realmente esistente, si rafforzava sempre più nel principe Cristiano.

Il suo ragionamento – e Reverdil faceva fatica a seguirlo essendone poco evidente la logica – il suo ragionamento era che solo se il teatro era reale tutto diventava comprensibile. Le persone sulla scena si muovevano come dei, e ripetevano le parole che avevano imparato; questa era la condizione naturale. Gli attori erano il reale. Per quanto lo concerneva, gli avevano conferito il ruolo di Re per Grazia

Divina. E questo non aveva nulla a che fare con la realtà, era arte. Non doveva quindi provare vergogna.

La vergogna era altrimenti il suo stato naturale.

Durante una delle prime lezioni, che si svolgeva in francese, Reverdil si era reso conto che l'allievo non capiva l'espressione "corvée". Tentando di chiarirla, riferendosi alle esperienze del ragazzo, gli aveva descritto quanta parte il teatro avesse nella sua stessa esistenza. "Ho dovuto spiegargli che i suoi viaggi assomigliavano a un arruolamento militare, che degli ispettori venivano inviati in ogni distretto per informare i contadini che avrebbero dovuto essere presenti, alcuni con cavalli, altri soltanto con carretti; che questi contadini erano costretti ad aspettare per ore e per giorni lungo le strade e nei posti stabiliti, che sprecavano una quantità di tempo per niente, che quella gente era stata obbligata, e che nulla di ciò che vedeva passando era reale."

Il Gran maestro di corte e ministro Reventlow, venuto a conoscenza di questo distorto insegnamento, aveva avuto un accesso di collera e aveva gridato che quella spiegazione non era di alcuna utilità. Il conte Ditlev Reventlow gridava spesso. In generale il suo comportamento in veste di controllore dell'istruzione del principe aveva stupito il precettore svizzero ed ebreo che tuttavia, per ovvie ragioni, non osava opporsi ai principi del ministro delle Finanze.

Niente aveva un senso. La commedia era la condizione naturale. Bisognava imparare, ma non capire. Lui era l'eletto di Dio. Era al di sopra di tutti, ma allo stesso tempo era il più insignificante. La sola costante era essere costantemente bastonato.

Reventlow aveva fama di essere "integro". Giudicando che l'apprendimento fosse più importante della conoscenza, insisteva energicamente che il principe imparasse frasi e affermazioni a memoria, esattamente come per una rappresentazione teatrale. Che il principe capisse o meno ciò che imparava non aveva importanza. Prendendo a modello il teatro, il principale scopo dell'insegnamento era far imparare a memoria delle battute. Nonostante la sua integrità e la sua severità d'animo, Reventlow aveva fatto venire per il principe dei costumi appropriati direttamente da Parigi. Quando il ragazzo gli si presentava e recitava a memoria le sue battute, il ministro delle Finanze era soddisfatto. Prima di ogni recita dell'erede al trono, era capace di sbottare con frasi del tipo:

"Guardate! Adesso si esibirà il mio burattino!".

Spesso, scrive Reverdil, queste scene erano per Cristiano una vera tortura. Un giorno in cui avrebbe dovuto mostrare la sua conoscenza dei passi di danza, non gli fu chiarito ciò che doveva fare. "Quel giorno fu penoso per il principe. Ricevette ingiurie e bastonate, e pianse fino al momento in cui doveva aver luogo il balletto. Nella sua testa si confondeva quello che si stava svolgendo con le sue idee fisse: credeva che lo stessero portando in prigione. Gli onori militari che gli vennero attribuiti al portone, i rulli di tamburo, le guardie attorno alla carrozza rafforzarono quella sua convinzione creandogli una violenta angoscia. Tutte le sue certezze furono sconvolte, il sonno lo abbandonò per molte notti e non faceva che piangere costantemente."

"Costantemente", com'era giusto, Reventlow interveniva nell'insegnamento, in particolare quando l'apprendimento si mitigava in ciò che egli chiamava "conversazione".

"Quando percepiva che lo studio 'degenerava' in conversazione, ossia si svolgeva in tranquillità, senza fracasso e destava l'interesse del mio allievo, Reventlow gridava dall'altra parte della stanza con voce tonante e in tedesco: 'Vostra Altezza Reale, se io non controllo qui non si fa più niente!'. Quindi si avvicinava a noi, faceva ripetere la lezione al principe, e interveniva con i propri commenti, dandogli dei forti pizzicotti, torcendogli le mani e tirandogli dei pugni. Il ragazzo entrava allora in confusione, si spaventava e faceva sempre peggio. I rimproveri si moltiplicavano e i maltrattamenti si inasprivano, perché aveva ripetuto troppo alla lettera, o perché troppo liberamente, o perché aveva dimenticato un dettaglio, o perché aveva risposto correttamente, dal momento che spesso accadeva che il suo carnefice non conoscesse la risposta esatta. Il Gran maestro allora si incolleriva ancor più, e alla fine gridava che gli portassero il bastone (*stock*) che usava sul ragazzo, e che continuò a usare molto a lungo. Queste scenate rivoltanti erano note a tutti, perché si potevano sentire fin nel cortile del palazzo, dove si riunivano i cortigiani. La folla là radunata per acclamare il Sole Nascente – ossia il ragazzo che al momento veniva castigato e urlava, e che io avevo imparato a conoscere come un ragazzo bello e amabile – la folla ascoltava tutto, mentre il principe, gli occhi sbarrati e pieni di lacrime, cercava di leggere sul volto del suo tiranno che cosa volesse e quali parole avrebbe voluto ascoltare. Durante i pasti il mentore continuava a monopolizzare l'attenzione, facendo domande al ragazzo e accogliendo le risposte con violente volgarità. Così il ragazzo era esposto al ridicolo di fronte ai suoi servitori, e imparò a diventare familiare con la vergogna.

Nemmeno la domenica era giorno di riposo; Reventlow portava due volte il suo allievo in chiesa, ripeteva con voce tonante i principali passaggi della predica all'orecchio del principe, pizzicandolo e strattonandolo al gomito per sottolineare la particolare importanza di certe frasi. Il principe era quindi costretto a ripetere ciò che aveva ascoltato e, se aveva dimenticato o frainteso qualcosa, veniva maltrattato con la durezza che esigeva ogni specifico argomento."

Questo era "il severo interrogatorio". Reverdil nota che Reventlow maltrattava così a lungo il principe ereditario che "la bava appariva sulle labbra del conte". Senza mediazione, tutto il potere sarebbe poi stato messo nelle mani del ragazzo, direttamente da Dio che l'aveva eletto.

Per questo egli cerca un "benefattore". E per ora non lo trova.

Le passeggiate erano le sole occasioni in cui Reverdil aveva modo di spiegare senza sorveglianza. Ma il ragazzo appariva sempre più insicuro e confuso.

Niente sembrava più avere un senso. In quelle passeggiate, che a volte facevano soli, altre seguiti da ciambellani "a una distanza di circa trenta cubiti", la confusione del ragazzo era tuttavia sempre più evidente.

Si può dire: il suo linguaggio cominciava a essere decodificato. Reverdil riusciva anche a notare che, nella coscienza linguistica del ragazzo, ciò che si riferiva alla parola "integrità" era associato ai maltrattamenti, e alla depravazione della corte.

Nei suoi disperati tentativi di attribuire della coerenza al tutto, Cristiano spiegava di aver capito che la corte era un teatro, che lui doveva imparare le proprie battute, e che sarebbe stato punito se non le sapeva parola per parola.

Ma era un'unica persona, o era sdoppiato in due?

I commedianti italiani, che tanto ammirava, avevano un ruolo sulla scena e un altro ruolo "all'esterno", quando la rappresentazione era terminata. Ma, voleva sapere il ragazzo, il suo ruolo non cessava mai? Lui, quando si trovava "all'esterno"? Doveva proprio sforzarsi di "indurirsi", di fare "progressi" e di restare sempre "all'interno"? Se il tutto non era che battute da imparare a memoria, e se Reverdil aveva detto che tutto era una messinscena, che la sua vita doveva solo essere imparata a memoria e "rappresentata", poteva allora mai sperare di poter uscire da quella commedia?

Gli attori, gli italiani che aveva visto, erano tuttavia due esseri: uno sulla scena, uno all'esterno. Ma lui, cos'era?

Non c'era alcuna logica nel suo ragionamento, che tuttavia per altri versi era comprensibile. Aveva chiesto a Reverdil che cos'era un essere umano. E lo era lui stesso? Dio aveva inviato sulla terra il suo unico figlio, ma Dio aveva anche eletto lui, Cristiano, a essere il sovrano assoluto. Era sempre Dio l'autore di quelle battute che doveva imparare? Era per volontà di Dio che i contadini reclutati durante i suoi viaggi gli erano compagni di scena? E se no, qual era il suo ruolo? Era forse il figlio di Dio? E in tal caso, chi era stato allora suo padre Federico?

Dio aveva designato anche suo padre, e l'aveva reso "integro" quasi quanto Reventlow? C'era forse qualcun altro al di là di Dio, un Benefattore dell'Universo, che poteva aver pietà di lui nei momenti di estrema disperazione?

Reverdil gli aveva seccamente risposto che lui non era l'unto del Signore, che nemmeno era Gesù Cristo, al quale ovviamente Reverdil stesso non credeva, essendo ebreo; e che, in nessuna circostanza, dovesse mai permettersi di dire di essere figlio di Dio.

Sarebbe stata una bestemmia.

L'erede al trono allora aveva obiettato che la regina madre, che era pietista e seguace dei Fratelli Moravi, aveva detto che il vero cristiano si bagnava nel sangue dell'Agnello, che le ferite erano grotte in cui il peccatore poteva rifugiarsi, e che là era la salvezza. Come si spiegava allora?

Reverdil gli aveva detto di togliersi immediatamente dalla testa pensieri del genere.

Cristiano ripeteva che aveva paura di essere punito, visto quanto era grande la sua colpa; in primo luogo perché non ricordava le sue battute; poi perché affermava di essere designato per Grazia Divina quando in realtà era un figlio di contadini che era stato scambiato. Allora ritornavano i suoi spasmi, le dita che pizzicavano il ventre, gli scatti delle gambe, il gesto della mano nell'aria e poi il proferire insistito di una parola, ripetuta come un grido d'aiuto, o una preghiera.

Sì, era forse questa la sua maniera di pregare: la parola ritornava, come il gesto della mano nell'aria o verso qualcuno, in quell'universo che sembrava al ragazzo così confuso, così terrificante e privo di ogni coerenza.

"Un segno!!! Un segno!!!"

Gli ostinati monologhi di Cristiano continuavano. Come se rifiutasse di arrendersi. Se si era puniti, si era liberati dalla colpa? Esisteva un Benefattore? Essendosi ormai reso conto che la sua vergogna era così grande, e i suoi errori così numerosi, qual era allora il rapporto tra colpa e punizione? In che modo sarebbe stato punito? Tutti quelli che attorno a lui fornicavano, bevevano ed erano integri, facevano anch'essi parte del teatro di Dio? Gesù era ben nato in una stalla. Perché allora era così impossibile che lui fosse stato scambiato, e avrebbe potuto vivere una vita diversa con genitori affettuosi, tra i contadini e gli animali?

Gesù era figlio di un falegname. Chi era allora lui, Cristiano?

Reverdil provava un'inquietudine sempre più forte, ma si sforzava di rispondere con calma e buon senso. Aveva tuttavia la sensazione che la confusione mentale del ragazzo non facesse che crescere, diventando sempre più allarmante.

Gesù, aveva chiesto Cristiano durante una passeggiata, non aveva cacciato i mercanti dal tempio? Coloro che fornicavano e che peccavano!!! Aveva cacciato loro, gli integri, chi era allora Gesù?

"Un rivoluzionario," aveva risposto Reverdil.

Toccava allora a lui, Cristiano, aveva insistito a chiedere il ragazzo, essendo sovrano assoluto eletto da Dio, in questa corte in cui si fornicava e si beveva e si peccava, fare a pezzi tutto quanto? E cacciare, distruggere... annientare... gli integri? Reventlow era un integro, non è vero? Poteva un Benefattore, forse il padrone di tutto l'universo, provare pietà, e darsi il tempo per farlo? Per distruggere gli integri? Poteva Reverdil aiutarlo a trovare un Benefattore che potesse distruggere tutto?

"Perché lo desideri?" aveva chiesto Reverdil.
Allora il ragazzo si era messo a piangere.
"Per raggiungere la purezza," aveva poi risposto.
Avevano camminato a lungo, in silenzio.
"No," aveva detto alla fine Reverdil, "il tuo compito non è distruggere."
Ma sapeva di non aver dato una risposta.

3.

Il giovane Cristiano parlava sempre più spesso di colpa, e di punizione.

La piccola punizione la conosceva bene. Era il bastone, quello che usava il Gran maestro di corte. La piccola punizione era anche la vergogna, e le risate dei paggi e delle "favorite" quando aveva sbagliato. La grande punizione doveva essere per i peccati più gravi.

L'evoluzione del ragazzo ebbe una svolta inquietante con l'episodio della tortura e dell'esecuzione del sergente Mörl.

I fatti sono i seguenti.

Un sergente di nome Mörl che, con abominevole perfidia, aveva assassinato il benefattore presso il quale viveva per rubare la cassa del reggimento, fu condannato per regio decreto, firmato da re Federico, a essere giustiziato in maniera atroce, secondo i sistemi usati solo per i delitti di particolare gravità.

Molti ritenevano che si trattasse di un'espressione di inumana barbarie. La sentenza era particolarmente atroce; ma il principe ereditario Cristiano era stato informato della vicenda e le aveva dedicato un singolare interesse. Era avvenuto durante il penultimo anno di regno di re Federico. Cristiano, che aveva allora quindici anni, aveva espresso a Reverdil il desiderio di assistere all'esecuzione. Reverdil si era allarmato, e aveva esortato il suo allievo a non farlo.

Il ragazzo – lo chiama ancora il ragazzo – aveva tuttavia letto la sentenza, e ne era rimasto affascinato. È necessario aggiungere che il sergente Mörl, prima dell'esecuzione, aveva trascorso tre mesi in carcere, dove c'era stato il tempo di inculcargli qualche insegnamento religioso.

Per sua fortuna era capitato nelle mani di un prete seguace dei Fratelli Moravi la cui fede, ravvivata dal conte Zinzendorf, era anche abbracciata dalla regina madre. Quest'ultima in una conversazione con Cristiano – conversazioni del genere avvenivano, ma esclusivamente di carattere religioso – aveva analizzato i dettagli della sentenza e il modo in cui sarebbe stata eseguita, e aveva anche raccontato che il prigioniero era diventato un adepto dei Fratelli Moravi. Il prigioniero Mörl si era ora convinto che le spaventose sofferenze che doveva affrontare prima di abbandonare la vita l'avrebbero in qualche modo congiunto alle ferite di Gesù; sì, che proprio la tortura, i tormenti e le ferite gli avrebbero consentito di essere inghiottito nel grembo di Gesù, affogato nelle Sue ferite e scaldato dal Suo sangue.

Il sangue, le ferite – tutto nella descrizione della madre aveva acquisito un carattere che Cristiano aveva trovato "piacevole", e che aveva riempito i suoi sogni notturni.

Il carro del boia si era trasformato in un carro trionfale. Le tenaglie roventi che l'avrebbero straziato, le fruste, i chiodi e alla fine la ruota, tutto sarebbe diventato la croce sulla quale l'uomo si sarebbe congiunto col sangue di Cristo. In carcere Mörl aveva anche scritto dei salmi che erano stati stampati e diffusi in gran numero per l'edificazione del popolo.

Nel corso di quei mesi la regina madre e Cristiano si erano ritrovati uniti, in un modo che Reverdil giudicava ripugnante, nell'interesse per quell'esecuzione. Non poteva impedire a Cristiano di assistervi in segreto.

L'espressione "in segreto" ha un particolare significato di carattere giuridico. L'usanza voleva infatti che il prigioniero dovesse essere graziato, se il re o l'erede al trono si fosse trovato a passare sul luogo dell'esecuzione.

Cristiano aveva dunque assistito all'esecuzione, restando però nascosto in una carrozza, e nessuno aveva notato la sua presenza.

Il sergente Mörl aveva intonato i suoi salmi, testimoniando con voce tonante la fede ardente e il desiderio di affogare nelle ferite di Gesù Cristo; tuttavia quando la lenta tortura sul patibolo aveva avuto inizio, non era riuscito a resistere e aveva lanciato urla disperate, soprattutto quando i chiodi avevano trafitto "quelle parti del corpo e del basso ventre che erano la sede del massimo piacere ma capaci di provocare i più intensi dolori". La sua disperazione si era allora talmente svuotata di devozione e colmata di sgomento che i salmi e le preghiere della folla si erano spenti. Il pio godimento di contemplare la morte del martire era scemato, e molti avevano abbandonato in tutta fretta il luogo dell'esecuzione.

Per tutto il tempo Cristiano era rimasto nella sua carrozza, fino a quando il sergente Mörl aveva esalato l'ultimo respiro. Era poi tornato al castello, era andato da Reverdil, si era inginocchiato davanti a lui, le mani giunte, e con disperazione e smarrimento, in assoluto silenzio, aveva fissato il volto del suo insegnante.

Quella sera non era stata pronunciata una sola parola.

A questo si collega ciò che accadde la sera seguente.

Reverdil era passato dagli appartamenti di Cristiano per comunicare una variazione degli orari delle lezioni per il giorno dopo. Si era fermato sulla soglia, e aveva assistito a una scena che, come scrive, l'aveva paralizzato. Cristiano era steso sul pavimento, allungato sopra un qualcosa che voleva rappresentare una ruota di tortura. Due paggi erano intenti a "spezzargli le articolazioni", simulando il gesto con l'aiuto di rotoli di carta, mentre il criminale sulla ruota supplicava, gemeva e piangeva.

Reverdil era rimasto impietrito, era poi entrato nella stanza e aveva intimato ai paggi di smettere. Allora Cristiano era fuggito correndo, e si era in seguito rifiutato di commentare l'episodio.

Un mese più tardi aveva accennato a Reverdil che di notte non riusciva a dormire, e il precettore l'aveva pregato di spiegare la ragione dei suoi tormenti. In lacrime, Cristiano aveva raccontato di essere arrivato alla conclusione "che era lui stesso Mörl, e che era sfuggito alle mani della giustizia, che per errore aveva torturato e giustiziato un fantasma. Questo tentativo di confondersi con un torturato riempiva la sua mente di idee cupe, e accresceva la sua propensione alla malinconia".

4.

Reverdil non cessa di accarezzare il suo sogno di vedere la luce dell'Illuminismo arrivare a poco a poco, furtivamente: come un'alba che sorge calma dall'acqua.

Il sogno dell'ineluttabilità. Sembra aver considerato a lungo l'evoluzione dalle tenebre alla luce come qualcosa di inevitabile, dolce, liberato dalla violenza.

Poi l'abbandona.

Con infinita prudenza, Reverdil aveva cercato di inoculare nella mente dell'erede al trono qualcuno dei semi che, come seguace dell'Illuminismo, sperava di veder germogliare. Quando il ragazzo, pieno di curiosità, aveva chiesto se gli sarebbe stato possibile avere uno scambio epistolare con qualcuno di quei filosofi che avevano creato la grande Enciclopedia francese, Reverdil aveva risposto che un certo signor Voltaire, un francese, avrebbe forse potuto interessarsi al giovane erede al trono di Danimarca.

Cristiano allora aveva scritto una lettera al signor Voltaire. E aveva ricevuto una risposta.

Era così che era cominciata quella corrispondenza tanto sorprendente agli occhi dei posteri tra Voltaire e il demente re danese Cristiano VII, nota soprattutto per il poema che Voltaire scrisse nel 1771 in omaggio a Cristiano, in cui gli rende onore come principe della Luce e della Ragione nel Nord. Poema che l'avrebbe raggiunto una sera a Hirschholm, quando ormai era già perduto; ma che lo rese felice.

Voltaire aveva allegato a una delle prime lettere un libro di cui era egli stesso l'autore. Durante la passeggiata pomeridiana, Cristiano – che Reverdil aveva invitato a mantenere segreta la corrispondenza – aveva mostrato al precettore il libro, che aveva subito letto, citandogli un passaggio che gli era particolarmente piaciuto.

"Non si è forse all'apice della pazzia, quando si crede di poter convertire gli uomini costringendo i loro pensieri alla sottomissione, diffamandoli, perseguitandoli, spedendoli in galera e cercando di annullarne i pensieri trascinandoli su forche, roghi e ruote di tortura?"

"Ecco ciò che pensa il signor Voltaire!" aveva esclamato Cristiano trionfante. "Ecco il suo pensiero! E mi ha mandato il libro! Il suo libro! A me!"

Con un bisbiglio Reverdil aveva pregato il suo allievo

di abbassare la voce, perché i cortigiani che li seguivano a trenta cubiti di distanza avrebbero potuto insospettirsi. Cristiano aveva rapidamente stretto il libro al petto, e sussurrando aveva riferito che il signor Voltaire, nella sua lettera, comunicava di essere attualmente sottoposto a un processo che concerneva la libertà di pensiero; e che quando lui, Cristiano, l'aveva letto, aveva subito avuto l'impulso di mandare mille talleri per sostenere il processo del signor Voltaire per la libertà d'espressione.

Aveva quindi domandato al suo insegnante se condivideva l'idea. Se doveva inviare il denaro. Reverdil, una volta ripreso dal suo stupore, aveva assicurato il suo appoggio all'intenzione dell'erede al trono.

In seguito la somma fu anche effettivamente inviata.

Approfittando dell'occasione, Reverdil aveva chiesto a Cristiano perché desiderasse unirsi a Voltaire in quella battaglia, non certo priva di pericoli. La sua scelta avrebbe potuto essere fraintesa, e non solo a Parigi.

"Perché?" aveva chiesto Reverdil. "Quale ragione vi spinge?"

Cristiano, sorpreso, aveva allora risposto con grande semplicità:

"Ma per la purezza!!! Per che altro? Per la purificazione del tempio!!!".

Reverdil scrive che questa risposta lo riempì di gioia, mista a cattivi presentimenti.

Quella sera stessa i suoi timori parvero trovare conferma.

Reverdil era nella sua stanza quando udì un insolito baccano che proveniva dal cortile del castello, un fracasso come di mobili infranti, e urla. Si era poi aggiunto un rumore di vetri rotti. Si precipitò all'esterno e trovò una folla che già aveva cominciato a radunarsi. Corse allora agli appartamenti del principe e scoprì che Cristiano, in un accesso di confusione mentale, aveva sfasciato i mobili della sala adiacente alla sua camera da letto e aveva gettato i pezzi dalla finestra; dappertutto erano sparsi frammenti di vetro, e due dei "favoriti", come venivano chiamati alcuni dei cortigiani, cercavano invano di calmare l'erede al trono, per indurlo a porre fine a quegli "eccessi".

Cristiano non cessò tuttavia di lanciare i mobili dalla

finestra finché Reverdil non gli si rivolse con voce forte e supplichevole.

"Ragazzo mio," gli disse, "mio amato ragazzo, perché fai tutto questo?"

Cristiano l'aveva fissato in silenzio, come se non capisse perché Reverdil potesse porre una simile domanda. Era tutto così evidente.

Il confidente della regina madre, un professore dell'Accademia di Sorø di nome Guldberg, che fungeva da precettore e sorvegliante del principe Federico, un uomo con gli occhi blu di ghiaccio ma privo di altre particolari qualità, e di statura insignificante, era entrato precipitosamente nella stanza in quell'istante, e Reverdil era solo riuscito a sussurrare al principe:

"Non così, mio caro ragazzo! Non così!!!".

Il ragazzo si era a quel punto calmato. Nel cortile del palazzo incominciavano a raccogliere i frammenti dei mobili.

Guldberg aveva poi preso Reverdil per il braccio, e aveva chiesto di parlargli. Si erano ritirati in un corridoio del castello.

"Signor Reverdil," disse Guldberg, "Sua Maestà ha bisogno di un medico personale."

"Perché?"

"Un medico personale. Dobbiamo trovare qualcuno che possa guadagnare la sua fiducia e impedire i suoi... scatti."

"E chi?" chiese Reverdil.

"Dobbiamo cercare," rispose Guldberg, "cercare con grande cura, la persona perfettamente adeguata. Non un ebreo."

"E perché mai?" si stupì Reverdil.

"Perché Sua Maestà è malato di mente," rispose Guldberg.

A questo Reverdil non aveva potuto ribattere.

5.

Il 18 gennaio 1765, il consigliere di corte Bernstorff comunicò al giovane erede al trono che il governo, dopo quasi due anni di trattative con il governo inglese, nella riunione del martedì aveva deciso di unirlo in matrimonio con la principessa inglese Caroline Mathilde, di tredici anni d'età e sorella di re Giorgio III.

Le nozze sarebbero state celebrate nel novembre del 1766.

All'annuncio del nome della sua promessa sposa, Cristiano fu assalito dall'usuale, agitazione fisica; si pizzicava la pelle con la punta delle dita, le tamburellava sullo stomaco e agitava i piedi con scatti spastici. Aveva poi domandato:

"Dovrò imparare parole o battute particolari per l'occasione?".

Il conte Bernstorff non aveva recepito il senso della domanda, e sorridendo amabilmente aveva risposto:

"Soltanto quelle dell'amore, Vostra Altezza Reale".

Quando Federico morì, e Cristiano ricevette la benedizione, l'educazione severa fu interrotta. Il giovane re era pronto. Era ormai in grado di esercitare il pieno potere di sovrano.

Era pronto. Poteva entrare nel suo nuovo ruolo. Aveva sedici anni.

Reverdil aveva accompagnato Cristiano al capezzale di suo padre morente, aveva assistito alla benedizione, e l'aveva ricondotto fuori. Erano rimasti a lungo in piedi da soli, nel cortile del palazzo, sotto i flocchi di neve che danzavano, fino a quando il pianto del ragazzo si era calmato.

Lo stesso pomeriggio Cristiano era stato proclamato re Cristiano VII.

Reverdil era alle sue spalle, sul balcone. Anche quella volta Cristiano avrebbe voluto tenerlo per mano, ma Reverdil aveva notato che sarebbe stato sconveniente, e contrario all'etichetta. Ma prima di uscire sul balcone, Cristiano, che tremava in tutto il corpo, gli aveva chiesto:

"Quale sentimento devo esprimere ora?".

"Il dolore," aveva risposto Reverdil, "e dopo la gioia nel ricevere l'omaggio del popolo."

Ma Cristiano si era confuso, aveva dimenticato il dolore e la disperazione, e per tutto il tempo aveva esibito un sorriso radioso e persistente, agitando il braccio per salutare la folla.

Molti l'avevano presa male. Il nuovo sovrano non aveva palesato il dolore che si imponeva. In seguito, interrogato a proposito, era parso inconsolabile; diceva di aver dimenticato la sua prima battuta.

Capitolo 3
La piccola inglese

1.

La sposa scelta per Cristiano si chiamava Caroline Mathilde. Era nata il 22 luglio 1751 a Leicester House, a Londra, e non aveva qualità.

Questo si pensava di lei. Tuttavia, Caroline Mathilde avrebbe giocato un ruolo chiave negli avvenimenti che seguirono, cosa che nessuno avrebbe mai sospettato, e che lasciò tutti esterrefatti, essendo convinzione comune che mancasse di qualità.

Più tardi tutti concordarono nel dire che malauguratamente ne aveva avute. Se fin dall'inizio si fosse dato un giudizio corretto, si fosse cioè capito che delle qualità le aveva, la catastrofe avrebbe potuto essere evitata.

Ma chi avrebbe potuto sospettarlo?

Sulla cornice della finestra della sua camera da letto nel castello di Frederiksberg si trovò, dopo che ebbe lasciato il paese, un motto inciso nel legno; si suppone l'avesse scritto in uno dei suoi primi giorni in Danimarca. Diceva:

O, keep me innocent, make others great.

Era arrivata a Copenaghen l'8 novembre 1766 ed era la sorella minore del re d'Inghilterra Giorgio III, che nel 1765, nel 1788 e nel 1801 soffrì di gravi crisi di demenza, ma che per tutta la vita rimase scrupolosamente fedele alla moglie Charlotte di Mecklenburg-Strelitz, la cui nipote sarebbe diventata la futura regina Vittoria.

Il padre di Caroline Mathilde era morto due mesi prima che lei nascesse; era la più piccola di nove figli, e la sola traccia lasciata da suo padre nella storia, a parte lei, è la

La regina Caroline Mathilde
(1752-1775)
in un ritratto di C.G. Pilo del 1769.

descrizione che re Giorgio II aveva dato di questo suo figlio: "Il mio caro primogenito è il più grande idiota, il peggior bugiardo, la peggior canaglia e la più lurida bestia che ci sia su questa terra, e mi auguro di tutto cuore che scompaia da essa". Sua madre aveva un carattere duro e chiuso, ed ebbe come unico amante il precettore del figlio maggiore, Lord Bute. Profondamente credente, assorbita dai suoi doveri religiosi, teneva i nove figli strettamente segregati dal mondo, in una casa descritta come un "convento". A Caroline Mathilde era concesso di uscire solo in eccezionali occasioni, e anche allora sotto stretta sorveglianza.

Dopo il fidanzamento, l'ambasciatore danese che le aveva fatto visita, ed era stato autorizzato a parlarle per qualche minuto, riferì che la fanciulla sembrava timida, aveva una carnagione stupenda, lunghi capelli biondi, begli occhi azzurri, una bocca carnosa, forse con il labbro inferiore appena troppo pronunciato, e una voce melodiosa.

Per il resto, l'ambasciatore si era dilungato soprattutto sul colloquio con la madre, che aveva definito "acida".

Reynolds, il pittore di corte che fece il ritratto di Caroline Mathilde prima della partenza dall'Inghilterra, è il solo ad aver potuto verificare le sue qualità a quel tempo. Ricorda le difficoltà incontrate nel realizzare il ritratto, poiché la ragazza piangeva in continuazione.

Sono dunque questi i soli tratti negativi rilevati all'epoca della sua partenza: il labbro inferiore appena troppo pronunciato, e un pianto continuo.

2.

All'annuncio del suo prossimo matrimonio, Caroline Mathilde rimase terrorizzata.

Pensava di esistere solo in quanto sorella del re d'Inghilterra, e per questo aveva elaborato il motto: *O, keep me innocent, make others great*.

A parte questo, passava il suo tempo a piangere. Era qualcosa: la sorella, ma a parte questo non era niente. Fino all'età di quindici anni non era praticamente esistita. Neppure in seguito concesse a qualcuno di saperne di più dei suoi primi anni, tranne il fatto che l'annuncio di dover intrecciare un rapporto amoroso con il giovane re di Danimarca era stato per lei uno shock. Era cresciuta in un convento. Sua madre l'aveva ritenuto necessario. L'abituale dissolutezza della corte non era per lei, perché lei era stata designata. Se a qualcosa di superiore o di inferiore, lei non l'aveva capito.

Quel che in ogni caso aveva perfettamente capito era di essere diventata un animale da riproduzione. Avrebbe dovuto generare un re a quello strano piccolo paese, la Danimarca. Perciò doveva essere ingravidata. Alla corte inglese ci si era informati su chi fosse questo stallone danese. Le era poi stato comunicato. Sapeva che lo stallone che l'avrebbe ingravidata era un ragazzino gracile; aveva visto un suo ritratto. Sembrava gradevole. Non aveva l'aria di uno stallone. Il problema, le avevano detto, stava nel fatto che molto probabilmente era pazzo.

Non fosse stato un sovrano designato da Dio, sarebbe stato rinchiuso.

La follia dei principi danesi era un fatto risaputo. Lei aveva visto David Garrick nel ruolo di Amleto, al Drury Lane Theater. Che dovesse capitare proprio a lei la rese disperata.

Nell'autunno del 1765 la Prima dama di corte, signora von Plessen, era giunta in Inghilterra per prepararla. A dar fede alle sue credenziali, era una donna proba. La signora von Plessen l'aveva sconvolta annunciandole immediatamente, senza esserne richiesta, che quanto veniva detto sull'erede al trono danese erano solo menzogne e calunnie. Gli "eccessi" del futuro sovrano erano solo invenzioni. Non sfasciava mobili né finestre. La sua indole era equilibrata e stabile. I suoi sbalzi d'umore non avevano niente di spaventoso. Essendo quelle spiegazioni del tutto gratuite, dal momento che nessuno le aveva chiesto un chiarimento, la ragazza ne fu ovviamente terrorizzata.

Nel suo intimo era segretamente convinta di possedere delle qualità.

Durante la traversata verso la Danimarca aveva pianto tutto il tempo. Nessuna delle sue ancelle era stata autorizzata ad accompagnarla oltre Altona. Si riteneva che avrebbe capito meglio il carattere danese, e la lingua, venendone a confronto in modo diretto.

La principessa, la futura regina di Danimarca, ossia la piccola inglese che era stata scelta, si chiamava dunque Caroline Mathilde. Al momento delle nozze aveva solo quindici anni. Suo fratello, il re d'Inghilterra che lei amava e ammirava, la sopportava ma non arrivava a ricordarne il nome. La giudicava attraente, timida, priva di volontà e praticamente invisibile. Per questo si era deciso a maritarla al re danese, in quanto la Danimarca, dopo la guerra dei Trent'anni, quando era stata governata da quell'ubriacone di Cristiano IV, aveva perduto la sua influenza internazionale, oltre alla maggior parte del suo territorio. Alla corte inglese si diceva che Cristiano IV cadesse vittima della melanconia ogni volta che si credeva tradito da sua moglie. Lei lo tradiva spesso, e la sua melanconia si aggravava. Per guarire dal dolore e dall'inquietudine, scatenava ogni volta una guerra, che altrettanto regolarmente perdeva.

La continua riduzione territoriale del paese dipendeva dunque dall'insaziabile appetito sessuale della moglie. Date queste caratteristiche del regno danese, non si poteva che considerarlo insignificante.

Questo era ciò che le raccontavano. La Danimarca era diventata molto piccola per i ripetuti attacchi di melanconia del suo re. La debolezza internazionale del paese, che continuava da allora, spiegava il fatto che la regina da trovare potesse essere insignificante e senza qualità.

Lei l'aveva capito. Aveva anche progressivamente acquistato la certezza che in quel paese nordico, descritto come un manicomio, il suo futuro non sarebbe stato luminoso. Per questo piangeva costantemente. Il suo pianto era una qualità. Che non impressionava nessuno. Sulla sua intelligenza le opinioni erano discordanti. Fondamentalmente si riteneva che mancasse di volontà. Forse anche di carattere. Il ruolo che avrebbe giocato più tardi, in occasione degli eventi connessi con la rivoluzione danese, riempirono perciò tutto il mondo di stupore, e di costernazione.

Caroline Mathilde diventò allora un'altra. In modo del tutto inatteso. Ma al momento delle nozze era ancora quella che non aveva carattere né volontà.

Sembra che da giovane avesse coltivato un sogno di purezza. Poi, crescendo, cambiò in modo inaspettato.

Quel sogno era del resto naturale per una donna senza qualità, come anche il fatto che vedeva una contrapposizione fra innocenza e grandezza, ma sceglieva la prima. Ciò che spaventò tutti fu che dopo diventò un'altra, quando già l'avevano catalogata come priva di volontà e di qualità.

O, keep me innocent, make others great.

3.

Fu portata dall'Inghilterra alla Danimarca; dopo un faticoso viaggio per mare durato sei giorni, arrivò a Rotterdam, e il 18 ottobre ad Altona, dove tutti i membri del suo seguito inglese si congedarono.

Ad Altona la delegazione danese prese in carico la principessa. Fu quindi condotta in carrozza attraverso lo Jutland e la Fionia, "ovunque salutata con delirante entusiasmo" dalla popolazione arruolata per la circostanza, e il 3 novembre giunse a Roskilde, dove per la prima volta avrebbe incontrato il re danese Cristiano VII.

A quello scopo, era stato costruito nella piazza un padiglione di vetro con due porte. I due promessi sposi sarebbero entrati ciascuno da una porta dirigendosi verso il centro, dove si sarebbero incontrati e visti per la prima volta. Nella casa di un commerciante situata proprio accanto al "palazzo di vetro" (come era stato impropriamente chiamato nelle sue poche settimane di vita) era stata ultimata la preparazione della futura regina; il fine era di tranquillizzarla. La Prima dama di corte Louise von Plessen, che guidava la delegazione d'accoglienza, si era adoperata per arrestare le lacrime della piccola inglese (l'espressione "la piccola inglese" era ormai adottata da tutti alla corte danese) e l'aveva scongiurata di non mostrare la sua paura al pubblico.

Lei aveva risposto che il timore che provava non era nei confronti della corte danese, o del re, ma nei confronti dell'amore. Interrogata in proposito, si era rivelata incapace di fare una distinzione tra questi tre concetti, la corte, il re e l'amore, confusi nella sua immaginazione in una sensazione di "paura".

La signora von Plessen si era dedicata a far ripetere alla principessa tutti i particolari dei gesti cerimoniali, come se l'apprendimento di quei dettagli potesse calmare la fanciulla.

Aveva parlato alla quindicenne in lacrime con molta calma. Andate a piccoli passi lenti verso Sua Maestà, le aveva consigliato. Mantenete lo sguardo basso, contate quindici passi, poi alzate gli occhi, e guardatelo. Sarebbe allora buona cosa accennare un piccolo sorriso, timido ma felice, avanzate ancora di tre passi, fermatevi. Io sarò dietro di voi, a dieci cubiti di distanza.

La fanciulla aveva annuito piangendo, e ripetuto in francese, tra i singhiozzi:

"Quindici passi. Un sorriso felice".

In occasione dell'ascesa al trono, all'inizio di quell'anno, re Cristiano aveva ricevuto in dono un cane dal suo precettore Reverdil, uno schnauzer al quale si stava poco a poco affezionando. Per l'incontro con la piccola inglese, sarebbe arrivato a Roskilde in carrozza, con grande seguito, direttamente da Copenaghen.

Nella vettura del re viaggiavano, oltre a Cristiano, un anziano professore dell'Accademia di Sorø di nome Guldberg, il precettore del re, Reverdil, e un cortigiano di nome Brandt, che avrebbe giocato un ruolo significativo negli eventi che sarebbero accaduti. Guldberg, che in circostanze normali non avrebbe avuto posto nella carrozza reale, essendo la sua posizione a corte ancora troppo insignificante, vi si trovava per ragioni che vedremo più avanti.

Nella carrozza c'era anche il cane, sempre accucciato in grembo a Cristiano.

Guldberg, molto versato nella letteratura classica, aveva composto in vista dell'incontro una dichiarazione d'amore, basata su brani di una tragedia di Racine, e nella vettura aveva impartito quelle che Reverdil nelle sue memorie definisce "le ultime istruzioni tranquillizzanti prima dell'incontro amoroso".

Manifestate subito vigore, aveva detto Guldberg a Sua Maestà, che pareva del tutto assente e stringeva disperatamente il cagnolino fra le braccia. Fin dal primo incontro, la principessa deve percepire la forte passione di Sua Maestà. E ritmo! "Al dio dell'amore ovunque vada mi piego... al dio dell'amore ovunque vada mi PIEGO..." Ritmo! Ritmo!

L'atmosfera nella carrozza era opprimente, i tic e gli spasmi del re erano più incontrollati che mai. All'arrivo Guldberg aveva fatto capire che il cane non poteva partecipare all'incontro d'amore delle Altezze Reali, doveva esser lasciato nella vettura. Cristiano si era all'inizio rifiutato di abbandonare il cane, ma vi era stato costretto.

Il cane aveva uggiolato e poi abbaiato furiosamente dal finestrino della carrozza. Reverdil scrive che quello era stato "uno dei momenti più angosciosi della sua vita. Alla fine, il ragazzo appariva talmente apatico che sembrava muoversi in un sogno".

La parola "paura" ricorre spesso. Tuttavia, alla fin fine, la principessa Caroline Mathilde e il suo fidanzato Cristiano VII avevano fatto quasi tutto alla perfezione.

Un'orchestra da camera era stata sistemata accanto al padiglione di vetro. La luce della sera era molto bella. Migliaia di persone si assiepavano attorno al padiglione, tenute a distanza dai soldati schierati in doppia fila.

In perfetta sincronia, e accompagnati dalla musica, le due giovani Altezze Reali erano entrate attraverso le porte. Si erano avvicinati l'uno all'altra esattamente come prescriveva il cerimoniale, e quando si erano trovati a tre cubiti di distanza la musica aveva taciuto. La principessa aveva fissato Cristiano per tutto il tempo, con uno sguardo che sembrava spento, come se – anch'essa – si muovesse in un sogno.

Cristiano teneva in mano la poesia, scritta su un foglio di carta. Quando furono immobili, uno di fronte all'altra, egli disse:

"Vorrei ora esternarle il mio amore, preziosa principessa".

Aveva atteso un cenno da parte sua, ma Caroline Mathilde si era limitata a guardarlo, in silenzio. Le mani di Cristiano tremavano, ma riuscì infine a dominarsi, e lesse la dichiarazione d'amore di Guldberg che, come il suo modello letterario, era in francese:

Al dio dell'amore ovunque vada mi piego
Inerme sotto il suo immenso potere
Davanti alla vostra bellezza cedo
Anche se assente non so che voi vedere
Con me è la vostra immagine nella foresta oscura
Nella luce del giorno e nella notte nera
È l'amor mio una fiaccola che dura
Contempla la ragione il suo mistero.

Lei aveva fatto un gesto con la mano, forse inavvertitamente; ma lui l'aveva interpretato come un invito a terminare. Interruppe quindi la lettura e l'interrogò con lo sguardo. Dopo un po' lei aveva detto:

"Grazie".

"Forse può bastare," aveva sussurrato lui.

"Sì, può bastare."

"Con queste parole volevo attestarvi la mia passione," aveva aggiunto.

"Provo la stessa passione per voi, Maestà," bisbigliò lei movendo impercettibilmente le labbra. Il suo viso era straordinariamente pallido, le lacrime erano state coperte dalla cipria e il volto pareva di gesso.

"Grazie."

"Possiamo allora concludere la cerimonia?" aveva chiesto lei.

Cristiano si era inchinato. A un cenno del maestro di cerimonia, la musica riprese a suonare e i due fidanzati, terrorizzati ma con movimenti impeccabili, si mossero verso quella più vasta cerimonia che erano le acclamazioni, l'arrivo a Copenaghen, le nozze, il loro breve matrimonio e la rivoluzione danese.

L'8 novembre, alle sette e mezza, la giovane coppia fece il suo ingresso nella cappella del palazzo reale a Copenaghen, dove ebbe luogo la solenne celebrazione delle nozze. I festeggiamenti si protrassero per sei giorni. "Infinite speranze fioriscono intorno all'incantevole regina inglese," scrisse l'ambasciatore d'Inghilterra nel suo rapporto a Londra.

Il suo comportamento era stato giudicato perfetto.

Niente da obiettare anche su quello di Cristiano. Nessuno scatto, nessun passo falso. Il cane non aveva partecipato alla cerimonia nuziale.

4.

Cristiano, nel suo crescente stato confusionale, aveva interpretato la vita di corte come un teatro; la rappresentazione a cui partecipava ora con la piccola ragazza inglese era anche una commedia di costumi. Trattava della depravazione, o "dell'integrità", come diceva Cristiano; ma era la devozione a invogliare alla lussuria, oppure la noia?

Quale voluttà si trova nelle descrizioni dell'epoca della

lussuria e della noia di quella corte! Quel mondo chiuso in se stesso di cortigiani, amanti, sgualdrine, balli in maschera, quegli intrighi che miravano a titoli e rendite e soprattutto mai a un lavoro, quella danza protratta all'infinito di maneggi assurdi concatenati uno all'altro, che per i posteri restano unicamente visibili nei loro testi ufficiali: lettere colte e corrette, perfette nella forma, ovviamente in francese, raccolte in quei bei volumi. È la descrizione della perfetta naturalezza con cui gli attori di quel manicomio recitavano i loro inverosimili ruoli, cioè la noia e la lussuria.

Con quanta naturalezza, agli occhi dei posteri, sembrano inserirsi nello scenario di quel manicomio gli scatti e i bizzarri comportamenti dell'alienato re Cristiano.

Come ben si amalgamavano devozione, lussuria ed esseri umani distrutti.

C'era molta preoccupazione per la vita sessuale di Cristiano.

Le voci più insistenti danno una spiegazione, molto singolare per quel tempo, della melanconia di Cristiano, delle sue strane esplosioni di collera, degli inspiegabili attacchi di disperazione e dei suoi periodi di apatia che duravano anche giornate intere. A tredici anni era stato iniziato da un favorito di nome Sperling, che successivamente era scomparso dalla vicenda, a un vizio che paralizzava la sua volontà ed era la causa della sua infermità mentale e della sua crescente debolezza fisica. Quel vizio, di cui si parla in tutte le testimonianze dell'epoca, è raramente descritto in termini diretti, ma alcuni testimoni osano nominarlo: il vizio della masturbazione.

Il modo maniacale con cui Cristiano cercava di attenuare la sua melanconia attraverso quel vizio gli indebolì lentamente la spina dorsale, intaccò il suo cervello e contribuì alla tragedia che sarebbe avvenuta. Masturbandosi freneticamente per ore, tentava di trovare una coerenza, o di scacciare la confusione. Ma a quanto pare non bastava. L'arrivo della piccola inglese aveva piuttosto peggiorato la situazione.

Qualcosa allora si era rotto. E Cristiano non sapeva più come comportarsi.

Le annotazioni di Reverdil esprimono dispiacere, ma non solo. "Finii per capire che ciò che io chiamavo 'educazione', non erano nel suo mondo immaginario che quelle

Il matrimonio di re Cristiano VII con la principessa Caroline Mathilde in un quadro dell'epoca.

esperienze atte a 'indurirlo', ad aiutarlo a fare 'progressi'. Atte essenzialmente a ribellarsi contro tutto ciò che era stata la sua infanzia, forse anche contro la corte in cui viveva. Non c'era nessun sotterfugio, nessun eccesso, nessuna violenza di cui non si servisse a tale scopo. Egli sintetizzava tutto ciò nell'espressione 'essere audace' ossia libero da pregiudizi, decoro e pedanteria. Lo esortavo allora a rendersi conto che il suo principale compito era di rimettere in piedi il regno. Il regno che aveva ereditato dopo ottantacinque anni di pace era più appesantito da debiti e tasse di quanto sarebbe stato dopo una guerra. Egli avrebbe dovuto, lo esortavo, cercare di sistemare i debiti dello stato e alleggerire il fardello del popolo; meta che poteva raggiungere sopprimendo le spese superflue della corte, riducendo l'esercito, liberando i contadini in Danimarca e adottando una legislazione sensata per promuovere la pesca, lo sfruttamento delle miniere e delle foreste norvegesi."

Per tutta risposta Cristiano si rifugiava nella sua stanza e si masturbava. Dalla regina non voleva andare. Nei suoi confronti non provava che terrore.

Cristiano aveva molte facce. Una è illuminata da terrore, disperazione e odio. Un'altra è tranquilla, calma, china sulle lettere che scrive al signor Voltaire, quell'uomo che, a suo dire, gli ha insegnato a pensare.

Enevold Brandt si trovava nella carrozza reale nel viaggio per Roskilde.

Aveva fatto parte del gruppo di Altona, la cerchia di illuministi che si erano raccolti intorno al conte Rantzau e al giovane medico tedesco Struensee verso il 1760.

Ora era a Copenaghen. Ora era un arrivista.

Brandt era spinto da un indomabile desiderio di piacere alle signore, e al tempo stesso di fare carriera a corte, ed era perciò alla ricerca del titolo che meglio potesse soddisfare queste due aspirazioni. In una delle lettere che in seguito Reverdil aveva inviato a Voltaire, descrive a che punto la corte danese era guidata da personaggi avidi di titoli. "Secondo un detto, in Francia si chiede: è un uomo istruito? In Germania: viene da una buona famiglia? In Olanda: a quanto ammonta il suo patrimonio? Ma in Danimarca la domanda è: che titolo ha? Qui, in ogni ambito, la vita è impregnata dalla gerarchia dei titoli. Quando si passa da una stanza all'altra, lo si fa in ordine di rango, quando ci si siede a tavola succede lo stesso, i servitori cambiano i piatti in ordine di rango. Se capita di incontrare una persona dotata e competente che passa per ultima da una porta, ossia che non ha nessun titolo, e si chiede chi sia, la risposta è: non è nessuno. Di conseguenza, tutti coloro che sono un qualcosa godono di grande prestigio e ricevono lauti appannaggi senza far nulla, non sono che dei parassiti che controllano il proprio ordine di precedenza."

Enevold Brandt, tuttavia, si considerava un artista. Di natura vivace e suonatore di flauto, riuscì a conquistarsi il titolo di Direttore teatrale e, più tardi, di "Maître de plaisir", ossia ministro della Cultura, e anche Gran maestro di guardaroba col diritto di essere chiamato Eccellenza.

A differenza di altri ruoli, quello di ministro della Cultura comportava anche compiti pratici, dunque un potere. Per esempio, quello di far venire gruppi teatrali francesi e di organizzare divertimenti e balli mascherati per la corte. Si finiva anche per avere facile accesso alle dame dei gruppi teatrali, e facile ascendente, fatto che per molti divenne la maggior ragione per incoraggiare l'arte scenica.

"Maître de plaisir" era dunque il titolo più ambito.

Anche Brandt si preoccupava per la vita sessuale del sovrano. Infatti, trascorsi cinque mesi dalla celebrazione delle nozze fra Cristiano e Caroline Mathilde, tra le due altezze reali non aveva avuto luogo alcun rapporto sessuale.

Sempre per il terrore.

Intorno a quell'epoca Brandt aveva organizzato un torneo equestre nel cortile del palazzo. Allo scopo era stata costruita una tribuna di legno, dove i cortigiani invitati erano stati sistemati in ordine di rango. Dei cavalieri muniti di armatura si sfidavano a cavallo, e competevano in gare di varia natura.

In una di queste gare i lancieri galoppavano verso degli anelli sospesi che dovevano infilare con le lance. Gli anelli pendevano da funi e venivano fatti oscillare, rendendo più difficile il compito dei contendenti.

Uno di essi fallì i suoi due primi tentativi, ma riuscì a infilzare l'anello al terzo. Trionfante, fece volteggiare il cavallo, lo fece impennare, e tenne la lancia puntata verso l'alto.

La regina era seduta a fianco di re Cristiano. Alle sue spalle sedeva Enevold Brandt. Dietro al re c'era il precettore Guldberg: negli ultimi mesi pareva essersi stranamente avvicinato al centro del potere, pur essendo per il momento ancora privo d'importanza.

La coppia reale aveva osservato i contendenti con volto inespressivo. Cristiano, che in altre circostanze avrebbe sicuramente apprezzato lo spettacolo, pareva paralizzato dalla vergogna e dalla repulsione per l'intima vicinanza della regina, seduta a pochi centimetri da lui. Brandt si chinò in avanti e sussurrò all'orecchio della regina:

"Già mi rallegro al pensiero dell'attimo in cui la lancia reale sarà altrettanto vittoriosa".

La regina si era alzata di scatto, e si era allontanata.

Guldberg aveva poi chiesto a Brandt cosa le avesse detto. Brandt riferì la verità. Guldberg non l'aveva biasimato; si era limitato a dirgli:

"Nella sua angoscia e nella sua grande confusione, Sua Maestà ha bisogno di sostegno e di aiuto".

Brandt l'aveva preso come un suggerimento, o forse un consiglio. Guldberg era tuttavia un uomo senza importanza. Come poteva essere preso come un consiglio, venendo da uno così insignificante?

Forse Brandt aveva notato gli occhi.

Il giorno dopo la regina era seduta su una poltrona nel giardino del castello.

Cristiano le si era avvicinato lentamente.

Vedendo che le passava davanti senza dire una parola, solo accennando un leggero inchino, l'aveva chiamato a bassa voce:

"Cristiano?".

Lui aveva finto di non sentire.

Lei allora aveva ripetuto a voce più alta, quasi gridando:

"Cristiano!!!".

Lui aveva solo accelerato il passo.

Era il terrore, dunque. Ma non solo.

Durante la sua permanenza in Inghilterra, la signora von Plessen aveva avuto una lunga conversazione con la madre di Caroline Mathilde. Avevano scoperto di condividere la stessa opinione su molte cose. La corte era un nido di pestilenze. La depravazione prosperava. La purezza doveva essere difesa.

Con l'andare dei mesi, la signora von Plessen era stata presa da un affetto intenso, quasi ardente, per la giovane principessa. Avevano entrambe trovato un'intesa che la freddezza del re non faceva che rafforzare. La signora von Plessen non si era dispiaciuta di quella freddezza. Aveva al contrario notato che contribuiva a far crescere la devozione della regina nei suoi confronti, la sua dipendenza da lei, forse con il tempo anche l'affetto.

Con la regina la signora von Plessen aveva elaborato una strategia per "incrementare" l'amore del re, per sfondare l'inspiegabile muro di gelo che sembrava ormai essersi eretto tra i coniugi. La regina avrebbe dovuto mostrarsi inaccessibile, attirando così il suo amore. Un fatto avvenuto cinque mesi dopo l'arrivo della regina in Danimarca era stato decisivo.

Una sera, verso le dieci, con sorpresa di tutti, Cristiano si era presentato negli appartamenti della regina, spiegando che desiderava incontrarsi con lei prima di coricarsi.

L'intento era fin troppo evidente.

La signora von Plessen aveva risposto che al momento la regina aveva intenzione di giocare a scacchi con lei, e che Cristiano avrebbe dovuto aspettare.

Avevano cominciato la partita.

Cristiano gironzolava per la stanza con aria sempre più irritata, il che aveva molto divertito le due donne. A mezzanotte la partita si era conclusa, ma la regina, consigliata sottovoce dalla signora von Plessen con cui scambiava risatine di complice intesa, disse che desiderava una rivincita.

La signora von Plessen l'aveva comunicato al re "con un sorriso trionfante" e questi, furioso, aveva abbandonato la stanza sbattendo la porta.

Nelle due settimane successive il re si era rifiutato di parlare alla regina. Volgeva lo sguardo altrove quando s'incontravano, e non apriva bocca. La regina era stata allora presa dalla disperazione, unita a risentimento verso la signora von Plessen.

Era in seguito a questo, che era accaduto l'episodio riferito da Guldberg. La regina era stesa sul letto apatica. Aveva chiesto perché Cristiano non venisse. Aveva pregato la signora von Plessen di andarsene. E aveva poi avuto quell'infelice conversazione con Guldberg, a proposito della pace e della liberazione dalla passione; e si era chinata verso di lui in maniera così provocante che i suoi seni

Ritratto del conte Enevold Brandt
(1738-1772).

mezzi nudi gli erano sembrati un'offesa gridata nei suoi confronti, facendogli scoprire la lussuria di quella piccola sgualdrina inglese, intuire quanto sarebbe diventata pericolosa, capire che là era l'origine della contaminazione del peccato.

Guldberg aveva visto. La fonte era là.

Così erano andate le cose.

5.

Chi alla fine riuscì a far vincere a Cristiano il suo terrore fu Reverdil.

Aveva chiesto a Cristiano di dominare la sua avversione, di dare prova di durezza. Almeno una volta, per far tacere le chiacchiere, per dimostrare che era un uomo. Più tardi, quello stesso giorno, Reverdil aveva visto Cristiano seduto a terra davanti al suo cane a cui parlava sottovoce e intensamente, come per comunicargli un problema importante; e il cane fissava con attenzione il volto del padrone.

La stessa sera Cristiano aveva fatto visita alla regina nei suoi appartamenti.

Non aveva dato spiegazioni, ma lei aveva capito.

Il re si era unito a lei a occhi chiusi, furiosamente.

Sconcertata, la regina aveva cercato di accarezzare la sua magra schiena bianca, ma lui, senza minimamente curarsene, aveva solo portato a termine l'accoppiamento. Nove mesi più tardi la regina mise al mondo un figlio, Federico.

Fu l'unica volta che Cristiano le rese visita.

Capitolo 4

La Sovrana dell'Universo

1.

I ritratti che esistono di loro di quel periodo sono in qualche misura fuorvianti. I dipinti sembrano mostrare due persone adulte. Ma non lo erano.

Quando il conflitto tra gli sposi reali si acuì, nella primavera del 1767, Cristiano aveva diciotto anni, Caroline Mathilde quindici.

Si dimentica facilmente che erano ancora due adolescenti. Se fossero corretti e fedeli, i ritratti esprimerebbero paura, terrore, ma anche insicurezza, e interrogativi.

Ancora niente di definito. Come se tutto fosse ancora possibile.

La signora von Plessen era un problema.

C'era qualcosa nella sua eccessiva sollecitudine che aveva indotto la regina, in un accesso di collera, o d'incertezza, a pregarla di sparire. Ma la signora von Plessen era pur sempre la sola a preoccuparsi di lei. Che alternativa c'era, a quella donna? A parte il silenzio, o la retorica di corte, che diceva unicamente che la regina era un oggetto. Perlomeno lei era quella che parlava, consigliava, si preoccupava, ascoltava.

La signora von Plessen era un problema, ma era comunque l'unico essere umano. Dopo quell'occasionale conflitto, ripresero comunque la loro amichevole convivenza.

Un fatto apparentemente insignificante, un incidente occorso tre settimane dopo l'unione del re con la regina, venne a creare una crisi.

Ecco ciò che accadde.

Un mattino Cristiano era entrato nelle stanze della regina durante la sua vestizione. La regina era occupata – con l'aiuto della signora von Plessen – a drappeggiarsi una sciarpa di seta attorno al collo. Il re aveva scostato la sciarpa, "con il proprio viso", e aveva premuto le labbra sul suo collo. La signora von Plessen aveva distolto lo sguardo, l'espressione turbata come se stesse assistendo a un'indecenza della peggior specie; aveva manifestato alla regina, anch'essa visibilmente seccata, che il gesto era sconveniente, e che la sciarpa di seta si era tutta sciupata.

Cristiano si era sentito umiliato. La situazione appariva infantile e ridicola, non si addiceva a un monarca. Era stato rimproverato come un bambino. Il suo non era stato un gesto premeditato, ma forse quella manifestazione d'amore era sembrata troppo ben eseguita per essere spontanea.

Si era reso ridicolo, ed era stato rimproverato, come un bambino. Aveva cercato di baciare il suo collo. Aveva creato imbarazzo. Aveva fatto una figura penosa. La signora von Plessen aveva trionfato. Era evidente che le due donne avessero agito di comune accordo.

Cristiano era diventato pazzo di rabbia per quello che considerava un affronto. Aveva preso la sciarpa, o piuttosto l'aveva strappata di dosso alla regina, l'aveva ridotta a brandelli e se ne era andato esasperato.

Questo era stato l'incidente scatenante. Ancora una volta: avevano rispettivamente diciotto e quindici anni.

Il giorno dopo il re comunicò che la Prima dama di corte, signora von Plessen, era caduta in disgrazia e che era bandita dalla corte, con l'obbligo di lasciare immediatamente Copenaghen. Si fece in modo che non avesse la possibilità di congedarsi dalla regina.

Louise von Plessen si sarebbe stabilita a Celle.

La regina venne a sapere del suo allontanamento il giorno successivo alla sua precipitosa partenza.

In preda alla rabbia, entrò come una furia nelle stanze del re e lo coprì di improperi. Cristiano fu colto ancora una volta da quel nervosismo che si manifestava in movimenti spastici delle mani e in contrazioni al viso, e balbettando le aveva spiegato che sospettava che la signora von Plessen fosse una persona malvagia e perversa, che provava per la regina un amore contro natura. Caroline Mathilde aveva replicato urlando che era una menzogna, che non le importava niente di cosa ci fosse di naturale o di non naturale o di perverso nella sua amica, soprattutto tenendo conto della situazione in quella corte depravata, e che la signora von Plessen era la sola persona con cui potesse parlare. La sola che l'avesse ascoltata, la sola che le avesse parlato come a un essere umano.

Era stata una scenata spaventosa. La regina aveva lasciato Cristiano furibonda, coprendolo fino all'ultimo di ingiurie. Nelle settimane successive non gli riservò che avversione e disprezzo.

Pianse molto nel periodo che seguì. Non voleva mangiare, non faceva che piangere. Si dichiarava particolarmente disperata per non aver neppure potuto dire addio alla sua amica.

Erano tuttavia destinate a incontrarsi ancora una volta, molto tempo dopo, a Celle.

2.

A ciò si aggiunge la storia di Caterine-Polacchina. Ebbe inizio il 4 maggio 1767, la sera tardi.

Il suo nome era Anna Catharine Beuthaken, il suo patrigno era un fabbricante di polacchine, da cui il suo nomignolo. Un tempo era stata attrice ma "da quell'attività, era poi scivolata sulla strada del vizio".

Era una prostituta.

Di altezza superiore alla media, robusta di costituzione e con forme molto femminili. Quando Cristiano VII fece la sua conoscenza, aveva ventiquattro anni ed era "la persona più malfamata di Copenaghen".

Nei ritratti si vede un bel volto dai lineamenti vagamente negroidi; sembra che sua madre fosse di sangue creolo. Dotata di volontà, era nota perché al minimo insulto era capace di malmenare e atterrare con sorprendente forza anche uomini che nessun'altra donna avrebbe mai avuto il coraggio di affrontare.

La crisi tra i reali consorti era al momento l'argomento di conversazione prediletto a corte. Il re sembrava cercare la solitudine in modo poco naturale; sprofondava sempre più nella melanconia, se ne stava solo seduto su una sedia a fissare il muro mormorando tra sé. Era preso da incomprensibili attacchi di collera, dava ordini capricciosi, mostrava diffidenza anche verso le persone che più gli erano vicine.

Sembrava sempre più assorbito dalle conversazioni con il suo cane. Parlava continuamente in sua presenza di "colpevolezza" e "punizione". Nessuno avrebbe comunque potuto immaginare la curiosa punizione che si sarebbe inflitto per la propria colpa.

Doveva essere colui che amava di più, Reverdil.

Un giorno, quando il gelo tra i due giovani sposi era diventato insopportabile per la cacciata della signora von Plessen, Cristiano, durante uno spettacolo teatrale, si era avvicinato a Reverdil, il suo vecchio precettore svizzero, l'aveva abbracciato, e con le lacrime agli occhi gli aveva assicurato che lo amava e lo stimava, che era la persona che più gli stava a cuore. Gli aveva quindi dato una lettera chiedendogli di leggerla quella sera stessa.

Nella lettera c'era scritto che Reverdil non godeva più del favore del re, che doveva lasciare immediatamente la corte e il suo incarico, e che non era più autorizzato a risiedere in Danimarca.

Incomprensibile. Reverdil era subito partito per la Svizzera.

Il giorno dopo Cristiano era andato a trovare Caroline Mathilde nei suoi appartamenti per riferirglielo. Si era seduto su una sedia accanto alla porta, tenendosi le mani strette tra le ginocchia come per non mostrare i suoi spasmi, e aveva annunciato di aver cacciato Reverdil. Poi era rimasto zitto, in attesa. La regina non aveva capito. Si era limitata a chiedere quale ne fosse la ragione.

Perché aveva fatto questo a Reverdil?

Lui aveva risposto che era quella la punizione. La punizione per cosa? aveva domandato lei.

Cristiano si era limitato a ripetere che quella era la punizione, e che la punizione era indispensabile.

Lei l'aveva fissato, dicendo che era diventato pazzo.

Erano rimasti così abbastanza a lungo, ognuno sulla propria sedia nella camera della regina, a fissarsi in silenzio. Dopo un bel po', Cristiano si era alzato e se n'era andato.

Era stato del tutto incomprensibile. Niente era cambiato nel loro rapporto. Che cosa volesse dire la parola "punizione" Caroline Mathilde non lo capì mai. La punizione non cambiò comunque nulla.

3.

Lei si chiamava Anna Catharine Beuthaken, detta Caterine-Polacchina, ed era una prostituta. Lo squilibrio mentale e la melanconia del re erano un fatto. Enevold Brandt e un cortigiano di nome Holck, noto per il suo interesse per il teatro e le attrici italiane, avevano pensato che Caterine-Polacchina potesse essere una soluzione alla melanconia del re.

Decisero di presentargliela di sorpresa, senza prima avergliene parlato. Così una sera Brandt aveva introdotto Caterine-Polacchina negli appartamenti del re.

Era vestita in abito maschile, i suoi lunghi capelli erano tinti di henné, e la prima cosa che Cristiano aveva notato era che superava di una testa i due cortigiani.

L'aveva trovata molto bella, ma si era subito perso in mormorii spaventati.

Aveva capito subito ciò che stava per accadere.

Cristiano aveva un concetto poco chiaro del termine "innocenza". Lo confondeva ora con "purezza", ora con "invulnerabilità".

A quell'epoca, a parte l'esperienza che si era concessa unendosi con la regina, egli era ancora vergine. A corte si parlava molto di questo fatto, dell'inesperienza del "ragazzo", e la voce si era diffusa. Ai balli in maschera, le dame, le numerose amanti e le *cocottes* invitate per l'occasione, avevano spesso conversato con il re, lasciandogli intendere senza esitazione di essere a sua disposizione.

L'impressione, generale era che il re si mostrasse cortese, riservato, ma anche terrorizzato al pensiero di mettere in pratica le loro proposte. Si mormorava che il suo vizio avesse ridotto la sua virilità, e molti se ne dolevano.

Questa volta gli avevano portato Caterine-Polacchina. Questa volta era sul serio.

Brandt era arrivato con delle coppe di vino, e cercava scherzando di alleggerire l'atmosfera tesa. Nessuno sapeva come avrebbe reagito il re alla proposta che stava per ricevere.

Caterine si era avvicinata al letto, l'aveva osservato con calma, e gentilmente gli aveva detto:

"Venite, ora, Vostra Maestà".

Si era mossa lentamente verso Cristiano, e aveva incominciato a spogliarsi. Aveva iniziato dalla veste, lasciandola cadere sul pavimento, si era poi tolta un indumento dopo l'altro fino a rimanere completamente nuda davanti al sovrano. I capelli rossi, le natiche piene e i seni pesanti, si era spogliata piano, con consumata perizia, e ora attendeva ritta di fronte a Cristiano, che si limitava a fissarla.

"Cristiano?" gli aveva detto con voce affettuosa, "non vuoi?"

L'inaspettata intimità delle sue parole – gli aveva dato del tu – aveva sbalordito tutti, ma nessuno aveva aperto bocca. Cristiano si era voltato e si era avviato verso la porta, ma forse ricordandosi che fuori dovevano esserci le guardie, aveva fatto dietrofront e si era avvicinato alla finestra, dove le tende erano chiuse; il suo vagare attraverso la stanza era del tutto casuale. Le sue mani avevano ancora una volta ripreso quei gesti picchiettanti e irrequieti che gli erano caratteristici. Si tamburellava con le dita lo stomaco, senza dire nulla.

C'era stato un lungo silenzio. Cristiano si ostinava a fissare i tendaggi alla finestra.

Holck disse allora a Brandt:

"Fategli vedere".

Brandt, leggermente imbarazzato, iniziò con voce esitante a recitare qualcosa che si era preparato, ma che adesso, in presenza di Caterine, sembrava fuori posto.

"Vostra Maestà, quando la regina, forse per la sua giovane età, esita di fronte al santo sacramento al quale l'invita il membro reale, bisognerebbe rammentare diversi episodi storici. Il grande Paracelso, già scrive nel suo..."

"Non vuole?" l'interruppe Caterine in maniera spiccia.

Brandt si era allora avvicinato a Caterine, l'aveva abbracciata e, con una risata quasi beffarda, aveva cominciato ad accarezzarla.

"Ma cosa diavolo sta facendo?" aveva esclamato lei.

Per tutto il tempo non aveva smesso di guardare Cristiano, in piedi davanti alla finestra. Cristiano si era voltato, e aveva fissato Caterine con un'espressione che nessuno di loro avrebbe saputo interpretare.

"Vorrei ora mostrare a Sua Maestà, approfittando dell'oggetto qui presente, come la regina... se venisse colta da paura davanti al membro reale..."

"Paura?" ripeté meccanicamente Cristiano, come se non capisse.

"Gira il culo," disse Brandt a Caterine. "Così gli faccio vedere."

Allora Caterine, di colpo e del tutto inspiegabilmente, era stata colta da una rabbia furiosa, si era svincolata da Brandt e sibilando gli aveva detto:

"Ma non vedi che ha paura??? Lascialo in pace!".

"Chiudi il becco," aveva ruggito Brandt.

Nonostante fosse più basso di lei dell'intera testa, tentò di costringerla a sdraiarsi sul letto, e incominciò a spogliarsi; ma Caterine si era voltata furibonda, aveva sollevato con forza il ginocchio e aveva colpito Brandt con tanta precisione in mezzo alle gambe da farlo cadere urlando sul pavimento.

"Tu non farai vedere un bel niente con nessun fottuto oggetto," gli aveva gridato con astio Caterine.

Brandt restava raggomitolato per terra, lo sguardo carico d'odio; aveva poi cercato un appiglio per rimettersi in piedi, e fu allora che tutti udirono Cristiano scoppiare a ridere, sonoramente, come se fosse felice. Dopo un istante di stupore e di esitazione, Caterine si era unita alla sua risata.

Erano solo loro due a ridere.

"Fuori!" intimò quindi Cristiano ai due cortigiani. "Sparite!!!"

Avevano lasciato in silenzio la stanza.

Caterine-Polacchina aveva esitato, ma dopo un attimo aveva cominciato a rivestirsi. Dopo essersi coperta il busto, ma ancora nuda nella parte inferiore del corpo, dove il suo pelo rosso attirava lo sguardo, era rimasta ritta, in silenzio, a fissare Cristiano. Alla fine, con un tono che improvvisamente pareva timido, ben diverso dalla voce che poco prima aveva parlato a Brandt:

"Per tutti i diavoli," disse al re. "Non devi avere paura di me."

Con una nota di stupore nella voce, Cristiano aveva replicato:

“Tu... l’hai... gettato a terra”.
“Ma certo.”
“Tu hai... ripulito... ripulito... il tempio.”

Lei gli aveva lanciato uno sguardo interrogativo, poi gli si era avvicinata, molto avvicinata, e gli aveva sfiorato con la mano una guancia.

“Il tempio?” aveva chiesto.

Lui non aveva risposto, non aveva spiegato. Si era limitato a guardarla, ancora tremante in tutto il corpo. Allora lei, con voce molto bassa, gli aveva detto:

“Niente ti obbliga ad accettare tutto questo schifo, Vostra Maestà”.

Lui non si era irritato per quel suo mescolare il “tu” con “Vostra Maestà”. Non faceva che fissarla, ma ora con più calma. I tremori delle sue mani lentamente cessarono, e non sembrava più spaventato.

“Non devi aver paura di me,” lei disse. “Di quei porci, devi avere paura. Sono dei porci. Hai fatto bene a dire a quei porci di sparire. Forte!”

“Forte?”

Lei lo prese allora per mano, e lo guidò dolcemente al letto, sul quale sedettero entrambi.

“Sei molto bello e delicato,” disse. “Come un piccolo fiore.”

Lui l’aveva guardata, profondamente sorpreso.

“Un... fiore???”

Si era messo a singhiozzare, piano, come se si vergognasse; lei intanto, senza farci caso, aveva lentamente iniziato a spogliarlo.

Lui non cercò di impedirlo.

Lei tolse un indumento dopo l’altro. Lui non lo impedì. Il suo corpo era così minuto, fragile e sottile accanto al corpo di lei, ma non sembrava darvi peso.

Si stesero sul letto. A lungo lei lo tenne tra le braccia, accarezzandolo con tenerezza, e alla fine lui smise di singhiozzare. Lei aveva coperto entrambi con un piumino. E Cristiano era scivolato nel sonno.

Verso l’alba avevano fatto l’amore, molto dolcemente, e quando lei se ne andò lui dormiva beato, come un bambino.

4.

Due giorni dopo andò a cercare Caterine, e la trovò.

Si era avvolto in un mantello grigio, pensando di non poter essere riconosciuto; che due soldati lo seguissero sempre a distanza, compresa questa volta, lo cancellò dalla mente.

La trovò a Cristianshavn.

Si era svegliato nel pomeriggio, dopo la prima notte con Caterine, ed era rimasto a lungo a letto immobile.

Non riusciva a definire quanto era accaduto. Sembrava qualcosa di impossibile da assimilare. Quella battuta gli era nuova.

Forse non era nemmeno una battuta.

Gli pareva di nuotare in un'acqua calda, quasi fosse un feto nel suo liquido amniotico, e sapeva che era da lei che proveniva quella sensazione persistente. Così grande era stato il suo terrore, che l'unione con la regina gli aveva lasciato la sensazione di essere impuro. Adesso non era più "vergine" eppure, con suo stupore, la cosa non lo riempiva di orgoglio, no, non era orgoglio. Sapeva bene che la verginità la possono perdere tutti. Ma chi può riacquistare la propria verginità? Lui quella notte aveva riacquistato la propria verginità. Adesso era un feto. Poteva quindi rinascere, forse come uccello, forse cavallo, forse essere umano, e allora anche come contadino che camminava in un campo. Poteva rinascere all'innocenza. Da quel liquido amniotico poteva risorgere. Era l'inizio.

Con Caterine aveva riguadagnato l'innocenza perduta con la regina.

Gli attimi in cui immaginava che la corte era il mondo, e che non esisteva niente al di fuori, quegli attimi l'avevano riempito di angoscia.

Allora arrivavano i sogni sul sergente Mörl.

Prima di avere il cane, un sonno regolare gli era stato impossibile, ma da quando l'aveva le cose erano migliorate. Il cane dormiva nel suo letto, e davanti a lui poteva ripetere le sue battute.

Il cane dormiva, lui ripeteva le battute finché il terrore svaniva.

Fuori dal mondo della corte era ancora peggio. Aveva

sempre avuto paura della Danimarca. La Danimarca era ciò che esisteva al di là delle battute. Fuori, non c'erano battute da ripetere, e ciò che stava fuori non aveva alcun legame con ciò che c'era dentro.

Fuori era tutto incredibilmente sporco, incomprensibile, evanescente. Sembrava che tutti lavorassero, fossero occupati, senza osservare il cerimoniale; provava una forte ammirazione per ciò che stava fuori, e sognava di fuggirvi. Nelle sue lettere e nei suoi scritti, il signor Voltaire raccontava come avrebbe dovuto essere, fuori. Fuori esisteva anche qualcosa che si poteva chiamare bontà.

Fuori c'era la più grande bontà e la più grande malvagità, come all'esecuzione capitale del sergente Mörl. Ma che si trattasse dell'una o dell'altra, non lo si poteva imparare.

La mancanza di cerimoniale lo attirava e lo spaventava al tempo stesso.

Caterine era stata la bontà assoluta. Era assoluta perché non ce n'era un'altra, e perché includeva lui ed escludeva tutto il resto.

Per questo era andato a cercarla. E per questo la trovò.

5.

Quando era arrivato, lei gli aveva servito latte e panini dolci. Era inspiegabile.

Lui aveva bevuto il latte e mangiato un panino.

Come un'eucaristia, aveva pensato.

No, la corte non era l'intero mondo, e aveva l'impressione di aver trovato il paradiso; il paradiso si trovava in una stanzetta dietro il bordello al numero 12 di Studiestræde.

Era là che l'aveva ritrovata.

Non c'erano tappezzerie, come a corte. C'era però un letto; e per qualche attimo, che gli fece un po' male, gli erano venute in mente le cose che dovevano essere successe in quel letto, e quelli che l'avevano usato; gli erano balenate davanti agli occhi come i disegni che Holck una volta gli aveva mostrato e che lui aveva preso in prestito, e usato quando esercitava il suo vizio; il vizio in cui si toccava da solo guardando quelle immagini. Perché Dio Onnipotente gli aveva dato quel vizio? Era il segno che apparteneva ai Sette? E come poteva uno che era designato da Dio avere un vizio peggiore delle fornicazioni della corte? Le immagini gli erano balenate davanti quando aveva visto il letto, ma lui si era reso invulnerabile, e si erano dissolte.

Praticava quel vizio solo quando era inquieto e pensava alla colpa. Il vizio lo calmava. L'aveva sempre considerato come uno strumento di Dio Onnipotente per dargli la pace. Ora le immagini gli erano balenate davanti, ma le aveva scacciate.

Caterine non apparteneva a quelle immagini che erano vizio e colpa.

Lui aveva visto il suo letto ed erano comparse le immagini, ma si era fatto forte ed erano sparite. Caterine gli aveva dato un segno. Il latte e i panini erano un segno. Quando lei lo guardò, si sentì tornare in quel liquido amniotico tiepido e dolce, senza immagini. Lei non aveva fatto domande. Si erano spogliati.

Nessuna battuta da dimenticare.

Avevano fatto l'amore. Si era steso sopra di lei come un gambo di fiore bianco e sottile sul suo corpo scuro. Ricordava bene le parole incomprensibili che gli aveva detto: che era come un fiore. Solo Caterine poteva dire una cosa del genere senza che lui si mettesse a ridere. Per lei tutto era puro. In lui, e in lei! Anche in lei!!! Lei aveva cacciato i mercanti della corruzione.

Lei era dunque un tempio.

Dopo, mentre restava steso su di lei, sudato e vuoto, aveva cominciato a bisbigliare e a fare domande. Sono stato forte? le aveva chiesto. Caterine, tu devi dirmi se sono stato forte, forte??? Idiota, aveva dapprima risposto lei, ma in un modo che l'aveva reso felice. L'aveva poi chiesto di nuovo. Sì, mio caro, aveva detto lei. Zitto adesso, devi imparare. Non devi chiedere, non parlare. Vi fate sempre di queste domande, a palazzo? Zitto, adesso, dormi. Sai chi sono io? le aveva chiesto, ma lei aveva soltanto riso. Io sono! Io sono! un giovane contadino nato diciott'anni fa a Hirshals da genitori poveri, e non sono, non sono chi credi tu. Sì, sì, mormorò lei. Non è vero, che sembro un giovane contadino, tu che ne conosci tanti?

Ci fu un lungo silenzio.

"Sì," aveva infine risposto Caterine. "Tu assomigli a un giovane contadino che ho conosciuto una volta."

"Prima...?"
"Sì, prima di venire qui."
"Prima?"
"Prima di venire qui."
"Caterine, prima..."
Il sudore si era seccato, ma era rimasto allungato su di lei, e la sentì sussurrare:
"Non avrei mai dovuto abbandonarlo. Mai. Mai".
Lui aveva cominciato a mormorare, dapprima in modo incomprensibile, poi sempre più chiaro e rabbioso; non contro di lei, ma per quel fatto di abbandonare, o di essere abbandonati. Com'era difficile essere presi per un altro. Aveva mormorato. Che lui era stato scambiato, che non riusciva a dormire la notte. E il vizio, e che una notte l'aveva vista, lei, venire verso di lui tenendo il sergente Mörl per mano, e che questi reclamava che la massima punizione fosse richiesta da Cristiano.
Che era fuggito.
"Sai," le aveva chiesto, prima di essere vinto dal sonno, "sai se esiste qualcuno che regna sull'universo e sta al di sopra del Dio che punisce? Sai se esiste un tale benefattore?"
"Sì," aveva detto lei.
"Chi è?" le aveva ancora chiesto, già entrato nel sonno.
"Sono io," lei aveva risposto.
"Vorresti essere il mio benefattore? E hai il tempo?"
"Ho il tempo," aveva sussurrato Caterine. "Ho tutto il tempo dell'universo."
E lui aveva capito. Lei era la Sovrana dell'Universo. Lei aveva il tempo. Lei era il tempo.

Era passata mezzanotte quando si udirono dei colpi alla porta. La guardia reale aveva cominciato a preoccuparsi.
Lui si lasciò scivolare accanto al corpo di Caterine. I colpi ripresero. Lei si era alzata, si era avvolta in uno scialle.
Poi gli aveva detto:
"Ti cercano. Fatti forte adesso, Cristiano".
Si rivestirono entrambi rapidamente. Lui si fermò di colpo davanti alla porta, come se il terrore l'avesse riafferrato, e sopraffatto. Lei lo accarezzò sulla guancia. Poi lui aprì con circospezione la porta.
I due servitori in livrea fissarono con malcelata curio-

sità la coppia male assortita, salutarono rispettosamente il monarca, ma uno dei due si mise a ridere.

La mano di Caterine-Polacchina scivolò allora quasi impercettibilmente in una tasca, e apparve un coltellino sottile che, con una rapidità per tutti inattesa, andò a colpire, dolcemente come un'ala d'uccello, la guancia di colui che aveva trovato qualcosa di comico nella situazione.

L'uomo in livrea cadde all'indietro, poi si rialzò seduto. Il taglio era di un rosso vivido e il sangue fluiva copiosamente; l'uomo urlò di stupore e di rabbia, e portò la mano all'elsa della spada. Re Cristiano VII – perché in quel momento era in questi termini che tutti e quattro pensavano a lui, come al sovrano designato da Dio – era scoppiato a ridere.

La spada non si poteva usarla, allora; non quando al re piaceva ridere in quel modo.

"Adesso, Cristiano," disse calma Caterine-Polacchina, "adesso andiamo a tingere di rosso la città."

In seguito si parlò molto dell'accaduto. La volontà del re era legge per tutti, e Caterine era diventata la regina della notte.

Lei l'aveva riaccompagnato fino al palazzo. Lui era caduto, era sporco di fango e ubriaco fradicio. Una mano era tutta insanguinata.

Lei era ancora in perfetto ordine. Al portone le guardie si resero conto che era il re che rientrava; poté quindi lasciarlo in mani sicure e ritirarsi. Le guardie non si curarono di dove andasse, ma quando Cristiano si accorse che non c'era più sembrò del tutto inconsolabile.

Alle guardie parve di sentirlo dire: "amore mio... amore mio", ma dopo non ne furono più così sicuri.

Lo portarono a braccia nei suoi appartamenti.

6.

La loro relazione durò quasi sette mesi. Lui era sicuro che non sarebbe finita mai.

E invece finì.

La svolta avvenne in occasione di una rappresentazione al Teatro di corte della commedia di Cerill intitolata *Il giardino incantato*. Sempre più spesso il re aveva fatto venire Caterine-Polacchina ai balli in maschera di corte. Quella sera divideva il palco con lui, avevano fatto una partita a carte, a "Faraone", sotto gli occhi di tutti e avevano poi passeggiato tra i cortigiani. Lei si era allora tolta la maschera. Il re teneva il braccio attorno alla vita di Caterine, ridevano e conversavano tra loro.

La corte era in stato di shock.

Non tanto perché in mezzo a loro ci fosse una prostituta. Ma per il crescente sospetto che quella donna, se accettata come amante del sovrano, non si sarebbe accontentata di usare la sua influenza su Sua Maestà a letto, ma avrebbe nutrito ambizioni più grandi e più pericolose.

Lei rideva loro apertamente in faccia.

Quell'odio che li spaventava tanto! Che tipo di vendetta stava ruminando, che genere di nefandezze celava dietro al suo silenzio e al suo sorriso, cosa aveva mai vissuto per motivare quell'odio?! Tutti ne avevano paura. Cos'era che brillava nei suoi occhi mentre passeggiava in mezzo a loro, allacciata a quel ragazzino del sovrano?

Cos'era che promettevano i suoi occhi?

La regina madre Juliane Marie – che era la matrigna di Cristiano, ma avrebbe fortemente desiderato che fosse il proprio figlio Federico a ereditare il trono – l'aveva capito cosa promettevano quegli occhi. Convocò Ove Høegh-Guldberg per discutere – come scrisse nel suo messaggio – un problema della massima urgenza.

La regina madre aveva fissato l'appuntamento nella chiesa della reggia. La scelta del luogo aveva stupito Guldberg ma, come egli stesso scrive, "sicuramente Sua Altezza Reale desiderava la massima discrezione, che riteneva potesse essere ottenuta solo sotto l'occhio vigile di Dio". Al suo arrivo, Guldberg trovò la chiesa vuota, a parte una figura solitaria seduta sul banco di prima fila.

Si avvicinò. Era la regina madre, che lo invitò ad accomodarsi.

Il problema era Caterine-Polacchina.

La regina madre, con una concisione straordinariamente cruda e in un linguaggio che il suo interlocutore non si sarebbe mai aspettato, aveva esposto la questione senza mezzi termini.

"Le mie informazioni sono assolutamente sicure. Lui la rivede quasi ogni sera. A Copenaghen ormai il fatto è di dominio pubblico. Il re, e con lui l'intera casa reale, sono diventati lo zimbello di tutti."

Guldberg era rimasto immobile, contemplando la croce e il martirio del Salvatore.

"Anch'io l'ho sentito dire," aveva risposto. "Vostra Grazia, purtroppo i Vostri informatori sembrano correttamente informati."

"Vi prego di intervenire. La giovane sposa non riceve alcuna parte del seme reale."

Guldberg non aveva creduto alle proprie orecchie, ma esattamente così si era espressa, e aveva poi aggiunto:

"La situazione è grave. Lui spande il suo seme regale nel grembo impuro di Caterine-Polacchina. Niente di nuovo, in questo. Ma il re deve anche unirsi con la regina. Si dice che una volta sia accaduto, ma non è sufficiente. La successione al trono è in pericolo. La successione del paese".

Lui l'aveva guardata dritto negli occhi, e aveva detto:

"Ma il vostro proprio figlio... potrebbe allora succedergli...".

Lei non aveva risposto.

Sapevano entrambi quanto fosse impossibile. Oppure lei non se ne rendeva conto? O non lo voleva sapere? Il suo unico figlio, il principe ereditario, il fratellastro del re, era deforme, con la testa storta e appuntita. Era considerato dai più benevoli molto mansueto, dagli altri come un essere irrimediabilmente ritardato. L'inviato della corte inglese aveva descritto il suo aspetto fisico in una lettera a Giorgio III. "La sua testa è informe, bevendo sbava da ogni parte e, quando parla, emette una sorta di piccoli grugniti, sorridendo costantemente con un'espressione ebete sul volto." Era crudele, ma vero. Entrambi ne erano consapevoli. Guldberg era il suo precettore da sei anni.

Egli conosceva anche il grande amore che la regina madre portava per quel figlio deforme.

Aveva visto questo amore scusare tutto, ma spesso aveva notato anche le sue lacrime. Che quel povero essere deforme, il "mostro" come a volte era chiamato a corte, potesse diventare re di Danimarca, neppure una madre così adorante poteva crederlo, no?

Ma con certezza non lo poteva sapere.

E il resto! Tutto ciò che lei aveva detto era in effetti talmente stupefacente che non aveva saputo risponderle. L'indignazione per la dispersione del seme regale era sbalorditiva: la regina madre Juliane Marie aveva vissuto come sposa di un re che aveva sparso il seme reale in quasi tutte le prostitute di Copenaghen. E ne era ben consapevole. E aveva sopportato. Quello stesso re era stato anche costretto a unirsi con lei, e lei si era costretta a quell'atto. Aveva sopportato anche questo. E aveva messo al mondo un figlio ritardato, il povero bambino bavoso che lei adorava.

Lei non aveva solo "sopportato" la malformazione del figlio. Lei l'aveva amato.

"Mio figlio," rispose alla fine con la sua voce limpida e metallica, "sarebbe certamente un monarca migliore di quel... confuso e debosciato... mio figlio sarebbe... il mio adorato figlio sarebbe..."

Di colpo aveva taciuto. Era ammutolita. Entrambi erano rimasti a lungo in silenzio. Poi la regina madre si era dominata, e aveva aggiunto:

"Guldberg. Se voi sarete il mio sostegno. E il sostegno per... mio figlio. Io vi ricompenserò. Generosamente. Avverto nella vostra acuta intelligenza una salvaguardia per il paese. Voi stesso, come mio figlio, avete un aspetto... esteriore... insignificante. Ma nel vostro animo...".

Non aveva proseguito. Guldberg taceva.

"Per sei anni siete stato il precettore del principe ereditario," aveva infine sussurrato. "Dio ha voluto dargli un aspetto insignificante. Per questa ragione molti lo disprezzano. Vi domando tuttavia: sarebbe per voi possibile amarlo quanto l'amo io?"

La domanda era inattesa, e appariva patetica. Dopo un attimo, visto che lui non rispondeva, la regina aveva ripetuto:

"Che voi nel futuro possiate amare mio figlio, quanto lo amo io? Allora non sarebbe soltanto il Padre onnipotente e misericordioso a ricompensarvi. Ma anch'io".

Dopo un'altra pausa di silenzio, aveva aggiunto:

"Noi tre salveremo questo sfortunato paese".

Guldberg aveva risposto:

"Vostra Grazia. Fino a quando avrò vita, sarà così".

Lei gli aveva preso la mano, e l'aveva stretta. Guldberg scrive che questo fu un grande momento nella sua vita, che doveva cambiarla per sempre. "Da quell'istante riversai sull'infelice principe ereditario Federico un amore così totale che sia lui che la regina madre presero a nutrire una fiducia incondizionata nei miei confronti."

Poi era di nuovo tornata all'argomento Caterine-Polacchina. Per concludere, aveva detto in un sibilo, ma a voce abbastanza alta da farne perdurare l'eco nella chiesa della reggia:

"Quella donna deve andarsene. CON FERMEZZA!!!".

Il 5 gennaio del 1768, alla vigilia dell'Epifania, Caterine fu prelevata da quattro gendarmi dalla sua dimora di Christianshavn. Era sera tardi, e cadeva una pioggia gelida.

Arrivarono verso le dieci e l'obbligarono a uscire con la forza, trascinandola poi a una carrozza coperta. Dei soldati fecero in modo di tenere alla larga i curiosi.

Lei in un primo momento aveva pianto, poi aveva sputato con rabbia addosso ai poliziotti; solo salita in vettura si era accorta di Guldberg, che aveva personalmente sorvegliato il suo arresto.

"Lo sapevo!" aveva gridato. "Tu, piccolo e malvagio topo di fogna, lo sapevo!"

Guldberg si era allora avvicinato e aveva gettato un sacchetto di monete d'oro sul fondo della carrozza.

"Adesso te ne vai a vedere Amburgo," aveva detto a bassa voce. "E non tutte le puttane sono pagate così bene."

Poi la portiera si richiuse, i cavalli si misero in marcia, e Caterine-Polacchina partì per il suo viaggio all'estero.

7.

Nei primi giorni Cristiano non aveva capito che non c'era più. Poi aveva cominciato a intuire. E si era innervosito.

Tra lo stupore della corte, e senza alcun previo invito, andò a trovare il conte Bernstorff, e senza fornire alcuna spiegazione si fermò a cenare da lui. Nel corso della cena fece confusi discorsi a proposito di cannibali. Fu interpretato come una manifestazione della sua agitazione. Si sapeva del resto che il re soffriva di melanconia, irritabilità e attacchi di violenza; senza peraltro cercarne una spiegazione. Nei giorni successivi lo si vide girare incessantemente per le strade di Copenaghen, e si capì che cercava Caterine.

Ritratto della regina madre Juliane Marie (1729-1796), moglie di Federico V e madre del principe ereditario Federico.

Dopo due settimane, quando la preoccupazione generale per la salute di Sua Maestà aveva cominciato a farsi seria, il re era stato informato per lettera che Caterine aveva intrapreso un lungo viaggio all'estero senza comunicare la destinazione, ma pregando che gli porgessero i suoi ossequi.

Il re si era ritirato per tre giorni in isolamento nelle sue stanze. Poi un mattino era sparito.

Anche il cane non c'era più.

Si intrapresero immediatamente le ricerche. Dopo qualche ora arrivò la notizia che il re era stato ritrovato; l'avevano visto vagabondare sulla spiaggia presso la baia di Køge, e i soldati lo sorvegliavano a distanza. La regina madre aveva allora incaricato Guldberg di spiegargli il contenuto della lettera e di scongiurarlo di fare ritorno alla reggia.

Cristiano era seduto sulla spiaggia.

Era una visione patetica. Teneva stretto a sé il cane, che aveva ringhiato all'avvicinarsi di Guldberg.

Guldberg parlò al re come a un amico.

Gli disse che doveva riacquistare la sua calma regale, per il bene del paese. Che non aveva alcuna ragione di essere triste e disperato. Che la corte e la regina madre, sì, tutti!, erano convinti che la benevolenza del re verso Caterine fosse diventata un fattore di preoccupazione. Che quella benevolenza forse avrebbe potuto indebolire il tenero affetto che senza dubbio il re nutriva per la giovane regina e che, nello stesso tempo avrebbe potuto minacciare il futuro del trono. Sì, la stessa signorina Beuthaken doveva probabilmente essere giunta alla stessa conclusione! Forse era questa la spiegazione! Forse il suo viaggio inatteso era stato davvero motivato dal desiderio di servire il paese, il regno di Danimarca. Forse lei pensava di essere un ostacolo al desiderio di tutto il regno di vedere assicurata la successione al trono. Disse di esserne praticamente sicuro.

"Dov'è?" aveva chiesto Cristiano.

Forse ritornerà, aveva continuato Guldberg, se la successione al trono sarà assicurata. Era quasi certo della disinteressata premura di Caterine per la Danimarca, e la sua fuga inattesa e tutta questa agitazione si sarebbe allora placata. E lei sarebbe tornata, e avrebbe potuto riannodare con il re quella profonda amicizia, che...

"Dov'è?" aveva urlato il re. "Ma lo sapete che si ride di voi? Così piccolo e insignificante... così... lo sapete che vi chiamano Lucertola?"

Aveva poi taciuto, come spaventato, e domandato a Guldberg:

"Dovrò essere punito, adesso?".

In quel momento, scrive Guldberg, egli stesso si era sentito colpito da un grande dolore, e da un'immensa pietà.

Si era seduto accanto a Cristiano. Ciò che il re aveva detto era vero: che esteriormente, come il re! come il re!!! lui era insignificante, disprezzabile, che il re era apparentemente il primo, ma in realtà era uno degli ultimi. Se non si fosse inchinato al dovere di rispetto nei confronti del re, se non avesse seguito le regole dell'etichetta, avrebbe voluto dire a quel ragazzo che lui, anche lui era uno degli ultimi. Che anche lui odiava la depravazione, che la sporcizia andava eliminata, come si tagliano gli organi che inducono l'uomo alla tentazione, che sì, sarebbe venuto il tempo della tranciatura, quando quella corte lussuriosa con tutti i suoi parassiti sarebbe stata eliminata dalla grande opera divina, quando gli sperperatori, i blasfemi, gli alcolizzati e i fornicatori della corte di re Cristiano VII avrebbero ricevuto la giusta punizione. Che la sicurezza dello stato sarebbe stata garantita, il potere del sovrano rafforzato, che il fuoco della purificazione avrebbe spazzato quel fetido regno. E gli ultimi sarebbero stati i primi.

E lui, insieme al designato da Dio, si sarebbe rallegrato della grande opera purificatrice che entrambi avevano compiuto.

Invece si era limitato a dire:

"Sì, Vostra Maestà, io sono un uomo piccolo e del tutto insignificante. E tuttavia un essere umano".

Il re l'aveva guardato, con un'espressione di stupore sul volto. Aveva poi chiesto una volta ancora:

"Dov'è?".

"Altona, forse... Amburgo... Parigi... Londra... Quella donna è dotata di una personalità grande e generosa, lacerata dalla preoccupazione per la sorte di Vostra Maestà... per i suoi doveri nei confronti della Danimarca... ma forse ritornerà se sarà raggiunta dalla notizia che la successione al trono è assicurata. Che è salvata."

"L'Europa?" aveva bisbigliato il re, con disperazione. "L'Europa?"

"Parigi... Londra..."

"La devo cercare in... Europa?"

Il cane aveva uggiolato. Un velo di nebbia era calato sullo stretto di Øresund, non si vedeva la costa svedese. Guldberg aveva fatto segno ai soldati di avvicinarsi. Il re di Danimarca era stato salvato dalla disperazione e dalle sue illusioni.

8.

Nessun cambiamento si verificò nell'umore del re. Tuttavia nel corso di un consiglio straordinario, egli annunciò il suo desiderio di intraprendere un grande viaggio attraverso l'Europa.

Aveva spiegato una carta dell'Europa sul tavolo della sala del consiglio. Nella stanza erano presenti tre consiglieri di stato, oltre a Guldberg e a un certo conte Rantzau. Il re, insolitamente deciso e concentrato, aveva descritto l'itinerario. Si trattava, con ogni evidenza, di un grande viaggio culturale. L'unico a sembrare notevolmente scettico era Guldberg, che comunque tacque. Gli altri furono d'accordo nel dire che i principi europei avrebbero certamente accolto il giovane monarca danese come un loro pari.

Ottenuta l'approvazione, il re passò il dito sulla carta mormorando:

"Altona... Amburgo... Parigi... Europa...".

Quando il re aveva lasciato la stanza, Guldberg e il conte Rantzau si erano trattenuti a conversare. Rantzau chiese a Guldberg il motivo della sua aria pensierosa.

"Non possiamo permettere che il re viaggi senza misure di sicurezza," rispose dopo un attimo di esitazione. "Ci sono troppi rischi. La sua irritabilità... le sue improvvise esplosioni di collera... potrebbero attirare un'attenzione indesiderata."

"Bisognerebbe procurargli un medico personale," disse allora il conte Rantzau. “Che lo possa sorvegliare. E calmare.”

“Ma chi?”

“Ne conosco uno molto capace,” rispose Rantzau. “Istruito, esercita ad Altona. È specialista nell’applicazione delle ventose. È tedesco, i suoi genitori sono molto devoti, suo padre è teologo. Si chiama Struensee. Molto capace, davvero molto capace.”

“Un amico?” chiese Guldberg con volto inespressivo. “Uno dei vostri protetti?”

“Esattamente.”

“Ed è influenzato dalle vostre... idee illuministe?”

“Del tutto apolitico,” rispose Rantzau. “Del tutto apolitico. È specialista nell’applicazione delle ventose e nell’igiene delle membra. Ha scritto la sua tesi di laurea su questo soggetto.”

“Non è ebreo, come Reverdil?”

“No.”

“Un bel ragazzo... immagino?”

Rantzau si era messo in guardia; non essendo certo del significato della domanda, aveva risposto in modo evasivo, con una freddezza intesa a sottolineare che non tollerava insinuazioni:

“Specialista nell’applicazione delle ventose”.

“Potete garantire per lui?”

“Vi do la mia parola d’onore!!!”

“Le parole d’onore di solito non hanno gran peso per gli illuministi.”

Si era creato un silenzio glaciale. Alla fine Guldberg l’aveva rotto, e con uno dei suoi rari sorrisi aveva detto:

“Uno scherzo. Ovviamente. Come avete detto... Struensee?”.

Fu così che tutto cominciò.

Parte seconda

IL MEDICO DI CORTE

Capitolo 5
Il Taciturno di Altona

1.

I suoi amici lo chiamavano "il Taciturno". Non era un uomo che parlava, non inutilmente. Ma ascoltava con attenzione.

Si può mettere il peso sul fatto che fosse taciturno. Oppure che sapesse ascoltare.

Il suo nome era Johann Friedrich Struensee.

Nello Holstein, a qualche decina di chilometri da Amburgo e dalla piccola città vicina, Altona, si stendeva una tenuta chiamata Ascheberg. Di proprietà della famiglia Rantzau, era celebre in gran parte d'Europa per i suoi giardini.

Erano stati creati intorno al 1730, e comprendevano canali, viali alberati e filari di siepi disposti secondo le geometrie rettilinee caratteristiche del primo barocco.

"Aschebergs Have" era un superbo esempio di architettura paesaggistica.

Ma era lo sfruttamento della conformazione naturale del terreno che aveva dato al parco la sua fama. La natura era parte integrante dell'artificiale. Il complesso barocco, con la sua profonda prospettiva centrale di viali e canali, si stendeva lungo la riva del mare. Al di là si elevava un'altura che era detta "il Monte"; un rilievo morbidamente corrugato, inciso ai fianchi da singolari avvallamenti; questo terreno scosceso sul retro dell'edificio principale, relativamente modesto, aveva un aspetto naturalmente selvaggio alquanto insolito nel dolce paesaggio danese.

"Il Monte", coperto di boschi, era un rilievo naturale, allo stesso tempo domato e selvatico.

Morbide valli simili a gole. Terrazze. Boschi. La natura perfetta, controllata e plasmata dall'uomo, e insieme libera e selvaggia. Dalla sommità del Monte la vista era ampia. Di là si poteva contemplare ciò che l'uomo aveva saputo creare: una riproduzione della natura vergine.

Il Monte penetrava con una propaggine nel giardino. Lo stato selvaggio in quello addomesticato. Un sogno civilizzatore di dominio, e di libertà.

In una delle "pieghe" del Monte, in un avvallamento, si erano trovate due antiche capanne. Erano forse state dimore di contadini, oppure – come si preferiva pensare – di pastori.

Una di queste capanne era stata restaurata, e per uno scopo del tutto particolare.

Nel 1762 Rousseau aveva scelto l'esilio, dopo che il parlamento di Parigi aveva ordinato di dare alle fiamme il suo *Émile*.

Il filosofo aveva cercato in varie località europee un luogo per rifugiarsi, e il proprietario di Ascheberg, un certo conte Rantzau, all'epoca molto anziano, ma che per tutta la vita aveva apprezzato le idee radicali, gli aveva offerto di stabilirsi ad Ascheberg. Gli metteva a disposizione quella capanna sul Monte, dove poteva stabilirsi. Si pensava senza dubbio che il grande filosofo, in quelle condizioni primitive, a contatto con la natura che tanto amava e alla quale desiderava fare ritorno, potesse continuare a scrivere, che le sue aspirazioni intellettuali e vitali potessero lì essere appagate.

A tale scopo, accanto alla capanna era stato anche creato un "orticello".

Qui avrebbe potuto piantare i suoi cavoli, coltivare il suo giardino. Se il particolare dell'orticello volesse riferirsi al detto "chi serenamente coltiva i suoi cavoli lascia che la politica vada per la sua strada", non lo sappiamo. Comunque fosse, l'orticello era stato preparato. E il conte certamente conosceva la sua *Nouvelle Héloïse*, e il passo che dice: "La natura rifugge i luoghi frequentati; essa mostra il suo vero incantamento sulle cime delle montagne, nel profondo delle foreste e nelle isole più deserte. Coloro che amano la natura, e che non possono cercarla lontano, sono quindi costretti a violentarla, ad attirarla a sé con la forza; fatto questo che implica una certa dose d'illusione".

Il giardino di Ascheberg era l'illusione dello stato naturale.

Rousseau per la verità non venne mai ad Ascheberg, ma il suo nome vi rimase misteriosamente legato, conferendogli fama europea tra gli amanti della natura e della libertà. Il giardino di Ascheberg conquistò così il proprio posto tra i "luoghi romantici" più celebri in Europa. La "capanna del contadino" destinata a Rousseau divenne una meta; la piccola costruzione nella valletta e l'ormai trascurato orticello dei cavoli meritavano una visita. Non era più la semplice dimora di un pastore, piuttosto un luogo di culto per gli intellettuali che stavano passando dall'adorazione della natura all'Illuminismo. Le pareti, le porte e i davanzali erano gradevolmente istoriati con brani di opere francesi e tedesche, con versi di poeti contemporanei, e di Giovenale.

Come tanti altri, anche il padre di Cristiano, Federico V, aveva fatto la sua passeggiata fino alla capanna di Rousseau. Da allora, il Monte fu chiamato "Königsberg", la montagna del re.

La capanna divenne una sorta di luogo sacro per illuministi danesi e tedeschi. Si radunavano nella tenuta di Ascheberg e salivano alla capanna di Rousseau per dibattervi le grandi idee del tempo. Si chiamavano Ahlefeld e Berckentin, Schack Carl Rantzau, von Falkenskjold, Claude Louis de Saint-Germain, Ulrich Adolph Holstein ed Enevold Brandt. Si ritenevano illuministi.

Uno di loro si chiamava Struensee.

Qui, in questa capanna, molto tempo dopo, egli avrebbe letto alla regina di Danimarca, Caroline Mathilde, un brano dei *Pensieri morali* di Holberg.

L'aveva incontrata per la prima volta ad Altona. È un fatto provato.

Struensee aveva visto Caroline Mathilde il giorno in cui lei era arrivata ad Altona, in viaggio per le proprie nozze, e aveva notato i suoi occhi rossi di pianto.

Lei non aveva visto Struensee. Era solo uno dei tanti. Erano stati nella stessa stanza, ma lei non l'aveva notato. Quasi nessuno sembra averlo notato a quel tempo, pochissimi l'hanno descritto. Era una persona cortese e taciturna. Di altezza superiore alla media, biondo, aveva una bocca ben disegnata e denti sani. I suoi contemporanei hanno notato che fu uno dei primi a usare il dentifricio.

A parte questo, quasi nulla. Reverdil, che già nell'estate del 1767 l'aveva incontrato nello Holstein, registra solo che il giovane medico tedesco Struensee si comportava con molto tatto, senza cercare di imporsi.

Ancora una volta: giovane, taciturno, ascoltatore.

2.

Tre settimane dopo che re Cristiano VII aveva deciso di intraprendere il suo viaggio attraverso l'Europa, il conte Rantzau fu inviato dal governo danese a far visita al medico tedesco Johann Friedrich Struensee ad Altona, per offrirgli di diventare il medico personale del re.

I due si conoscevano bene. Avevano trascorso parecchie settimane ad Ascheberg. Erano saliti alla capanna di Rousseau. Facevano parte della cerchia.

Rantzau però molto più avanti negli anni. Struensee ancora giovane.

Al momento Struensee abitava in un piccolo appartamento all'angolo tra Papagoyenstrasse e Reichstrasse, ma il giorno in cui gli era giunta l'offerta era come al solito in giro a visitare i malati. Dopo faticose ricerche, Rantzau lo trovò in una stamberga dei bassifondi di Altona, occupato ad applicare le ventose ai bambini del quartiere.

Rantzau gli aveva trasmesso senza tanti preamboli la sua ambasciata, e Struensee aveva immediatamente e senza esitazione rifiutato l'offerta.

Giudicava l'incarico privo di interesse.

Aveva appena terminato di applicare le ventose presso una vedova, madre di tre bambini. Sembrava di buon umore, ma per niente attratto dalla proposta. No, aveva detto, non mi interessa. Aveva radunato i suoi strumenti, dato un buffetto ai bambini, ascoltato i ringraziamenti della donna e accettato il suo invito a bere un bicchiere di vino bianco in cucina, in compagnia dell'illustre ospite.

Il pavimento della cucina era di terra battuta, i bambini erano stati mandati fuori a giocare.

Il conte Rantzau aveva atteso pazientemente.

"Tu sei un sentimentale, amico mio," gli disse. "Un san

Francesco tra i poveri di Altona. Ma ricordati che sei un illuminista. Devi guardare lontano. Oggi, tu vedi solo gli esseri umani davanti a te, ma alza lo sguardo. Cerca di vedere oltre. Sei una delle menti più brillanti che io conosca, e una grande missione ti attende. Non puoi rifiutare questa offerta. Le malattie sono dappertutto. L'intera Copenaghen è malata."

Struensee non rispose, si limitò a sorridere.

"Dovresti darti compiti più elevati. Il medico personale di un re può diventare influente. Potresti applicare le tue teorie... nella realtà. Nella realtà."

Nessuna risposta.

"A che serve allora tutto ciò che ti ho insegnato?" proseguì Rantzau, ora in tono irritato. "Tutte quelle conversazioni! Quegli studi! Perché restare nella teoria? Perché non fare davvero qualcosa? Qualcosa... di concreto?"

Struensee allora aveva reagito. Dopo un attimo di silenzio, aveva cominciato a parlare a voce molto bassa, ma chiara, della propria vita.

Evidentemente l'espressione "qualcosa di concreto" l'aveva colpito nel vivo.

Era rimasto cortese, ma con un lieve tono di ironia. "Mio caro amico e onorato maestro," aveva detto, "da parte mia ho la sensazione di 'fare' qualcosa. Ho la mia attività. E in più – in più – 'faccio' alcune altre cose. Cose concrete. Tengo la statistica di tutti i problemi medici che esistono ad Altona. Rendo visita alle tre farmacie che ha questa città di diciottomila anime. Aiuto i feriti e quelli che sono rimasti vittime di incidenti. Controllo il trattamento riservato ai malati di mente. Assisto e collaboro alle vivisezioni presso il Teatro anatomico. Mi infilo nelle catapecchie dei quartieri bassi, in quei buchi ripugnanti dove la gente vive nel tanfo più indescrivibile, e visito i diseredati. Ascolto le lamentele di questi disgraziati e di questi malati. Mi occupo degli ammalati nel carcere femminile, negli ospedali, nella casa di correzione, curo i detenuti agli arresti e quelli che attendono il boia. Anche i condannati a morte si ammalano, e li aiuto a sopravvivere in maniera accettabile fino a quando la scure del boia non li colpisce, come una liberazione. Curo ogni giorno da otto a dieci indigenti che non possono pagare, presi in carico dalla pubblica assistenza. Curo i miserabili viaggiatori che la pubblica assistenza non aiuta, i contadini che passano da Altona.

I pazienti affetti da malattie contagiose. Tengo lezioni di anatomia. Credo perciò," così aveva concluso la sua replica, "di conoscere certi aspetti della realtà poco messi in luce, in questa città. Poco illuminati! Dal momento che si parla di Illuminismo."

"Hai finito?" aveva chiesto Rantzau con un sorriso.

"Sì, ho finito."

"Sono molto impressionato," aveva allora aggiunto Rantzau.

Era stato il più lungo discorso che avesse mai sentito pronunciare dal "Taciturno". Aveva tuttavia proseguito con la sua opera di convinzione. "Guarda più lontano," aveva ripetuto. "Tu che sei medico potresti anche risanare la Danimarca. La Danimarca è un manicomio. La corte è un manicomio. Il re è intelligente ma forse è anche... demente. Un saggio illuminista, al suo fianco, potrebbe ripulire quella latrina che è la Danimarca."

Un breve sorriso era apparso sulle labbra di Struensee, ma si era limitato a scuotere il capo, silenzioso.

"Oggi," riprese Rantzau, "tu puoi fare del bene in piccola scala. E lo fai. Ne sono davvero impressionato. Ma tu potresti anche cambiare il mondo. Non soltanto sognare di farlo. Ti si offre potere. Non puoi dire di no."

Erano rimasti a lungo in silenzio.

"Mio taciturno amico," aveva concluso Rantzau, affettuosamente. "Mio taciturno amico. Che ne sarà di te. Tu che hai sogni tanto nobili, e questo sacro terrore di realizzarli. Ma tu sei un intellettuale, come me, e ti capisco. Noi non vogliamo sporcare le nostre idee con la realtà."

Allora Struensee aveva alzato lo sguardo sul conte Rantzau con un'espressione di all'erta, o come se fosse stato colpito da una frustata.

"Gli intellettuali," mormorò. "Gli intellettuali, sì. Ma io non mi considero un intellettuale. Io sono soltanto un medico."

Più tardi quella stessa sera Struensee aveva accettato.

Un breve passaggio delle confessioni che Struensee scrisse in prigione getta una strana luce su questo episodio.

Dice di essere diventato medico di corte "per caso", di non averlo in realtà desiderato. Aveva tutt'altro genere di progetti. Era sul punto di lasciare Altona, per partire in viaggio, "a Malaga o nelle Indie orientali".

Nessuna spiegazione. Solo il desiderio di una fuga, verso qualcosa.

3.

No, non si considerava un intellettuale. Altri, nella cerchia di Altona, meritavano piuttosto quell'appellativo.

Uno di loro era il suo amico e maestro Rantzau. Lui era un intellettuale.

Possedeva la tenuta di Ascheberg, che aveva ereditato dal padre. Si trovava a centodieci chilometri da Altona, città a quel tempo danese. L'economia della tenuta si basava sulla servitù della gleba, ossia sulla schiavitù dei contadini; tuttavia, come in molte altre proprietà terriere dello Holstein, la brutalità era minore, i principi più umani.

Il conte Rantzau si considerava un intellettuale, e un illuminista.

Per la seguente ragione.

Verso i trentacinque anni, sposato e padre di una bambina, era stato nominato comandante di reggimento nell'esercito danese, avendo in precedenza fatto pratica militare nell'esercito francese sotto il maresciallo Loevendahl. Esperienza in realtà presunta, difficile da provare. L'esercito danese, in confronto al precedente, era un'oasi di tranquillità. Lì, in quanto comandante di reggimento, non c'era da temere una guerra. Rantzau amava la tranquillità del suo impiego. Si era però innamorato di una cantante italiana, finendo così per rovinare la sua reputazione, perché non solo ne aveva fatto la sua amante, ma l'aveva anche seguita in tournée con la compagnia di operetta nel sud dell'Europa. La compagnia era passata di città in città senza che lui riacquistasse il lume della ragione. Per conservare l'incognito, cambiava continuamente travestimento; ora appariva "sontuosamente abbigliato", ora vestito da prete; sotterfugi necessari, perché ovunque andasse si copriva di debiti.

In due città della Sicilia era stato incriminato per truffa, troppo tardi perché già si era trasferito sul continente, a Napoli. A Genova emise una cambiale a nome di "mio padre, governatore in Norvegia", ma non poté essere tradotto

Il conte di Rantzau-Ascheberg
(1717-1789)
ritratto da Schack-Carl.

in tribunale perché a quell'epoca già si trovava a Pisa, dove fu ancora incriminato mentre stava viaggiando per Arles. Poi la polizia non fu più in grado di rintracciarlo.

Avendo abbandonato la cantante italiana ad Arles, dopo una scenata di gelosia, era tornato per breve tempo alla sua tenuta per rimpinguare le casse, cosa resa possibile grazie a un appannaggio supplementare da parte del re. Dopo la visita ad Ascheberg, dove aveva riallacciato i rapporti con la moglie e la figlioletta, si era recato in Russia. Aveva voluto rendere visita all'imperatrice Elisabetta Petrovna, che stava morendo. Prevedeva che il successore avrebbe avuto bisogno di lui come esperto in questioni danesi ed europee. Il suo viaggio in Russia era in realtà dovuto a un altro motivo; circolava la voce di una prossima guerra tra la Russia, governata dal successore dell'imperatrice, e la Danimarca: Rantzau riteneva di poter offrire i suoi servigi a questo successore, potendo vantare una profonda conoscenza sia dell'esercito danese sia di quello francese.

Nonostante questa proposta tanto favorevole per la Russia, il nobile danese era stato da molti accolto con ostilità. Le troppe relazioni femminili, e il fatto che la guerra non era scoppiata, giocarono in suo sfavore, e molti presero a diffidare della "spia danese". Dopo un dissidio alla corte di Russia, causato da una controversia sui favori di una dama di rango elevato, fu costretto alla fuga, e arrivò a Danzica senza più un soldo.

Lì incontrò un fabbricante.

Questi desiderava stabilirsi in Danimarca, investire dei soldi, e mettersi sotto la protezione di un governo che vedeva di buon occhio gli investimenti industriali stranieri. Il conte Rantzau assicurò al fabbricante che lui, attraverso i suoi contatti a corte, gli avrebbe procurato la protezione desiderata. Dopo aver utilizzato parte del suo capitale, senza peraltro ottenere la protezione del governo danese, il conte Rantzau riuscì a rientrare in Danimarca, nel regno che ora non voleva più tradire a favore della Russia. La corte, in virtù del suo nome e della sua fama, gli concesse un appannaggio annuale. Spiegò di essere andato in Russia soltanto come spia danese, e di essere in possesso di segreti che sarebbero tornati utili alla Danimarca.

Per tutto questo tempo, aveva lasciato la moglie e la figlia nella tenuta di Ascheberg. Fu allora che riunì intorno a sé un gruppo di intellettuali illuministi.

Uno di loro era un giovane medico di nome Struensee.

La sua carriera e gli estesi contatti internazionali, oltre all'influenza che ancora aveva presso la corte danese, consentivano al conte Rantzau di considerarsi un intellettuale.

Sarà in seguito destinato a giocare un ruolo centrale negli eventi relativi alla rivoluzione danese, ruolo che nelle sue sfaccettature può essere capito solo alla luce della precedente descrizione della sua vita.

Il ruolo che gioca è quello di un intellettuale.

Il suo primo contributo alla Danimarca fu quello di raccomandare il medico tedesco J.F. Struensee come medico personale del re Cristiano VII.

4.

Che strana città questa Altona.

Situata alla foce dell'Elba, era un borgo commerciale di diciottomila abitanti, che verso la metà del Seicento si era trasformata in una vera e propria città. Primo porto franco dei paesi del nord, Altona era anche diventata il porto franco di ogni sorta di idee.

Lo spirito liberale giovava al commercio.

Si sarebbe detto che il clima intellettuale attirasse le idee e il denaro, e Altona divenne la testa di ponte della Danimarca in Europa, e la seconda città del paese dopo Copenaghen. Stava a ridosso della grande città franca di Amburgo, e presso i reazionari aveva fama di essere il nido di serpi del pensiero radicale.

Questa era l'opinione comune: un nido di serpi. Ma dal momento che il radicalismo si era dimostrato economicamente vantaggioso, Altona riuscì a conservare la sua liberalità intellettuale.

Struensee era medico. Nato nel 1737, a quindici anni si era iscritto come studente di medicina presso l'università di Halle. Suo padre era il teologo Adam Struensee, che era stato attratto molto giovane dal pietismo ed era più tardi diventato professore di teologia all'università di Halle. Mentre la madre è descritta di carattere allegro, il padre era pio, colto, probo, cupo e incline alla malinconia. Il suo pietismo era quello di Francke, che poneva l'accento sull'importanza della solidarietà sociale ed era influenzato dalla venerazione per la ragione che all'epoca caratterizzava l'università di Halle. In casa regnava l'autorità, virtù e moralità erano i principi guida.

Il giovane Struensee tuttavia si ribellò. Diventò libero pensatore, e ateo. Era convinto che se l'essere umano avesse avuto la possibilità di svilupparsi liberamente, con l'aiuto della ragione avrebbe scelto il bene. Scrive più tardi di aver presto abbracciato la concezione dell'uomo "come una macchina", espressione caratteristica del sogno di razionalità di quel tempo. Egli usa veramente questa espressione, che per lui significa che è soltanto l'organismo umano a creare l'anima, i sentimenti, il bene e il male.

Con questo sembra aver inteso che la perspicacia e la spiritualità non sono state date all'uomo da un essere superiore, ma che sono forgiate dalle nostre esperienze. Sono i nostri doveri verso il prossimo che danno un senso al tutto, creano la soddisfazione interiore, danno alla vita il suo significato, e dovrebbero determinare le azioni umane.

Da qui la fuorviante espressione "macchina", che certamente deve essere intesa come un'immagine poetica.

Struensee discusse la propria tesi di laurea sul tema "I rischi dei movimenti erronei delle membra".

L'analisi è formalistica, ma scrupolosa. Il manoscritto della tesi mostra tuttavia una particolarità curiosa; sui margini, con un diverso inchiostro, Struensee ha disegnato dei volti umani. Rivela un tratto equivoco e poco chiaro del suo animo. Lascia che la notevole chiarezza intellettuale del testo venga offuscata da volti umani.

A parte questo, l'idea della tesi è che la medicina preventiva è importante, che l'esercizio fisico è necessario, ma che, quando subentra una malattia o un'altra lesione, è necessaria molta cautela.

Struensee è un buon disegnatore, a giudicare dalla sua tesi. I volti umani sono interessanti.

Il testo è di minor interesse.

All'età di vent'anni Struensee si trasferisce ad Altona, e vi apre uno studio. Tiene sempre, anche più tardi, a essere considerato un medico.

Non un disegnatore, non un politico, non un intellettuale. Un medico.

L'altro suo lato è tuttavia quello di pubblicista.

Se l'Illuminismo ha un volto razionale e duro, quello della fede nella ragione e dell'empirismo in medicina, in matematica, in fisica e in astronomia, possiede però anche un lato più morbido, quello della libertà di pensiero, della tolleranza e della libertà.

Si potrebbe osar dire che ad Altona Struensee si allontana dal lato duro dell'Illuminismo, quello dell'evoluzione delle scienze verso razionalismo ed empirismo, per approdare al lato morbido, quello dell'esigenza di libertà.

Il primo periodico che fonda – *Monatsschrift zum Nutzen und Vergnügen* – contiene nel primo numero una lunga analisi dei rischi legati alla fuga della popolazione dalla campagna alla città. È un'analisi medico-sociale.

Qui attribuisce al medico anche un ruolo politico.

L'urbanizzazione, scrive, è una minaccia medica con cause politiche. Le tasse, la paura di essere arruolati nell'esercito, l'assistenza sanitaria carente, l'alcolismo, tutto ciò concorre a creare un proletariato urbano, che un'assistenza sanitaria meglio organizzata tra i contadini potrebbe evitare. Offre un quadro sociologico freddo ma sostanzialmente inquietante di una Danimarca in piena decadenza; la popolazione in calo, le ricorrenti epidemie di vaiolo. Nota che "il numero dei mendicanti di origine contadina ha ormai superato le sessantamila unità".

Altri articoli hanno per titolo "Della trasmigrazione delle anime", "Delle zanzare" e "Dell'insolazione".

Un testo pesantemente satirico, intitolato "Apologia dei cani e degli effetti divini dei loro escrementi", segna tuttavia la sua rovina. Il testo viene interpretato, e a ragione, come un attacco personale contro un noto medico di Altona che si era arricchito con un discutibile preparato contro la costipazione, estratto dagli escrementi canini.

La rivista viene soppressa.

L'anno successivo, Struensee fonda un nuovo periodico. Questa volta si sforza di astenersi dalle diffamazioni e da formulazioni che possano apparire critiche verso lo stato o la religione. Inciampa tuttavia in un articolo sull'afta epizootica che, ancora a ragione, appare animato da spirito critico verso la religione.

Anche questo periodico viene soppresso.

Nel suo ultimissimo scritto, vergato in carcere e terminato la vigilia dell'esecuzione, Struensee accenna a quel periodo per così dire giornalistico della sua vita. "I miei concetti morali in quel periodo si svilupparono con lo studio degli scritti di Voltaire, Rousseau, Helvétius e Boulanger. Divenni un libero pensatore e affermai che certamente un principio superiore aveva creato il mondo e l'uomo, ma che non esisteva una vita dopo questa, e che le azioni possedevano forza morale solo se influenzavano positivamente la società. Giudicai assurda la credenza in una punizione in una vita successiva a questa. L'uomo viene punito a sufficienza sulla terra, e virtuoso è colui che compie il bene. I principi del cristianesimo sono troppo severi – e le verità che esprimono sono espresse altrettanto bene negli scritti dei filosofi. Considerai perfettamente perdonabili le trasgressioni legate alla voluttà, purché non avessero conseguenze dannose per se stessi o per altri."

I suoi detrattori, riassumendo in maniera davvero troppo concisa il suo pensiero, dissero che "Struensee riteneva che l'essere umano fosse solo una macchina".

Lettura per lui fondamentale furono tuttavia i *Pensieri morali* di Ludvig Holberg. Dopo la sua morte, ne fu trovata un'edizione tedesca piena di note e di sottolineature.

Un capitolo di quel libro era destinato a cambiare la sua vita.

5.

Il 6 maggio 1768 ebbe inizio il grande viaggio di re Cristiano VII attraverso l'Europa.

Il seguito comprendeva in totale cinquantacinque persone. Doveva essere un viaggio di istruzione, un "viaggio sentimentale" ispirato a Lawrence Sterne (fu detto più tardi che Cristiano era stato fortemente influenzato dal settimo libro del *Tristram Shandy*) ma doveva anche servire, attraverso il fasto esibito dal seguito, a dare all'estero una solida impressione della ricchezza e della potenza della Danimarca.

All'inizio si era programmato che il seguito fosse più numeroso, ma a varie riprese il numero dei partecipanti venne ridotto; tra quelli che furono rimandati indietro, c'era un corriere di nome Andreas Hjort. Fu rispedito nella capitale, e di là relegato a Bornholm, perché una sera, "tra chiacchiere e bevute", aveva svelato a orecchie indiscrete che il re, nel viaggio, gli aveva affidato l'incarico di andare alla ricerca di Caterine-Polacchina.

Ad Altona si era aggiunto Struensee.

L'incontro era stato molto singolare.

Il re era alloggiato nella residenza del borgomastro; quando, la sera, aveva chiesto di un corriere di nome Andreas Hjort, gli avevano comunicato che era stato richiamato nella capitale. Spiegazioni non ne erano state date. Il comportamento del corriere era del tutto inspiegabile, gli avevano detto, ma la causa poteva forse essere qualche malattia in famiglia.

Cristiano aveva allora avuto una ricaduta nei suoi strani spasmi poi, incollerito, aveva cominciato a demolire la stanza, lanciando sedie, sfondando finestre e, servendosi di un pezzo di carbone preso dal camino, aveva scritto sull'elegante tappezzeria di seta il nome di Guldberg, con voluti errori ortografici. Nella concitazione la mano del re si era ferita e sanguinava, e Struensee – questo fu il suo primo intervento durante il viaggio – dovette medicarlo.

Avevano dunque chiamato il nuovo medico personale del re.

Questa fu la sua prima impressione di Cristiano: un ragazzino gracile seduto su una sedia, la mano che sanguinava e lo sguardo fisso e vuoto.

Dopo un lungo momento di silenzio, Struensee aveva domandato gentilmente:

"Vostra Maestà, potreste spiegarmi questa improvvisa... collera? Nulla vi obbliga a rispondermi, ma...".

"No, nulla mi obbliga."

Dopo un attimo aveva soggiunto:

"Mi hanno ingannato. Lei non è da nessuna parte. E se è da qualche parte, il viaggio comunque non ci passerà. E se ci passasse, la porterebbero via. Può anche darsi che sia morta. È colpa mia. Devo essere punito".

Struensee scrive che allora non aveva capito (avrebbe però capito in seguito) e che si era limitato a fasciare in silenzio la mano del re.

"Voi siete nato ad Altona?" aveva poi chiesto Cristiano.

"A Halle," rispose Struensee, "ma sono venuto molto presto ad Altona."

"Si dice," continuò Cristiano, "che ad Altona ci siano

soltanto illuministi e liberi pensatori che vogliono far precipitare la società in polvere e rovina."

Struensee annuì con calma.

"Precipitare!!! La società esistente!!!"

"Sì, Vostra Maestà," confermò Struensee. "C'è chi lo dice. Un centro europeo dell'Illuminismo, dicono altri."

"E voi cosa dite, dottor Struensee?"

La medicazione era finita. Struensee era in ginocchio davanti a Cristiano.

"Io sono un illuminista," dichiarò, "ma prima di tutto sono un medico. Se Vostra Maestà lo desidera, posso lasciare immediatamente il servizio e tornare alla mia abituale attività di medico."

Cristiano aveva allora scrutato Struensee con un nuovo interesse, né irritato né turbato dalla sua franchezza quasi provocatoria.

"Non avete mai desiderato, dottor Struensee, di ripulire il tempio dai depravati?" chiese a voce bassa.

Non ricevendo risposta, il re aveva insistito:

"Cacciare i mercanti dal tempio? Farlo a pezzi? Perché tutto possa risorgere dalla cenere come... l'Araba Fenice?".

"Vostra Maestà conosce la sua Bibbia," disse Struensee per cambiare discorso.

"Non crediate che è impossibile fare progressi! PROGRESSI! Se non si diventa più duri... se non si fa a pezzi... tutto perché il tempio..."

Si era messo a camminare avanti e indietro per la stanza dov'erano sparse sedie e schegge di vetro. Struensee ne aveva provato compassione: quel corpo di ragazzo era così gracile e insignificante che si poteva a stento credere che fosse lui l'autore di quella devastazione.

Il re si era poi avvicinato a Struensee e aveva bisbigliato:

"Ho ricevuto una lettera. Dal signor Voltaire. Un filosofo stimato. Al quale ho fatto mandare del denaro, per un processo. E in quella lettera, lui mi ha acclamato. Come... come...".

Struensee attendeva. Poi le parole erano arrivate, con un sussurro, in un primo messaggio misterioso che li avrebbe legati. Sì, più tardi Struensee avrebbe ricordato quel momento. Lo descrive nelle sue note dal carcere: un momento di assoluta intimità, in cui quel giovane ragazzo demente, quel re per Grazia Divina, gli aveva confidato un segreto inaudito, prezioso, che li avrebbe uniti per sempre.

"...mi ha acclamato... come illuminista."
C'era molto silenzio nella stanza. E il re aveva continuato, con lo stesso tono sommesso:
"A Parigi ho fissato un incontro con il signor Voltaire. Che io conosco, attraverso il nostro scambio epistolare. Potrei portarvi con me?".
E Struensee, con un lieve sorriso:
"Volentieri, Vostra Maestà".
"Posso fidarmi di voi?"
E Struensee aveva risposto, con calma e semplicità:
"Sì, Vostra Maestà. Più di quanto possiate immaginare".

Capitolo 6

Il compagno di viaggio

1.

Sarebbe stato un lungo viaggio.

Nell'arco di otto mesi, le cinquantacinque persone avrebbero percorso oltre quattromila chilometri con carrozze e cavalli, su strade miserevoli, attraverso l'estate, l'autunno e infine l'inverno, con vetture senza riscaldamento e piene di spifferi, e per un viaggio di cui nessuno capiva in realtà lo scopo; tutto quel che si sapeva era che andava fatto e che per questo la popolazione e i contadini – perché si faceva distinzione tra popolazione e contadini – si sarebbero assiepati lungo tutto il tragitto, a bocca aperta e acclamando o chiusi in un ostile silenzio.

Il viaggio sarebbe continuato e ancora continuato; e uno scopo doveva pur esserci.

Lo scopo era portare avanti quel piccolo sovrano sotto la pioggia battente, quel piccolo sovrano sempre più apatico che odiava il suo ruolo, e si nascondeva nella sua carrozza, e sorvegliava i suoi spasmi e sognava altro, ma cosa, nessuno lo capiva. Lo si sarebbe portato in quell'immane processione attraverso l'Europa, alla ricerca di qualcosa che forse un tempo era stato il sogno segreto di ritrovare la Sovrana dell'Universo, colei che a tutto avrebbe dato un senso, un sogno che ora stava svanendo dentro di lui, dileguandosi, lasciando solo un dolore sordo, come una rabbia che non riusciva a esprimere.

Avanzavano nella pioggia europea come una processione di bruchi, verso il nulla. Il viaggio li portò da Copenaghen a Kolding, a Gottorp, Altona, Celle, Hanau, Francoforte, Darmstadt, Strasburgo, Nancy, Metz, Verdun, Parigi, Cambrai, Lille, Calais, Dover, Londra, Oxford, Newmarket, York, Leeds, Manchester, Derby, Rotterdam, Amsterdam, Anversa, Gand, Nimega, e a poco a poco tutto si confondeva nel loro ricordo, Nimega, non era prima di Mannheim, Amsterdam prima di Metz?

Sì, doveva essere così.

Ma qual era il senso di quell'incredibile spedizione sotto quella pioggia europea che non smetteva mai di cadere?

Sì, era così: Amsterdam veniva dopo Nimega. Era all'inizio del viaggio. Struensee lo ricordava con certezza. Era successo all'inizio di quel viaggio incomprensibile, da qualche parte prima di Amsterdam. Nella carrozza, all'ingresso di Amsterdam, il re aveva confidato a Struensee che "aveva ora l'intenzione di sbarazzarsi dei vincoli della dignità reale, dell'etichetta e della morale. Adesso avrebbe messo in opera il progetto di fuga che aveva un tempo vagheggiato con il suo precettore, Reverdil".

E Struensee scrive: "Mi propose, del tutto seriamente, di fuggire con lui. Voleva diventare soldato, per non avere conti da rendere che a se stesso".

Erano alle porte di Amsterdam. Struensee aveva ascoltato pazientemente. Aveva poi cercato di convincere Cristiano ad aspettare, almeno qualche settimana, e in ogni caso fino a dopo l'incontro con Voltaire e gli enciclopedisti.

Cristiano si era mostrato attento, come a un vago richiamo di qualcosa che un tempo era stato di straordinaria importanza, ma che ora era infinitamente lontano.

Voltaire?

Erano entrati in Amsterdam in silenzio. Il re guardava apatico fuori dal finestrino, e vedeva molte facce.

"Ci fissano," aveva fatto notare a Struensee. "E anch'io li fisso. Ma non vedo Caterine."

Il re non era mai più tornato su quel progetto di fuga.

Questo particolare non venne mai riferito alla corte di Copenaghen.

Quasi tutto il resto lo fu. I dispacci erano innumerevoli e venivano letti con grande attenzione.

Tre volte alla settimana il rituale voleva che le tre regine giocassero a carte. Giocavano ai tarocchi. Le figure erano suggestive; in particolare quella dell'Impiccato. Le giocatrici erano la regina Sophie Magdalene, da ventiquattro anni vedova di Cristiano VI, Juliane Marie, vedova di Federico V, e Caroline Mathilde.

Che a corte esistessero tre regine di tre diverse generazioni era considerato naturale, perché da sempre la prassi normale era che i re si uccidessero dal bere prima di avere il tempo di restare vedovi, e se una regina moriva, per esempio di parto, si provvedeva subito a un nuovo matrimonio che lasciava alla fine comunque una vedova, come una conchiglia abbandonata sulla sabbia.

I posteri parlano sempre del pietismo e della profonda devozione delle regine madri. Questo comunque non condizionava il loro linguaggio. Juliane Marie in particolare aveva sviluppato una non comune durezza, che si esprimeva a volte in un'apparente trivialità.

Si potrebbe dire che la severa esigenza di verità della religione e le sue spaventose esperienze personali avevano dato al suo linguaggio un carattere tanto esplicito da poter scioccare molti.

Le partite a carte le offrivano numerose occasioni per dare informazioni, o consigli, a Caroline Mathilde. Giudicava ancora la giovane regina come una persona priva di qualità e di forza di volontà.

Più tardi avrebbe cambiato opinione.

"Abbiamo ricevuto," aveva annunciato una sera, "dei dispacci molto inquietanti dal viaggio. Il medico personale che è stato assunto ad Altona si è conquistato la benevolenza del re. Stanno sempre insieme, nella stessa carrozza. Si dice che questo Struensee sia un illuminista. Se è vero, è una disgrazia per tutto il paese. L'allontanamento di Reverdil, che era stata per noi un'inattesa fortuna, si rivela ora di nessuna utilità. Così ci ritroviamo un'altra serpe."

Caroline Mathilde, che credeva di aver capito il motivo dell'incomprensibile espulsione di Reverdil, non aveva replicato.

"Struensee?" si era limitata a chiedere. "È tedesco?"

"Sono preoccupata," proseguì la regina madre. "Lo descrivono come intelligente, un donnaiolo affascinante, un depravato. È di Altona, che è sempre stata un nido di serpi. Niente di buono può mai venire da Altona."

"I dispacci però dicono anche che il re è calmo, e non frequenta prostitute," intervenne la regina madre più anziana, per attenuare la conversazione.

"Consideratevi felice," disse allora Juliane Marie alla giovane regina, "felice che se ne stia lontano un anno. Mio marito, il defunto re, doveva vuotare il suo seme ogni giorno per acquietare il suo spirito. Io gli dicevo: vuotati con le sgualdrine, non con me! Io non sono una cloaca! Non sono spazzatura! Trai lezione da questo, mia giovane amica. La moralità e l'innocenza una se le deve creare. È con la resistenza che si conquista l'innocenza."

"Se quell'uomo è un illuminista," chiese la regina madre più anziana, "vuol dire che abbiamo commesso un errore?"

"Non noi," rispose Juliane Marie. "Qualcun altro."

"Guldberg?"

"Guldberg non commette errori."

E la giovane regina, quasi in una domanda, davanti a un nome che più tardi disse di aver sentito per la prima volta proprio a quel tavolo da gioco, disse:

"Che strano nome. Struensee...?".

2.

Spaventosa.

L'Europa era spaventosa. La gente fissava Cristiano. Lui si stancava. Si vergognava. Temeva qualcosa, ma non sapeva cosa. Una punizione? Allo stesso tempo desiderava essere punito, per liberarsi della vergogna.

Aveva avuto uno scopo, il suo viaggio. Poi aveva poi capito che lo scopo non c'era. Si era allora armato di coraggio. Farsi coraggio era un modo per rendersi duro, e invulnerabile. Aveva cercato altri significati da dare a quel viaggio. Forse viaggiare per l'Europa poteva voler dire concedersi sregolatezze o avere incontri con varia gente. Ma non era così, le sue sregolatezze non erano quelle degli altri. Gli incontri gli mettevano paura.

Restava solo il tormento.

Non sapeva cosa dire a quelli che lo fissavano. Reverdil gli aveva insegnato molte ottime battute per essere brillante. Brevi aforismi, che potevano essere usati quasi in ogni occasione. Ma cominciava a dimenticarli. Reverdil non c'era più.

Era spaventoso partecipare a quella commedia, e non sapere le battute.

La giovane contessa van Zuylen descrive in una lettera il suo incontro con il giovane re di Danimarca Cristiano VII in viaggio per l'Europa, in occasione di una sosta al castello di Termeer.

Le era parso piccolo e infantile, "quasi come un quindicenne". Aveva un aspetto minuto, gracile, e il suo volto aveva un pallore malsano, come se fosse incipriato di bianco. Le era sembrato paralizzato, e non era stato in grado di sostenere una conversazione. In presenza dei cortigiani aveva sparato un paio di battute che parevano imparate a memoria, ma quando gli applausi si erano spenti si era limitato a fissarsi la punta delle scarpe.

Lei, per toglierlo d'imbarazzo, l'aveva condotto nel parco, a fare una breve passeggiata.

Cadeva una pioggia sottile. La scarpe della contessa si erano bagnate, e questa era stata l'ancora di salvezza di Cristiano. "Per tutto il tempo in cui siamo stati insieme nel parco, cioè per circa mezz'ora, Sua Maestà non cessò di osservare le mie scarpe, diceva che forse si sarebbero bagnate, e non ha parlato d'altro per tutta la durata del nostro incontro."

L'aveva poi riaccompagnato dai cortigiani che l'attendevano.

Alla fine il re si era convinto di essere un prigioniero che veniva condotto alla pena in una gigantesca processione.

Smise allora di avere paura. Ma si sentì invadere da un'infinita stanchezza; gli sembrava di sprofondare lentamente nel dolore, e i soli episodi che riuscivano a farlo riemergere erano le regolari esplosioni di collera, quando poteva sbattere le sedie sul pavimento fino a che andavano in pezzi.

I rapporti e i dispacci inviati a corte erano eloquenti. "Non erano molti gli alberghi lungo il percorso del suo viaggio in cui non si potessero trovare tracce di distruzione; a Londra i mobili della stanza del re erano stati quasi tutti distrutti."

Questa era in sintesi la situazione.

Solo in compagnia di Struensee riusciva a sentirsi tranquillo. Non avrebbe saputo dire perché. In un'occasione Cristiano ricorda che, dal momento che lui era "senza genitori" – sua madre era morta quando aveva due anni, e con il padre aveva avuto ben pochi contatti – non sapeva come i genitori dovessero comportarsi. Struensee, con la sua calma e il suo silenzio, gli aveva fatto capire come un padre ("un padre celeste", scrive bizzarramente!) avrebbe dovuto essere.

Un giorno il re aveva domandato a Struensee se era il suo "benefattore". Sorridendo, Struensee gli aveva chiesto come dovesse essere un simile personaggio, e Cristiano aveva detto:

"Un benefattore ha tempo".

Il gruppo dei viaggiatori aveva ormai soprannominato Struensee "il Taciturno".

Ogni sera leggeva al re fino a farlo addormentare. Nella prima metà del viaggio, aveva scelto come lettura la *Storia di Carlo XII* di Voltaire.

"È una delle persone," scriverà Struensee più tardi, "più sensibili, dotate e attente che io abbia incontrato ma, nel corso del viaggio, parve rinchiudersi lentamente nel silenzio, e nel dolore, rompendolo soltanto con le sue inspiegabili esplosioni di collera, che tuttavia indirizzava soltanto contro se stesso e contro gli innocenti mobili esposti al suo incomprensibile furore."

Quando Struensee gli leggeva la *Storia di Carlo XII*, doveva stare seduto su una sedia accanto al letto del re, dandogli la mano sinistra, mentre con la destra sfogliava il libro. Quando il re si era addormentato, Struensee poteva con cautela liberare la mano, e lasciarlo solo con i suoi sogni.

Lentamente, Struensee cominciò a capire.

3.

L'ospite di Cristiano VII a Londra fu il re inglese Giorgio III, che in quell'anno, il 1768, si era ripreso dalla sua prima malattia mentale, ma che si era ora abbandonato alla melanconia. Avrebbe regnato sull'impero inglese per sessant'anni, fino al 1820; in questo lungo periodo avrebbe avuto diverse ricadute nella sua infermità; nel 1805 sarebbe diventato cieco, e a partire dal 1811 del tutto demente.

Era considerato poco intelligente, malinconico, testardo, e fu sempre fedele alla moglie alla quale diede nove figli.

Al consorte della sorella diede un benvenuto regale. La visita in Inghilterra si protrasse per due mesi.

Lentamente la situazione incominciò a degenerare.

L'inquietudine si diffuse in tutto il seguito del re. Non c'era coerenza, né in Sua Maestà né in ciò che accadeva. Il fasto ostentato, l'isteria e il timore che la malattia di Cristiano esplodesse del tutto, rovinando la spedizione, suscitavano un sempre più crescente malessere.

Malattia o normalità: ogni giorno nessuno sapeva quale avrebbe prevalso.

Fu nel periodo passato a Londra che Struensee cominciò a capire che non *poteva* esserci alcuna coerenza. Per lunghe mattinate il re rimaneva seduto come paralizzato, lo sguardo fisso davanti a sé, mormorando incomprensibili litanie, e ogni tanto, come in preda all'angoscia, si aggrappava improvvisamente alle gambe di Struensee. A volte invece si trasformava; come in quella serata al Teatro dell'opera italiano, quando Cristiano aveva offerto un ballo in maschera per tremila persone, usando loro un trattamento tanto sfarzoso da far quasi credere che mirasse a crearsi una popolarità tale da diventare re d'Inghilterra.

Che atmosfera! Quel piccolo re danese, così inspiegabilmente generoso! Aveva tenuto un confuso discorso in danese (ed era incredibile come sembrasse aver perso di colpo la sua timidezza) e aveva poi gettato dal balcone monete d'oro alla plebaglia nella strada.

Il ballo costò ventimila talleri, e Struensee, se l'avesse saputo, avrebbe potuto constatare che il suo compenso annuale come medico personale del re, che pure era molto generoso, era di soli cinquecento talleri.

Nella notte seguita all'orgia mascherata, Struensee scrive di essere rimasto a lungo seduto solo al buio, dopo che il re si era addormentato, a riflettere sulla situazione.

C'era qualcosa di fondamentalmente sbagliato. Cristiano era malato e le sue condizioni peggioravano. Sua Maestà era certamente riuscito a salvare in qualche modo le apparenze; ma coloro che erano stati testimoni dei suoi momenti di debolezza avevano la lingua tagliente. Il tono di disprezzo dei commenti spaventava Struensee. Horace Walpole aveva detto che "il re è così piccolo da sembrare uscito dal guscio di noce di una fiaba"; si parlava del suo modo di trotterellare, come una piccola marionetta. Si era capito che tutte le battute erano state imparate a memoria. Ciò che faceva soffrire Struensee era che non avevano visto il resto, quello che stava sotto.

Avevano notato i suoi spasmi, non i suoi momenti luminosi. Comunque, in generale, tutti erano sconcertati. Samuel Johnson era stato ricevuto in udienza da Cristiano, l'aveva ascoltato per mezz'ora, e se n'era andato.

Sulla porta si era limitato a scuotere la testa.

Soltanto in strada Cristiano VII riscuoteva successo. Forse perché ogni vibrante ovazione popolare sotto il suo balcone era compensata con una manciata di monete d'oro. I limiti delle possibilità economiche si avvicinavano a grandi passi.

L'evento decisivo si verificò alla fine di ottobre.

4.

C'era un attore chiamato David Garrick che era anche direttore del teatro di Drury Lane. Grandissimo interprete di Shakespeare, aveva rinnovato con i suoi allestimenti la tradizione shakespeariana inglese. Era ritenuto insuperabile sia nei ruoli comici che in quelli tragici, ma era soprattutto la sua messa in scena dell'*Amleto*, in cui recitava il ruolo principale, che aveva suscitato una grandissima attenzione.

Avendo Cristiano VII manifestato il proprio interesse per il teatro, erano stati organizzati per lui una serie di spettacoli, sia matinée sia serali. Il momento culminante doveva essere una rappresentazione dell'*Amleto*, con Garrick protagonista.

Struensee aveva saputo dello spettacolo in programma tre giorni prima, ed era andato immediatamente a trovare Garrick.

Non era stata una conversazione facile.

Struensee fece capire che conosceva bene il tema del dramma. Amleto era un principe danese, il cui padre era stato assassinato. La vecchia leggenda di Saxo era nota, ma Shakespeare l'aveva ripresa in modo molto ingegnoso, però anche problematico. La questione centrale del dramma era se Amleto fosse pazzo oppure no.

Struensee domandò a Garrick se fosse d'accordo con lui su questa schematica interpretazione del dramma. Garrick si era limitato a chiedergli dove volesse andare a parare.

Il problema, aveva spiegato Struensee, era che il gruppo di ospiti danesi, come del resto anche il pubblico in generale, rischiava di porsi la domanda se la scelta di quel testo fosse una sorta di allusione al visitatore reale.

Insomma, per dirla senza mezzi termini: molti ritenevano che il re danese Cristiano VII fosse malato di mente. Era quindi opportuno mettere in scena proprio quel dramma?

Quale sarebbe stata la reazione del pubblico? E quale quella di re Cristiano VII?

"È consapevole della propria malattia?" chiese Garrick.

"Non ne è consapevole, ma è consapevole di se stesso e questo lo disorienta," aveva risposto Struensee. "La sua sensibilità è estrema. Vive la realtà che lo circonda come una pièce di teatro."

"Molto interessante," disse Garrick.

"Forse," replicò Struensee. "Ma non si può sapere come potrebbe reagire. Potrebbe immaginare di essere lui stesso Amleto."

Era seguito un lungo silenzio.

"Cristiano Amleto," finì per dire Garrick con un sorriso.

In ogni caso aveva immediatamente acconsentito a cambiare repertorio.

Al posto di *Amleto*, il 20 ottobre 1768 fu dunque rappresentato *Riccardo III* per il re danese e il suo seguito.

Cristiano VII non ebbe mai occasione di assistere a una rappresentazione dell'*Amleto*. Ma Struensee avrebbe sempre ricordato la battuta di Garrick; Cristiano Amleto.

La notte che seguì la rappresentazione, Cristiano si era rifiutato di dormire.

Non aveva voluto ascoltare la lettura della *Storia di Carlo XII*. Aveva voluto parlare di qualcosa che apparentemente l'aveva turbato. Chiese a Struensee perché la messa in scena dell'*Amleto* prevista fosse stata sostituita con un altro dramma.

Conosceva bene la storia di Amleto. E, in lacrime, pregava ora Struensee di essere sincero. Si riteneva che anche lui fosse pazzo? Da parte sua, non credeva di essere pazzo. Questa era la sua salda convinzione e la sua speranza, e ogni sera pregava il suo Benefattore perché non fosse vero.

C'erano chiacchiere? Parlavano di lui? Non lo capivano?

Non cercava minimamente di mantenere una qualche dignità. Non era arrabbiato, non era regale, gli capitava spesso di mancare di dignità. Ma quella sera, per la prima volta, era stato sfiorato dal sospetto e dal presentimento della propria malattia, cosa che aveva scosso Struensee profondamente.

"Vostra Maestà," aveva detto il medico, "Vostra Maestà a volte siete difficile da capire."

Il re l'aveva fissato con il suo sguardo vuoto, e aveva cominciato a parlare del dramma che aveva visto, *Riccardo III*. Quanta crudeltà, disse. Un re per Grazia Divina che dimostrava quell'inaudita crudeltà. Era insopportabile.

"Sì," aveva detto Struensee. "È insopportabile."

"Come spettatore di quella crudeltà," proseguì Cristiano, "ho vissuto qualcosa di... spaventoso. Nella mia mente."

Rannicchiato nel suo letto, Cristiano si era coperto il viso con il lenzuolo, come per volersi nascondere.

"Vostra Maestà," aveva detto Struensee in tono calmo e affettuoso, "cosa c'era di così spaventoso?"

Il re aveva infine risposto:

"Il piacere," disse. "Io provavo piacere. Sono malato, dottor Struensee? Ditemi che non sono malato."

Cosa poteva rispondere?

Quella notte Struensee, per la prima volta alla presenza del re, si era messo a piangere. E Cristiano l'aveva consolato.

"Andiamocene," disse Cristiano. "Andiamocene, amico mio, domani darò l'ordine che partiamo per Parigi. Parigi. Dobbiamo vedere la luce della ragione. Voltaire. Dobbiamo andarcene da questo manicomio inglese. O diventiamo tutti pazzi."

"Sì," aveva detto Struensee. "Dobbiamo andarcene. È insopportabile."

5.

La riduzione del soggiorno inglese lasciò tutti sorpresi; erano partiti in gran fretta, come fuggendo.

Non si sa cosa Cristiano si fosse immaginato di Parigi. Ma fu schiacciato dalle cerimonie.

Al decimo giorno di permanenza in Francia, si comunicò che il re era "indisposto a causa di un raffreddore"; la verità era che trascorreva la giornata in completa apatia, vestito di tutto punto nella sua stanza, rifiutando categoricamente di parlare con chiunque. Poiché Struensee era l'unico che al momento pareva avere una, se pur minima, influenza sul re, gli fu domandato se non ci fossero medicine capaci di mitigare la melanconia del sovrano. Alla risposta negativa, si decise di rientrare rapidamente in Danimarca. Il giorno seguente, persistendo l'inspiegabile depressione del re, Struensee andò a trovare Sua Maestà.

Uscì dal colloquio dopo un'ora e comunicò che il re aveva deciso di concedere l'indomani udienza ai filosofi francesi che avevano creato la grande Enciclopedia.

Se non fosse stato possibile, si imponeva l'immediato ritorno a casa.

Dal momento che questo incontro non figurava nel programma, ci fu grande agitazione, e molti nutrirono cattivi presentimenti, perché gli illuministi francesi non erano ben visti alla corte di Francia; a eccezione di Diderot, che un tempo era stato il protetto di madame de Pompadour, l'amante di Luigi XV.

L'incontro fu organizzato in tutta fretta. L'indisposizione del re svanì di colpo. Sembrava di buon umore, e nessun mobile venne fatto a pezzi.

L'incontro ebbe luogo il 20 novembre del 1768, presso l'ambasciatore di Danimarca a Parigi, il barone Carl Heinrich Gleichen.

Erano presenti tutti i redattori della grande Enciclopedia – diciotto personaggi – guidati da Matran, d'Alembert, Marmontel, Le Condamine, Diderot, Helvétius e Condillac. L'ospite più atteso dal re, Voltaire, non c'era, perché si trovava come sempre a Ferney.

Che strana riunione!

Il giovane ragazzo danese – aveva diciannove anni – senz'altro malato di mente, sedeva circondato da quella cerchia di filosofi illuministi che avrebbe cambiato il corso della storia europea per qualche centinaio di anni.

All'inizio il re era terrorizzato. Poi, quasi per miracolo, si era calmato, la paura se ne era andata, e una profonda sensazione di fiducia si era impossessata di lui. Al punto che, quando Diderot l'aveva salutato con un profondo inchino, il piccolo sovrano aveva detto in un sussurro:

"Vorrei che faceste sapere al vostro amico, il grande Voltaire, che è stato lui a insegnarmi a pensare".

Una forte emozione gli faceva tremare la voce. Ma non era paura. Diderot l'aveva fissato con sorpresa, e con stupore.

Dopo, Cristiano appariva felice.

Se l'era cavata molto bene. Aveva parlato con tutti i filosofi francesi, uno per uno, discutendo della loro opera, si era espresso in un eccellente francese e aveva percepito una corrente di simpatia e calore nei suoi confronti.

Era forse il momento più grande della sua vita.

Il breve discorso che Diderot aveva pronunciato in suo onore alla fine dell'incontro l'aveva riempito di gioia. Io credo, aveva detto Diderot, che la luce dell'Illuminismo possa accendersi in quel piccolo paese che è la Danimarca. Che la Danimarca sotto questo monarca illuminato possa diventare un esempio. Che tutte le riforme radicali – basate sulla libertà di pensiero, sulla tolleranza e sull'umanesimo – potranno essere realizzate sotto la guida del sovrano danese. Che re Cristiano VII di Danimarca è destinato quindi ad avere un suo capitolo nella storia dell'Illuminismo.

A queste parole Cristiano si era profondamente commosso e non era riuscito a rispondere. E d'Alembert aveva aggiunto dolcemente:

"E sappiamo che una scintilla può incendiare una prateria".

Struensee riaccompagnò gli ospiti alle loro carrozze, mentre il re li salutava con la mano dall'alto di una finestra. Diderot aveva allora preso in disparte Struensee per un breve colloquio.

"Il re conta di rientrare presto a Copenaghen?" aveva chiesto, con l'aria di non essere particolarmente interessato a questo fatto specifico, ma di avere in mente qualcos'altro.

"Non c'è ancora un programma definitivo," rispose Struensee. "Verrà stabilito in una certa misura dal re. Dalla salute del re."

"E voi siete il suo medico personale? Venite da Altona, vero?"

Struensee, sorridendo leggermente, aveva risposto:

"Da Altona. Vedo che siete bene informato".

"E voi siete, a quanto mi è stato riferito, bene informato sulle idee professate dagli illuministi francesi."

"Sulle loro, ma anche su quelle di Holberg, il grande filosofo illuminista danese," aveva risposto Struensee con un sorriso che l'ospite francese non era riuscito a decifrare.

"Si dice," continuò Diderot, "che il re sia... malato?"

Struensee non aveva risposto.

"Instabile?"

"Un giovane molto intelligente, ma molto emotivo."

"Sì. Sono abbastanza al corrente. Una situazione un po' strana. Ma sembra che voi godiate della sua piena fiducia."

"Io sono il medico di Sua Maestà."

"Sì," aveva detto Diderot. "Molte lettere da Londra mi hanno spiegato che voi siete il medico di Sua Maestà."

Era seguito un momento di curiosa tensione. I cavalli, impazienti, tiravano le briglie e cadeva una pioggia sottile, ma Diderot sembrava voler dire qualcosa che esitava a esprimere.

Ma alla fine lo disse.

"La situazione è unica," sussurrò Diderot. "Il potere è formalmente nelle mani di un re intelligente, molto intelligente ma psichicamente instabile. Alcuni sostengono – esito a dirlo – che sia addirittura malato di mente. Voi avete la sua fiducia. Questo vi dà una grande responsabilità. È estremamente raro che, come in questo caso, un sovrano illuminato abbia una possibilità di lacerare le tenebre della reazione. Certo, in Russia abbiamo Caterina, ma la Russia è un oceano di tenebre a oriente. In Danimarca la possibilità è reale. Non attraverso una rivolta dal basso della plebe o delle masse. Ma attraverso il potere che gli è stato dato dall'Altissimo."

Struensee si era messo a ridere e gli aveva rivolto uno sguardo interrogativo.

"L'Altissimo? Non sapevo che abbracciaste così calorosamente la fede nell'Altissimo."

"Re Cristiano di Danimarca ha ricevuto il potere, dottor Struensee. L'ha ricevuto. Chiunque sia stato a darglielo, lo detiene. Non è vero?"

"Non è malato di mente," disse Struensee dopo un attimo di silenzio.

"Ma se così fosse. Se così fosse. Io non lo so. Voi non lo sapete. Ma se così fosse... ebbene, la sua malattia lascerebbe un vuoto nel centro stesso del potere. E colui che vi accedesse avrebbe una fantastica opportunità."

Rimasero entrambi in silenzio.

"E chi," chiese alla fine Struensee, "potrebbe accedervi?"

"I soliti. I funzionari. La nobiltà. Quelli che vi accedono abitualmente."

"Sì, certo."

"Oppure qualcun altro," aggiunse Diderot.

Strinse la mano a Struensee, salì in carrozza, poi si sporse fuori e disse:

"Il mio amico Voltaire è solito dire che a volte la storia, per puro caso, apre uno spiraglio unico verso il futuro".

"Sì?"

"E allora ci si può infilare dentro."

6.

Era il 20 novembre 1768.

Fu il più grande momento di Cristiano, poi continuarono le celebrazioni e i ricevimenti, e lentamente riprese a scivolare in quel grigiore che confinava con le tenebre.

Tutto ricominciava. A dire il vero, Parigi era ancora più spaventosa di Londra. Ma adesso le sue esplosioni di collera sembravano essersi attenuate. Aveva fama di essere molto interessato al teatro, e in tutte le sere libere da ricevimenti si organizzavano rappresentazioni speciali.

In quelle occasioni il re dormiva per la maggior parte del tempo.

Il viaggio avrebbe dovuto proseguire oltre, alla volta di Praga, Vienna e San Pietroburgo, ma la situazione finì col diventare insostenibile. Per evitare una catastrofe, si decise di abbreviarlo.

Il 6 gennaio 1769 re Cristiano VII rimetteva piede in terra danese.

Negli ultimi giorni di viaggio non aveva voluto con sé nessun altro che Struensee nella carrozza reale.

Si capiva che era successo qualcosa. Quel giovane medico tedesco dai capelli biondi, il lieve sorriso di attesa e gli occhi gentili, era diventato qualcuno. Non possedendo alcun titolo, non poteva essere inserito in una precisa gerarchia, cosa che provocava inquietudine.

Cercarono di capirlo. Ma era un uomo difficile da capire. Era cortese, discreto, non voleva servirsi del suo potere; o meglio di ciò che gli altri ritenevano essere il potere.
Non lo capivano.

Il viaggio di ritorno era stato terribile.
Una settimana di tempeste di neve, un freddo glaciale per tutto il tragitto. Le carrozze gelide. Ci si avvolgeva nelle coperte. Pareva un esercito al ritorno da una campagna nelle desolate distese della Russia, non c'era niente di grandioso o di splendido in quella corte danese in ritirata. Nemmeno più si pensava a quanto era costata quella spedizione; era troppo spaventoso, ma si poteva sempre rimediare, con le tasse.
Le tasse, non c'era altro. Ma si poteva rimandare al domani. Adesso l'importante era tornare.
Struensee era sempre solo con quel ragazzo che chiamavano re, che non faceva che dormire, in silenzio o gemendo, e aveva tutto il tempo per pensare.
Non credendo alla vita eterna, l'idea di sprecare la sola vita che possedeva l'aveva sempre angosciato. La medicina gli aveva dato una missione per quella vita. Considerava la missione di medico una specie di servizio religioso, il solo sacramento possibile di questa sacrosanta vita. La vita dell'uomo era l'unica cosa sacra, ed era questa sacralità che distingueva l'uomo dagli animali, per il resto non c'era nessuna differenza; e quelli che avevano detto che la sua fede si riduceva a considerare l'uomo come una macchina non avevano capito.
La sacralità della vita era la sua fede profana. Ad Altona aveva insegnato anatomia: i cadaveri dei giustiziati e dei suicidi erano stati oggetto di studio. I primi si riconoscevano facilmente, erano spesso privi della mano destra e del capo. I suicidi invece non si distinguevano da quelli morti nella fede, che potevano essere inumati in terra consacrata; non c'era differenza. L'uomo-macchina, steso sotto il suo bisturi, diventava davvero una macchina. L'elemento sacro, la vita, era fuggito. Che cos'era allora, questo sacro?
Era ciò che veniva compiuto quando l'elemento sacro c'era ancora.
Il sacro era ciò che il sacro faceva. Questa era la conclusione cui era giunto. Si avvicinava un po' a Holberg, ma Holberg nell'epigramma 101 dei *Pensieri morali* non era chiaro;

erano gli animali a essere macchine, scriveva Holberg, ed era la sacralità dell'uomo a renderlo un non animale.

Struensee l'aveva considerata un'indicazione possibile. A volte gli pareva che tutto il suo pensiero non fosse che l'eco di ciò che altri avevano pensato. Bisognava allora vagliare, per non ridursi a una semplice cassa di risonanza. Altre volte, sentiva di avere un pensiero che era suo, e solo suo. Allora provava una sensazione di vertigine, come davanti a un precipizio, e poteva pensare: è questo, il sacro.

Questo pensiero è forse soltanto mio, e di nessun altro, ecco dunque il sacro che mi distingue da un animale.

Si confrontava spesso con Holberg. Si trovava quasi tutto in Holberg, perciò Holberg andava verificato, perché la missione di ogni essere umano è pensare con la propria testa. Holberg aveva quasi sempre ragione; tuttavia, ogni tanto, gli veniva un pensiero che era solo suo, che in Holberg non c'era, che apparteneva solo a lui.

E allora provava quel senso di vertigine, e pensava che questo era il sacro.

Io non sono una macchina.

C'era anche la possibilità di scegliere da Holberg solo ciò che si voleva: utilizzarlo, ed escludere il resto. Aveva quindi escluso la sottomissione metafisica talora sconcertante di Holberg, e conservato l'essenziale.

Alla fine, gli era sembrato molto semplice ed evidente.

Il sacro è ciò che il sacro fa. Ed era una grande responsabilità.

La responsabilità, appunto, era quel che contava.

Struensee avrebbe in realtà dovuto abbandonare il seguito reale sulla via del ritorno, al passaggio da Altona. Aveva già ricevuto un compenso di mille talleri, con cui poteva vivere a lungo. Invece aveva proseguito. Forse per quello – la responsabilità. Aveva finito per affezionarsi a quel ragazzo alienato, intelligente e confuso che era stato eletto da Dio, e che ora sarebbe stato di nuovo abbandonato ai lupi della corte che, con ogni certezza, l'avrebbero ancora più affossato nella sua malattia.

Forse era ineluttabile. Forse il fragile piccolo Cristiano, con quei suoi grandi occhi terrorizzati, era già irrimediabilmente perduto. Forse avrebbe dovuto essere rinchiuso, diventare un normale cadavere regale a uso dei lupi.

Ma a Struensee quel ragazzo piaceva. A dire il vero,

c'era più di questo, non avrebbe saputo trovare la parola per definirlo. Ma era un sentimento di cui non poteva liberarsi.

Non aveva figli.

Così si era sempre figurato la vita eterna: avere un figlio. Era quello, avere la vita eterna: continuare a vivere attraverso un figlio. Ma il solo figlio che aveva era quel ragazzo tremante e squilibrato che avrebbe potuto essere perfetto, se i lupi non l'avessero quasi del tutto sbranato.

Lui odiava i lupi.

Rantzau l'aveva convinto quella volta, nove mesi prima; sembrava fosse passata un'eternità. C'erano ammalati anche a Copenaghen, gli aveva detto. E lo si poteva ben dire. Ma non era così semplice. Non era ingenuo fino a quel punto. Se adesso proseguiva per Copenaghen, non era per diventare medico dei poveri a Nørrebro e applicare le ventose alla miseria del popolo danese. Neanche ai bambini della corte. Capiva bene cosa significasse.

Non lasciare la spedizione ad Altona. Non fuggire verso le Indie orientali. Era una sorta di responsabilità. Ed era quasi sicuro di aver preso la decisione sbagliata.

Se poi lo era, una decisione.

O se non era semplicemente che non aveva deciso di fermare la carrozza ad Altona, non aveva deciso di scendere, e così non aveva deciso di essere restituito alla sua vecchia vita: aveva solo proseguito, verso una vita nuova. Solo proseguito, senza mai realmente decidere, solo proseguito.

Erano sbarcati a Korsör, e avevano continuato attraverso la tempesta invernale verso Copenaghen.

Il re e Struensee erano soli in carrozza.

Cristiano dormiva. Si era coricato, la testa sulle ginocchia di Struensee, senza parrucca, avvolto in una coperta e, mentre avanzavano lentamente in direzione nord-est attraverso la tempesta di neve, Struensee sedeva immobile, e pensava che il sacro è ciò che il sacro fa, accarezzando i capelli di Cristiano. Il viaggio in Europa era alla fine, stava per cominciare qualcosa di totalmente diverso, di cui non sapeva nulla, e di cui non voleva sapere nulla.

Cristiano dormiva. Gemeva piano, ma erano suoni impossibili da interpretare: pareva stesse sognando qualcosa di meraviglioso, o di spaventoso; non si capiva. Forse sognava il ricongiungimento degli amanti.

Parte terza

GLI AMANTI

Capitolo 7

Il maestro d'equitazione

1.

Il 14 gennaio del 1769, la regale ritirata raggiunse finalmente Copenaghen.

A tre chilometri dalle porte della città, le carrozze logore e infangate furono fermate e sostituite da carrozze nuove, con coperte di seta al posto di quelle di lana, e, per completare, la regina prese posto nella vettura del consorte Cristiano VII.

Loro due, soli. Si osservarono attentamente, come per cogliere cambiamenti che avevano sperato, o temuto.

Prima che il corteo potesse rimettersi in marcia, era calata la sera, e il freddo era pungente. L'ingresso in città avvenne attraverso la Porta occidentale, dove cento soldati erano schierati con le torce in mano. Le guardie avevano sfilato, ma senza musica.

Le sedici carrozze si erano avviate verso le porte della reggia. Nel cortile interno era schierata l'intera corte. Avevano atteso a lungo al freddo e al buio, e l'atmosfera non era allegra.

All'arrivo ci si era dimenticati di presentare Struensee alla regina.

Alla luce delle torce, nel nevischio gelido, ebbe inizio la cerimonia di saluto al re. Quando le carrozze si erano fermate, il re aveva fatto segno di avvicinarsi a Struensee, che adesso camminava appena dietro alla coppia reale. Nell'ultima fila di coloro che attendevano – il comitato di accoglienza – si trovava Guldberg. Non aveva mai staccato lo sguardo dal re e dal suo medico personale.

Erano in molti a non staccare lo sguardo, e a osservare.

Sulle scale, Struensee chiese al re:

"Chi era quel piccolo uomo con lo sguardo malevolo?".
"Guldberg."
"E chi sarebbe?"
Il re al momento non rispose, proseguì il suo cammino, poi si voltò, e con un'inattesa espressione di odio sibilò:
"Lui sa! LO SA!!! dove si trova Caterine!".
Struensee non capiva.
"Malvagio!" continuò Cristiano con lo stesso tono astioso. "Malvagio!!! e insignificante!!!"
"I suoi occhi, in ogni caso," disse Struensee, "non erano insignificanti."

2.

Nella carrozza, sola con il re, la piccola inglese non aveva detto parola.
Non sapeva se aveva odiato il pensiero di quella riunificazione, o se l'aveva desiderata. Forse non era Cristiano che aveva desiderato. Ma qualcos'altro. Un cambiamento.

Caroline Mathilde aveva cominciato a capire di possedere un corpo.
Prima il corpo era stato qualcosa che le dame di corte, lo sguardo rispettosamente abbassato, aiutavano a coprire, e che lei portava poi in giro sotto gli occhi della corte chiuso nella sua corazza: come una piccola nave da guerra. In un primo tempo aveva avuto l'impressione di non essere che una corazza. Era la sua corazza da regina la sua qualità. In quel ruolo di piccola corazzata era guardata da quei sorprendenti danesi che parlavano così male la sua lingua, e la cui igiene personale era così disgustosamente carente. Erano tutti sporchi, puzzavano di profumo scadente e di cipria vecchia.
Poi aveva scoperto il proprio corpo.
Dopo la nascita del bambino, la sera, quando le dame la lasciavano sola, aveva preso l'abitudine di levarsi la camicia da notte, per restare scandalosamente nuda sotto le gelide lenzuola. Allora aveva toccato il suo corpo; non per lascivia, no, non si trattava di lascivia, pensava, solo per riconoscere ed esplorare quel corpo liberato dai costumi ufficiali e dalle ciprie.

Solo la sua pelle.

Il suo corpo cominciava a piacerle. Lo sentiva sempre più suo. Dopo che il bambino era nato, quando i seni avevano ritrovato la loro dimensione naturale, aveva cominciato ad apprezzare il suo corpo. Le piaceva la sua pelle. Le piaceva il suo ventre, le sue cosce, poteva restare ore a pensare: questo è proprio il mio corpo.

È bello toccarlo.

Mentre il re era in viaggio per l'Europa, le sue forme si erano fatte più piene, e allo stesso tempo le era parso come di crescere nel proprio corpo. Sentiva che adesso la guardavano non solo come regina, ma anche come qualcos'altro. Non era un'ingenua. Sapeva che dall'associazione del suo corpo nudo sotto la corazza e del suo titolo, emanava qualcosa, qualcosa che creava intorno a lei un invisibile campo radiante di sesso, di piacere e di morte.

La regina era il proibito, ed era donna. Per questo sentiva istintivamente che gli uomini guardavano dritto attraverso i suoi vestiti, e percepivano quel corpo che ora a lei piaceva. Era sicura che desiderassero penetrarla, e che era la morte insita in quel desiderio ad attrarli.

Lì era il proibito. Irradiava attraverso la corazza. Rappresentava ciò che più era proibito, e sapeva che l'alone erotico che la circondava era per loro irresistibile.

Rappresentava il proibito più assoluto, era una donna nuda, ma insieme la regina, e per questo era anche la morte. Se si desiderava la regina, si sfiorava la morte. Era proibita e desiderabile, e sfiorare ciò che più era proibito voleva dire morire. Questo li eccitava, lei lo sapeva. Lo vedeva dai loro sguardi e, da quando ne divenne consapevole, fu come se tutti coloro che la circondavano fossero anch'essi catturati, sempre più violentemente, in un intenso e silenzioso campo radiante.

Caroline Mathilde ci pensava molto. Le dava una strana esaltazione; le pareva di essere il sacro Graal, e se quel sacro Graal fosse stato conquistato avrebbe dato loro il piacere supremo, e la morte.

Glielo leggeva dentro. Il suo sesso era perennemente nella loro coscienza. Come un prurito. Come un tormento. Li immaginava pensare costantemente a lei quando fornicavano con le loro concubine e le loro sgualdrine, li vedeva chiudere gli occhi per immaginare che non fosse la puttana o la sposa, che penetravano, ma il corpo infinitamente proibito della regina, e ciò la riempiva di un'inaudita sensazione di potere.

Era nei loro corpi come la consapevolezza che quel corpo era la morte. E il Graal.

Era un prurito nel membro della corte. E non potevano accostarla. Il sesso, la morte e il prurito. Un'ossessione di cui non potevano liberarsi, per quanto cercassero di scacciarla fornicando, di acquietare la bramosia con le loro donne. Lei era la sola irraggiungibile, la sola a unire in sé la passione e la morte.

Era una sorta di... potere.

A volte, tuttavia, pensava: mi piace il mio corpo. E so che sono come un prurito nel membro della corte. Perché non potrei anch'io usare liberamente il mio corpo, e sentire l'assoluta vicinanza della morte al mio sesso, e goderne anch'io? E a volte la notte, quando giaceva nuda nel letto, si toccava, toccava il proprio sesso, e il piacere veniva come un'onda calda attraverso quel corpo che sempre più le piaceva.

E, con stupore, non provava alcuna vergogna, sentiva solo di essere viva.

3.

Cristiano, il gracile consorte che neppure le parlava, chi era, allora? Non lo sentiva, quel prurito?

Era colui che ne stava al di fuori. E lei cercava di capire chi fosse.

In aprile, al Teatro di corte, la regina assistette a una rappresentazione di *Zaira* del francese Voltaire.

Voltaire aveva inviato quella pièce al re accompagnata dai suoi personali saluti, e il re aveva desiderato recitare lui stesso in uno dei ruoli, e ne aveva studiato la parte.

In una lettera successiva Voltaire aveva lasciato intendere che la pièce conteneva un messaggio segreto, una chiave di lettura di ciò che il Molto Onorabile Re di Danimarca, Luce del Nord e Salvatore degli Oppressi, avrebbe presto compiuto.

Dopo aver più volte letto il copione, il re aveva dichiarato di voler interpretare il ruolo del Sultano.

Non era stato un cattivo attore.

Aveva recitato le sue battute lentamente, con una curiosa intonazione che conferiva ai versi una forza sorprendente. Le sue pause sconcertanti avevano provocato un certo imbarazzo; in un'occasione, nel bel mezzo di un passo, si era bruscamente interrotto come se ne avesse all'improvviso compreso un diverso significato. E vedendolo sulla scena, Caroline Mathilde aveva provato, suo malgrado, una strana attrazione per il suo sposo.

Sul palcoscenico Cristiano era un altro. Le battute parevano più genuine della sua conversazione. Come se solo allora mostrasse il suo vero io.

Che cosa so ora, cos'altro ho imparato
se non che si somigliano verità e menzogna
come se fossero due gocce d'acqua.
Dubbio! Dubbio! tutto è dubbio.
Null'altro è vero se non il dubbio.

Aveva un'aria piuttosto comica nel suo costume. Quel travestimento orientale! Quel turbante! Quella scimitarra ricurva che sembrava troppo grande per il suo corpo minuto! E pure aveva recitato i suoi lunghi monologhi con una singolare convinzione, come se lì, sul palcoscenico, davanti a tutta la corte, avesse inventato al momento le sue battute. Si sarebbe detto che quel ragazzino un po' folle, fino ad allora vissuto recitando le battute della corte nel teatro della corte, per la prima volta parlasse fuori dal copione, per la prima volta si esprimesse con parole sue.

E inventasse le battute in quel momento, sul palcoscenico del teatro.

Un delitto ho commesso
contro il mio bastone di comando
e forza ho sprecato quando ho tentato
di portarlo.

Aveva interpretato il ruolo con calma, ma con passione, e gli altri attori sembravano talmente paralizzati dalla sua recitazione che talvolta dimenticavano le loro battute, rimanendo irrigiditi nelle loro pose a fissare il re. Da dove veniva quell'ira controllata del sovrano, e quella convinzione, che niente aveva a che vedere con il teatro?

Solo voglio essere – in questo inferno!
Io stesso la mia onta nel sangue, nel sangue!
laverò.
Ecco il mio altare, un altare di vendetta
E io – il sommo sacerdote!

Alla fine dello spettacolo gli applausi erano stati prolungati, ma quasi timorosi. La regina aveva notato che il medico tedesco, il dottor Struensee, aveva presto smesso di applaudire: forse non perché non aveva apprezzato, le era venuto in mente, ma per un altro motivo.

Si era chinato in avanti come se stesse per alzarsi e avvicinarsi al re, e l'aveva osservato intensamente con una strana espressione di curiosità, come se volesse fargli una domanda.

Si era all'istante convinta che quel nuovo favorito, il medico Struensee, fosse il suo più pericoloso nemico. E che andasse distrutto a ogni costo.

4.

Il silenzio che circondava la regina sembrava essersi caricato di magnetismo dopo l'apparizione del nuovo nemico.

Lei ne era sicura. Qualcosa di pericoloso stava per accadere, qualcosa accadeva, qualcosa cambiava. Prima il mondo non era stato che insopportabilmente noioso; la vita in Danimarca e alla corte di Copenaghen assomigliava a quella giornata d'inverno in cui si era fatta portare in riva al mare e la nebbia densa dell'Øresund stagnava immobile sull'acqua; si era seduta sulle rocce e aveva guardato gli uccelli galleggiare sull'acqua nera, immota, densa come mercurio; quando un uccello si era sollevato frustando la superficie dell'acqua con la punta delle ali, ed era scomparso nella nebbia umida, aveva pensato: *quest'acqua è il grande mare, e sull'altra sponda c'è l'Inghilterra, e se io fossi un uccello dotato di ali...* poi il freddo e la noia l'avevano spinta a rientrare.

Allora la vita era immobile, odorava di morte e di alghe. Adesso la vita era ancora immobile, ma odorava di morte o di vita; la differenza era che l'immobilità sembrava più pericolosa, e la riempiva di una strana eccitazione.

Che cos'era? Era il nuovo nemico?

Il dottor Struensee non assomigliava agli altri, ed era il suo nemico. Lui voleva annientarla, di questo era sicura. Stava sempre nelle vicinanze del re, e aveva potere su di lui. Tutti avevano notato il potere del dottor Struensee. Ma ciò che preoccupava tutti, lei compresa, era che pareva non volersi servire di quel potere. Esercitava il potere, sempre di più, era evidente. Ma con una sorta di serena avversione.

Che cosa voleva realmente?

Era ritenuto un bell'uomo. Era ancora giovane. Superava di una testa tutti i cortigiani, era molto cortese e silenzioso, e a corte veniva chiamato "il Taciturno".

Ma cosa taceva?

Un giorno la regina era seduta con il suo lavoro all'uncinetto nel viale delle Rose, oltre le mura del castello, e di colpo era stata sopraffatta da una tale tristezza da non riuscire a dominarsi. Il lavoro le era caduto sulle ginocchia, aveva chinato il capo e aveva nascosto il viso tra le mani, disperata.

Non era la prima volta che piangeva, a Copenaghen. A volte aveva l'impressione che tutto il suo soggiorno in Danimarca non fosse stato che un lungo periodo di lacrime. Ma per la prima volta aveva pianto fuori dalle sue stanze.

Lì sola, in quello stato, il volto nascosto tra le mani, non aveva visto arrivare Struensee. Le era apparso davanti all'improvviso. Con molta calma si era avvicinato, aveva tirato fuori un fazzoletto bordato di pizzo, e gliel'aveva porto.

Con quel gesto dimostrava di aver visto il suo pianto. Quale insolenza, quale mancanza di tatto!

Aveva tuttavia accettato il fazzoletto, e si era asciugata le lacrime. Lui aveva accennato un breve inchino ed era arretrato di un passo, come per andarsene. La regina aveva allora ritenuto necessario redarguirlo.

"Dottor Struensee," aveva detto. "Tutti vogliono stringersi intorno al re. Ma presto rimarrete stretto solo voi. Cosa desiderate così ardentemente? A cosa vi state stringendo?"

Lui si era limitato a uno dei suoi rapidi sorrisi divertiti, aveva scosso la testa, si era inchinato di nuovo, e si era allontanato senza una parola.

Senza una parola!

Ciò che più le faceva rabbia era la sua affabile inaccessibilità.

Non aveva neanche l'aria di guardarla attraverso i vestiti, come gli altri, per vedere il suo corpo proibito. Se lei era ciò che più era proibito, il sacro Graal, un prurito nel membro della corte, perché lui si mostrava invece così taciturno, cortese e privo di interesse?

Certe volte pensava: non sarà forse attratto dal richiamo di quel mare nero denso come mercurio, il mare della morte?

5.

In aprile arrivò l'estate.

Un'estate precoce: il verde esplose improvviso rendendo meravigliose le passeggiate nel parco di Bernstorff. Le dame di corte la seguivano a distanza, con il bambino in carrozzina. Lei preferiva camminare sola, dieci metri davanti alla scorta.

Da quando le avevano tolto la signora von Plessen, aveva rifiutato un'altra confidente. Per una questione di principio.

Era il 12 maggio, quando incontrò Struensee nel parco.

Stava passeggiando solo, si era fermato e le aveva fatto un cerimonioso inchino, con quel sorriso cortese o forse ironico sulle labbra che tanto la irritava e la confondeva.

Perché, allora, anche lei si era fermata? Perché aveva una domanda da fare. Questa è la ragione. Una domanda reale, legittima. Per questo si era fermata e aveva rivolto la parola.

"Dottor... Struensee," aveva detto. "Era... Struensee... vero?"

Lui aveva ignorato la vaga ironia e aveva semplicemente risposto:

"Sì, Vostra Maestà?".

"Si tratta dell'applicazione di ventose al principe reale. A Copenaghen è diffuso il vaiolo, dicono che voi siate uno specialista, ma io ho paura, non so se sia il caso..."

Struensee l'aveva guardata con serietà.

"Non c'è alcun male a nutrire timori."

"Davvero???"

Le dame di corte con il bambino in carrozzina si erano fermate a rispettosa distanza, attendendo.

"Se Vostra Altezza reale lo desidera," aveva risposto lui, "potrei fare un'applicazione. Penso di potermi giovare di una lunga esperienza. Ho applicato questa tecnica ad Altona per molti anni."

"E voi siete... uno scienziato... voi sapete tutto sulle ventose?"

"Non ho scritto la mia tesi di laurea sulle ventose," aveva risposto con un breve sorriso. "Mi sono accontentato della pratica. Qualche migliaio di bambini. La mia tesi non trattava di questo argomento."

"Quale ne era allora il soggetto?"

"I rischi connessi con i movimenti erronei delle membra."

Poi aveva taciuto.

"E... quali membra corrono i rischi maggiori?"

Lui non rispose. C'era nell'aria una strana tensione. Lei sapeva di averlo messo in imbarazzo, e ciò la colmava di una sorta di trionfo. Ora poteva continuare.

"Il re parla bene di voi," disse.

Lui fece un piccolo inchino.

"Le volte in cui il re mi rivolge la parola, parla bene di voi," precisò, e immediatamente se ne pentì; perché l'aveva detto? "Le volte in cui il re mi rivolge la parola." Lui ovviamente capiva cosa intendesse, ma non era cosa che lo riguardasse.

Nessuna risposta.

"Io però non vi conosco," aggiunse con tono gelido.

"No. Nessuno mi conosce. Non a Copenaghen."

"Nessuno?"

"Non qui."

"Avete altri interessi oltre... alla salute del re?"

Lui adesso pareva più attento, come se una breccia si fosse aperta nell'incomunicabilità, e per la prima volta la fissò intensamente, come se si fosse risvegliato e per la prima volta l'avesse vista.

"La filosofia," disse.

"Ah. E poi?"

"E poi l'equitazione."

"Ahh," disse lei. "Io non so cavalcare."

"Si può... imparare... a cavalcare."

"È difficile?"

"Sì," rispose, "ma è fantastico."

Questa conversazione è diventata troppo intima, aveva pensato la regina. Sapeva che lui aveva intravisto il proibito. Ne era assolutamente certa. E improvvisamente si sentì furente verso se stessa, per averlo lei stessa provocato. Avrebbe dovuto scoprirlo da solo. Senza aiuto. Come gli altri.

Aveva mosso qualche passo. Poi si era fermata, si era voltata, e aveva chiesto alla sprovvista:

"Voi siete uno straniero a corte, no?".

Non era una domanda. Era una constatazione. Che lo rimetteva al suo posto.

Ed era stato allora che lui aveva detto, come esprimendo un fatto evidente, con parole semplici, assolutamente appropriate:

"Sì. Come Voi, Vostra Maestà".

Lei fu allora incapace di trattenersi.

"In tal caso," aveva detto in fretta e con voce inespressiva, "avete il permesso di insegnarmi a cavalcare."

6.

Il conte Rantzau, che solo un anno prima aveva dato a Guldberg il parere che il tedesco Struensee potesse essere il medico personale adatto al re, non capiva più la situazione.

Sentiva confusamente che era sfuggita al controllo.

Poteva darsi che fosse stata una buona idea. Ma poteva anche essersi sbagliato sul conto del suo amico e discepolo Struensee. Questi si teneva sempre in prossimità del re, ma sembrava sorprendentemente passivo. Così vicino al sovrano, ma attorno ai due regnava il silenzio. Si diceva che adesso Struensee aprisse la corrispondenza del re, selezionasse le cose importanti, stendesse i testi dei decreti reali.

Cos'era questo, se non un indizio di potere? E forse non solo un indizio.

Per questo motivo aveva chiesto a Struensee di fare una passeggiata insieme per analizzare la situazione riguardo "la questione dell'applicazione delle ventose".

Così si era espresso. La questione dell'applicazione delle ventose gli sembrava essere un buon punto di partenza per ritrovare con l'amico la confidenza di un tempo.

Il Taciturno di Altona.

Avevano camminato per Copenaghen. Struensee sembrava indifferente al degrado e alla sporcizia, come se ci fosse fin troppo abituato, ma Rantzau era inorridito.

"Un'epidemia di vaiolo potrebbe arrivare fino a corte," aveva detto Rantzau. "Potrebbe infiltrarsi... lasciarci senza difesa..."

"Nonostante la difesa danese," aveva aggiunto Struensee. "Nonostante i grandi stanziamenti per l'esercito."

"Il principe ereditario dev'essere protetto," aveva freddamente replicato Rantzau, non sembrandogli un argomento su cui scherzare.

"Lo so," aveva risposto Struensee in fretta, per cambiare argomento. "La regina mi ha già chiesto di intervenire. E lo farò."

Rantzau era quasi ammutolito, poi si era ripreso e aveva detto la cosa giusta nel tono giusto.

"La regina? Già? Tanto meglio."

"Sì, la regina."

"Il re ti venererebbe per il resto dei tuoi giorni se l'applicazione delle ventose avesse successo. Già ti adora. È fantastico. Si fida di te."

Struensee non aveva risposto.

"Com'è... la situazione del re? Realmente?"

"Complessa," aveva detto Struensee.

Non aveva detto che questo. Era anche ciò che pensava. Pensava di aver capito, nei mesi trascorsi dopo il ritorno dal viaggio in Europa, che la situazione del re era proprio così, complessa.

Era stato un momento incredibile a Parigi, quando Cristiano aveva conversato con gli enciclopedisti francesi. Per qualche settimana aveva creduto che Cristiano avrebbe potuto guarire; che quel ragazzino aveva certamente subito un danno nello spirito, ma che non tutto era perduto. In quelle settimane Cristiano era sembrato risvegliarsi dal suo torpore, aveva parlato della sua missione di creare un regno della ragione, aveva detto che la corte era un manicomio, ma che aveva piena fiducia in Struensee.

Piena fiducia. Piena fiducia. Lo ripeteva di continuo.

Le ragioni di questa devozione restavano invece enigmatiche, o forse inquietanti. Struensee sarebbe diventato il suo "bastone", aveva detto; come se di nuovo fosse ritornato bambino, avesse strappato il bastone al terribile sorvegliante, e l'avesse ora messo nelle mani di un nuovo vassallo.

Struensee aveva detto che non ci teneva a essere un bastone, e nemmeno una spada o un martello. Il regno della ragione non poteva essere costruito sulla vendetta. E insieme, come in una liturgia, avevano letto e riletto la lettera che Voltaire aveva scritto a lui, e su di lui.

La luce. La ragione. Ma Struensee sapeva anche che questa luce e questa ragione stavano tra le mani di un ragazzo che portava in sé l'oscurità, come una grande fiaccola nera.

Come poteva da lì nascere la luce?

C'era tuttavia qualcosa in quell'immagine del "bastone" che, suo malgrado, attirava Struensee. Era proprio necessario un bastone per il cambiamento? Voltaire aveva detto una frase che gli era rimasta impressa; a proposito della necessità, o aveva detto dovere?, di infilarsi attraverso lo spiraglio che d'improvviso poteva crearsi nella storia. E lui stesso aveva sempre sognato che i cambiamenti potessero essere possibili, benché lui personalmente, un insignificante medico tedesco di Altona, non fosse che un piccolo artigiano della vita, il cui compito era grattar via con il coltello la sporcizia dell'esistenza da tutta quella gente. Non aveva pensato allo "scalpello"; era uno strumento troppo affilato e minaccioso. Gli pareva troppo connesso alle autopsie, quando aveva sezionato i suicidi, o i giustiziati. No, aveva pensato a un semplice coltello d'artigiano. Grattare per liberare il legno puro della vita. Come un artigiano.

Raschiare, con il coltello dell'artigiano. Raschiare per togliere la sporcizia della vita. Per far diventare la superficie del legno pulita, venata, e viva.

Ma il messaggio di Voltaire trasmessogli da Diderot conteneva anche dell'altro.

Non aveva parlato di dovere. Ma l'aveva sottinteso. E capitava a Struensee di svegliarsi la notte, nella sua stanza in quel gelido e orribile palazzo, e rimanere immobile a fissare il soffitto, e tutt'a un tratto pensare *forse sono io e questo è il momento che non tornerà più, ma se il potere mi prende sono perduto e condannato alla rovina, e io non lo voglio*, e sentire il suo respiro farsi affannoso, quasi angosciato, e cominciava a pensare che quella era una responsabilità, una responsabilità immensa, e che quel momento non sarebbe mai più tornato. Quel momento che era Copenaghen.

E che era LUI!!!

Ed era come se vedesse aprirsi lo spiraglio nella storia, e sapeva che era lo spiraglio della propria vita, e che solo lui poteva infilarsi in quello spiraglio. E che forse, forse, quello era il suo dovere.

E provava uno sconfinato terrore.

Non aveva voluto descrivere la situazione del re a Rantzau. Gli era improvvisamente parso vischioso. Rantzau era vischioso. Non se ne era mai reso conto prima, ad Aschebergs Have, in quelle meravigliose sere d'estate nella capanna di Rousseau, ma adesso avvertiva nettamente quella vischiosità.

Voleva tenerlo a distanza.

"Complessa?" aveva chiesto Rantzau.

"Sogna di creare una luce," aveva detto Struensee. "E un regno della ragione. E io temo di poterlo aiutare."

"Temi?" aveva detto Rantzau.

"Sì, ne ho paura."

"Molto bene," aveva ribattuto Rantzau con una strana intonazione nella voce. "Il regno della ragione. La ragione. E la regina?"

"Una donna notevole."

"Speriamo allora che la ragione non sia soffocata dall'idra della passione," aveva detto Rantzau in tono leggero.

A questo va collegato un incidente verificatosi tre giorni prima.

In seguito Struensee aveva temuto di averlo interpretato erroneamente. Ma appunto quello – la complessità – della situazione l'aveva tenuto occupato per diversi giorni.

E forse era proprio per via di quell'incidente che, con Rantzau, aveva usato il termine "complessa".

Ecco ciò che accadde.

Cristiano e Struensee si trovavano soli nello studio del sovrano. Il cane era come al solito accoccolato sulle ginocchia del re, che stava intanto firmando con una mano una serie di documenti che Struensee, su richiesta dello stesso sovrano, aveva rielaborato dal punto di vista puramente formale.

Era un accordo tra loro. Struensee scriveva tutto. Insisteva tuttavia a dire che si trattava unicamente di una rielaborazione formale. Cristiano apponeva lentamente la sua elegante firma, senza mai smettere di borbottare tra sé.

"Che rabbia che mi fa venire. Bernstorff! E Guldberg! Guldberg deve stare al suo posto. Adesso dovrà impararlo qual è il suo posto!!! Lo farò a pezzi. Il governo. Tutto."

Struensee l'aveva guardato con occhio vigile, ma non aveva detto nulla, conoscendo ormai bene le maniacali litanie del re sulla distruzione, l'Araba Fenice, e la pulizia del tempio.

"Farlo a pezzi! Far tutto a pezzi!!! Non è vero, Struensee, che ho ragione?!"

Struensee aveva allora detto con molta calma:

"Sì, Vostra Maestà. Qualcosa bisogna fare in questo regno in rovina".

"Una luce! Dal Nord!"

Aveva baciato il cane, cosa che regolarmente disgustava Struensee, e aveva proseguito:

"Il tempio dev'essere ripulito! Distruzione totale!!! Voi siete d'accordo, non è vero?!".

Fin qui, erano cose ben note. Ma Struensee, che per un attimo aveva provato una certa stanchezza per le esplosioni del re, aveva mormorato sottovoce, come tra sé:

"Vostra Maestà, certe volte non è del tutto semplice comprenderVi."

Aveva creduto che queste parole sarebbero passate inosservate, tenendo conto della disattenzione del re. Invece Cristiano aveva posato la penna e aveva guardato Struensee con un'espressione di intenso dolore, o di paura, o di qualcosa che avrebbe voluto che Struensee capisse.

"Sì," aveva detto. "Ho molte facce."

Struensee l'aveva osservato con attenzione, avendo percepito nella voce del re un'intonazione che gli era nuova.

Cristiano aveva poi continuato:

"Ma, dottor Struensee, in quel regno della ragione che voi vorreste creare, c'è forse posto soltanto per uomini tutti d'un pezzo?".

E dopo un attimo aveva soggiunto:

"Ma c'è posto, allora, per me?".

7.

Parevano tutti in attesa.

Dopo l'incontro con Struensee nel parco, la regina aveva provato una strana rabbia; aveva chiaramente identificato quella sensazione come rabbia.

Non era calma. Sì, era proprio rabbia.

La notte si era di nuovo spogliata della camicia da notte e si era accarezzata con foga. Tre volte il piacere era arrivato come una grande onda, ma questa volta non le aveva dato nessuna requie, non le aveva lasciato che rabbia.

Sto perdendo il controllo, aveva pensato. Devo ritrovarlo.

Devo ritrovare il controllo.

Cristiano, Caroline Mathilde, Struensee. Loro tre.

Sembravano guardarsi l'un l'altro con curiosità, e con sospetto. Anche la corte li osservava. Loro osservavano la corte. Parevano tutti in attesa.

In qualche occasione venivano anche osservati dall'esterno. Più tardi, in autunno, fu scritta una lettera che in certa misura preannuncia quanto sarebbe accaduto. Un acuto osservatore, il principe ereditario di Svezia Gustavo, il futuro Gustavo III, fece quell'anno un viaggio a Parigi, e si fermò per un breve periodo a Copenaghen. E vide qualcosa. Probabilmente non era ancora successo nulla, ma qualcosa stava forse per succedere.

Riferisce in alcune lettere alla madre le sue impressioni sulla corte di Danimarca.

Non apprezza la corte danese, la reggia gli sembra priva di gusto. Oro, oro, tutto è oro ricoperto d'oro. Nessuno stile. Le parate sono pietose. I soldati non marciano al passo, si voltano con lentezza, senza precisione. A corte, lussuria e depravazione, "perfino peggio che da noi". La Danimarca non può certo costituire una minaccia militare per la Svezia, questo è il suo giudizio.

Pessimo gusto e dietrofront troppo lenti.

Sono tuttavia la coppia reale e Struensee a catturare il suo maggiore interesse.

"La cosa più straordinaria è il signore del castello, e tutto ciò che lo circonda. Ha un volto grazioso, ma è così piccolo e mingherlino che facilmente lo si potrebbe prendere per un tredicenne, o per una ragazzina vestita da uomo. Madame Du Londelle in abiti maschili gli somiglierebbe molto, e non credo che il re sia molto più grande di lei.

Ciò che rende difficile credere che possa essere il re, è il fatto che non porta nessuna decorazione; non solo non porta l'Ordine dei Serafini, ma nemmeno la stella dell'Ordine. Ricorda molto la nostra principessa ereditaria svedese, e parla come lei, con la sola differenza che parla di più. Sembra timido, e quando ha detto qualcosa, subito si corregge, esattamente come fa lei, quasi avesse paura di aver detto qualcosa di sbagliato. Il suo modo di camminare è assolutamente inverosimile, come se le gambe gli cedessero.

La regina è del tutto diversa. Dà l'impressione di essere risoluta, forte e robusta. I suoi modi sono molto spontanei, e senza inibizioni. La sua conversazione è vivace e brillante, e anche molto rapida. Non è né bella né brutta; è di altezza media, e forse è un po' robusta, senza essere grassa; è sempre vestita da amazzone, con gli stivali, e tutte le dame del suo seguito devono essere abbigliate come lei, per cui a teatro, e dappertutto a dire il vero, le dame del suo seguito si possono sempre distinguere dalle altre."

Gustavo ha anche osservato accuratamente Struensee. A tavola era seduto di fronte alla regina. La "sbirciava" in un modo che al principe ereditario svedese non era piaciuto. "Ma la cosa più straordinaria è che Struensee è diventato il signore del castello, e regna perfino sul re. Lo scontento che questo provoca è enorme, e sembra aumentare di giorno in giorno. Se vi fosse altrettanta forza in questa nazione quanto vi è ora di scontento, le cose potrebbero prendere una piega molto grave."

Questo accadeva in autunno. Il principe ereditario svedese, il futuro re Gustavo III – che sarebbe salito al trono poco dopo in quello stesso anno – crede di aver visto qualcosa.

E qualcosa era effettivamente accaduto.

Capitolo 8

Una persona viva

1.

Guldberg concepiva spesso la storia come un fiume che scorre crescendo inesorabilmente verso il mare, dove si unisce a quell'acqua immensa che considerava l'archetipo dell'Eterno.

Il movimento dell'acqua era la volontà di Dio. Lui non era altro che un insignificante osservatore sulla riva.

Questo non gli lasciava apparentemente molto spazio nel grande corso della storia. Ma al tempo stesso pensava che a quel piccolo insignificante osservatore, Guldberg, con i suoi chiari occhi di ghiaccio, grazie alla sua irrilevanza e alla sua tenacia, e a quei suoi occhi penetranti che non battevano mai ciglio, era stato assegnato un ruolo. Non era solo l'osservatore del potere implacabile di Dio, ma anche un interprete dei gorghi. Il fiume era per sua stessa natura imperscrutabile. Ma a qualcuno era concesso di vedere le correnti sottostanti i gorghi, di padroneggiare la logica dell'insondabile, di capire i segreti della volontà di Dio.

Era anche per questo che, a buoni conti, si era procurato degli informatori.

Dopo l'incontro con la regina madre nella chiesa del castello, aveva capito qual era il suo compito. Non si limitava a quello di interprete. Doveva esserci una direzione, nell'interpretazione. Il suo compito era amare il figlioletto della regina madre, il piccolo deforme; e attraverso l'amore per quell'essere insignificante, si sarebbe infine realizzata in Danimarca la volontà di Dio.

La volontà di Dio era, in primo luogo, che la sporcizia

venisse eliminata col fuoco, e che il pensiero illuminista ardesse nel grande braciere divino.

L'incontro nella chiesa del castello era stato di estrema importanza. Ma lui non era diventato un tirapiedi assoldato. Quella missione, quella vocazione, non era motivata da un desiderio di ricompensa. Lui non era uno che si poteva comprare. Avrebbe voluto dirlo alla regina madre in quel famoso incontro, ma non ne era stato capace. Se l'era presa a male sentendo la parola "ricompensa". Lei non aveva capito che lui non si poteva comprare. Lui non voleva né titoli, né ricompense, né potere; voleva continuare a essere l'uomo insignificante, il cui compito era interpretare le imperscrutabili acque di Dio.

La sua inquietudine per l'evolversi della situazione era grande. Era legata alla convinzione che neanche Struensee poteva essere comprato. Se in realtà poteva, Guldberg non sapeva ancora con cosa. Forse non poteva proprio essere comprato. Forse quel grande albero sarebbe stato abbattuto da qualcos'altro; ma in quel caso doveva arrivare a smascherarlo, capire dov'era il suo punto debole.

Struensee era un parvenu, in questo assomigliava a Guldberg. Erano entrambi piccoli cespugli tra i grandi alberi pretenziosi. Come gli piacevano quelle immagini. Cespuglio, albero, foresta abbattuta. E, per finire, il trionfo. Ogni tanto riusciva a odiare Struensee con affetto, quasi con simpatia, perfino con tenerezza. Ma non dimenticava che la sua missione era smascherarlo.

Temeva che Struensee non fosse un semplice intellettuale. Ma intuiva il suo punto debole. Soltanto Guldberg, dalla riva del fiume, aveva capito questo fatto paradossale: la debolezza di Struensee era che non amava il potere. Che il suo ipocrita idealismo era autentico. Forse Struensee non desiderava lasciarsi irretire, e corrompere, dal potere. Forse preferiva rinunciare al grande gioco. Forse era un essere perfettamente puro, al servizio del male. Forse coltivava l'ingenuo sogno che la purezza fosse possibile. Forse non voleva essere sporcato dal potere. Forse sarebbe anche riuscito a contrastare il sudiciume del potere, a non uccidere, a non distruggere, a non giocare il grande gioco del potere. A rimanere pulito.

Per questo Struensee era condannato alla rovina.

2.

Guldberg aveva seguito il lungo viaggio in Europa a distanza, quasi giorno per giorno, attraverso i suoi informatori. Con volto impassibile, aveva letto le missive su quello sperpero demenziale. Non si era tuttavia preoccupato finché non erano arrivate le prime lettere da Parigi.

Aveva allora capito che un altro pericolo incombeva.

Chi avrebbe potuto supporlo? Rantzau, probabilmente. Gli aveva raccomandato Struensee, e non poteva non sapere. La notizia dell'incontro del re con gli enciclopedisti aveva colmato la misura. In giugno aveva quindi avuto un lungo colloquio con il conte Rantzau.

Era stato un colloquio a carte scoperte. Guldberg aveva riepilogato parte del curriculum vitae di Rantzau, compreso il suo presunto spionaggio a favore dell'imperatrice russa, e sottolineato quanto fosse importante dimenticare quel piccolo incidente, tenendo conto dell'inaudita severità delle pene per alto tradimento. Aveva quindi brevemente delineato le regole del gioco. Su alcuni punti si trovarono d'accordo: che Struensee era un parvenu e che era molto pericoloso.

Rantzau era stato zitto per la maggior parte del tempo, dando ogni tanto qualche segno di nervosismo.

Guldberg aveva avuto conferma di ogni sua impressione. Rantzau era una persona del tutto priva di carattere.

In più aveva grossi debiti.

Nel corso del colloquio, Guldberg si era costretto al massimo autocontrollo, per non esternare il proprio disprezzo. I grandi e magnifici alberi potevano essere comprati, prima di essere abbattuti.

Ma i piccoli cespugli, no.

In maggio la situazione si era fatta poco chiara, perciò pericolosa. In luglio era stato costretto a fare un rapporto privato alla regina madre.

Si erano dati appuntamento al Teatro di corte, dove una conversazione nel palco della regina madre prima di uno spettacolo difficilmente poteva suscitare il sospetto di essere di natura cospiratoria; luogo pubblico per eccellenza, il teatro era il posto ideale per un colloquio segreto.

Senza contare che l'orchestra stava accordando i suoi strumenti.

Guldberg fece una rapida e dettagliata esposizione dei fatti. In maggio, le ventose erano state applicate al piccolo principe ereditario, e con successo. Questo aveva rafforzato la posizione del "Taciturno". Sul piano degli intrighi, Holck era in disgrazia, Rantzau nelle grazie, ma era una persona priva di carattere e innocua. Bernstorff sarebbe stato congedato in autunno. Struensee non era più protetto da Rantzau, e presto avrebbe avuto in mano tutto il potere. Per questo Rantzau lo odiava, pur considerandosi il più intimo, se non il solo, amico di Struensee. Brandt era nelle grazie. Il re, fuori da ogni controllo, firmava meccanicamente i decreti. La settimana entrante Struensee sarebbe stato nominato consigliere con uno stipendio annuo di millecinquecento talleri. La lettera che decretava il divieto, o la "cessazione", del conferimento di ordini e ricompense che il re aveva firmato la settimana prima, era stata scritta dal "Taciturno". Una marea di "riforme" era in attesa.

"Voi come lo sapete?" aveva chiesto la regina madre. "Non credo ve l'abbia confidato Struensee."

"Ma forse Rantzau," aveva risposto Guldberg.

"Non è il solo amico di Struensee?"

"Struensee si è rifiutato di decretare l'estinzione dei suoi debiti," aveva brevemente spiegato Guldberg.

"Un intellettuale carico di debiti in conflitto con un illuminista armato di principi," aveva detto pensosamente la regina madre, come parlando tra sé. "Una tragedia per entrambi."

Guldberg aveva proseguito la sua analisi. Quello che Struensee aveva recentemente qualificato come "rielaborazione nella forma" dei decreti del re, era ormai un manifesto esercizio di potere. Il re sottoscriveva tutto ciò che Struensee gli proponeva. Le riforme fluivano come una marea. I progetti, che non avrebbero tardato a realizzarsi, comprendevano anche la totale libertà di stampa, la libertà di culto, il trasferimento dei diritti doganali sull'Øresund allo stato, invece che alla Cassa reale, la regolazione della questione contadina e l'abolizione della servitù della gleba, la soppressione dei contributi alle industrie poco redditizie di proprietà dei nobili, la riforma della sanità, oltre a una lunga serie di programmi dettagliati, come ad esempio la confisca dei locali appartenenti alla chiesa di Amaliegade, per trasformarli in asilo.

"Un asilo per i bastardi delle sgualdrine," aveva commentato acida la regina madre.

"E, ovviamente, il divieto di ricorrere alla tortura negli interrogatori."

"Questo punto," aveva allora replicato la regina madre, "sarà in ogni caso definitivamente abrogato quando quel topo di fogna verrà imprigionato e reso inoffensivo."

Gli orchestrali avevano terminato di accordare i loro strumenti, e la regina madre aveva infine domandato in un sussurro:

"E l'opinione della regina su Struensee?".

"Di lei non si sa niente," aveva risposto Guldberg altrettanto sottovoce, "ma quando si saprà qualcosa, sarò il primo a esserne informato."

3.

Sempre più spesso, la regina si faceva condurre sulla riva del mare. Scendeva dalla carrozza e si fermava in attesa sul bordo dell'acqua. Il profumo era sempre lo stesso, mare e alghe, e tuttavia variava. All'inizio, era stato solo noia. Poi era diventato una mescolanza di piacere e di morte. Adesso era qualcos'altro.

Che forse aveva a che fare con Struensee. Voleva sapere cos'era.

Aveva chiesto dove lo si potesse trovare e le era stato comunicato; aveva quindi scelto come meta della sua passeggiata pomeridiana le stalle reali, dove il dottor Struensee ogni martedì e venerdì aveva l'abitudine di montare a cavallo.

E in effetti era lì. Per questo vi si era recata senza dame di corte al seguito. Per scoprire la ragione della propria rabbia, e per rimettere quell'uomo al suo posto.

Lui stava sellando il cavallo, e lei, avendo deciso di metterlo al suo posto, ed essendo rabbiosa, era andata subito al dunque.

"Dottor Struensee," aveva detto, "vedo che siete occupato, non vorrei disturbarvi, se siete tanto occupato."

Perplesso, lui si era limitato a salutarla con un inchino, e aveva continuato a sellare il cavallo, senza dire nulla. Era inaudito. Anche solo una minima conoscenza dell'etichet-

Il conte Struensee a cavallo.

ta di corte avrebbe preteso che rispondesse, e con il dovuto riguardo, ma era un uomo del popolo, evidentemente.

"Voi offendete la regina di Danimarca," lei disse, "io vi parlo, e voi non rispondete. Che insolenza!"

"Non era mia intenzione," disse lui.

Nemmeno sembrava intimorito.

"Sempre occupato," aggiunse la regina. "Ma che cosa fate, in realtà?"

"Lavoro," rispose.

"A che cosa?"

"Sono al servizio del re. Redigo dei testi. Ho degli incontri. Talora do dei consigli, se il re lo desidera."

"Avevate promesso di darmi lezioni di equitazione, vi ho autorizzato a promettermelo, e voi non ne avete il tempo! Non avete tempo! Ma state attento, potreste cadere in disgrazia! In DISGRAZIA!!!"

Aveva allora cessato di sellare il cavallo, si era voltato, e l'aveva guardata con sorpresa, forse anche con irritazione.

"Posso domandarvi," aveva aggiunto lei con una voce così poco controllata che per un attimo se ne era vergognata, "posso domandarvi se questo LAVORO è proprio tanto necessario, posso chiedervelo? E certo che posso!!! Cos'è che..."

"Devo rispondere?" aveva detto lui.

"Rispondete, dottor Struensee."

Era accaduto all'improvviso. Tanto all'improvviso che lei non se l'era aspettato. Lui le aveva risposto con un tono di brusca collera che li sorprese entrambi.

"Vostra Maestà, con tutto il rispetto che Vi devo, io lavoro veramente," aveva detto in un tono sordo di rabbia, "ma non tanto quanto dovrei. Ciò a cui devo lavorare richiede tempo, e io non l'ho, devo anche dormire, sarò carente, ma nessuno potrà dire che non ci provo. Purtroppo so benissimo quel che non faccio, Vostra Maestà, purtroppo; dovrei lavorare per rendere questa maledetta Danimarca decente, lavorare per i diritti dei contadini, e non lo faccio; per dimezzare, come minimo! come minimo!!! la corte, e nemmeno questo faccio, per modificare la legge perché le madri di bambini illegittimi non siano punite, NON SIANO PUNITE!!!, e non lo faccio, lavorare perché le ipocrite punizioni dell'infedeltà siano abolite, e nemmeno questo faccio, mia Onoratissima Regina. C'è una tale incredibile quantità di cose alle quali non lavoro, non lavoro!!! Che dovrei fare, ma non riesco, e potrei continuare a lungo con altri esempi di cose che non riesco a fare!!! Potrei..."

Improvvisamente si era interrotto. Sapeva di essersi lasciato andare. C'era stato un lungo silenzio, aveva poi soggiunto:

"Vi chiedo perdono. Vi prego... di perdonarmi. Per questo...".

"Sì?"

"Ingiustificabile comportamento."

Di colpo lei si era sentita perfettamente calma. La sua rabbia era svanita, non perché l'avesse messo al suo posto, non perché lei stessa era stata messa al suo posto; no, se n'era semplicemente andata.

"Che bel cavallo," disse.

Sì, i cavalli erano bellissimi. Doveva essere meraviglioso lavorare in mezzo a quegli splendidi animali, i loro mantelli, le loro froge, i loro occhi che la guardavano così silenziosi e tranquilli.

Si avvicinò al cavallo, gli accarezzò il fianco.

"Che bell'animale. Credete che i cavalli amino il loro corpo?"

Lui non rispose. Lei continuò ad accarezzare: il collo, la criniera, la testa. Il cavallo restava immobile, in attesa. Lei non si girò verso Struensee, si limitò a dire sottovoce:

"Mi disprezzate?".

"Non capisco," rispose.

"Forse pensate: una bella ragazzina di diciassette anni, sciocca, che non ha visto niente del mondo, che non ha capito niente? Un bell'animale. È così?"

Lui scosse solo la testa.

"No."

"E che cosa sono, allora?"

Lui aveva cominciato a strigliare il cavallo, lentamente; poi la mano si era fermata di colpo.

"Viva."

"Che intendete?"

"Una persona viva."

"Così è questo che avete visto?"

"Sì. È questo che ho visto."

"Tanto meglio," disse lei molto piano. "Tanto... meglio. Non ci sono molte persone vive, a Copenaghen."

Lui l'aveva guardata.

"Vostra Maestà non può saperlo. Esiste un mondo anche al di fuori della corte."

Lei pensò: è vero, e lui ha il coraggio di dirlo! Forse ha visto qualcosa di diverso della nave da guerra corazzata, o del corpo. Vede qualcosa d'altro ed è coraggioso. Ma lo dice perché mi considera una ragazzina, o perché è vero?

"Capisco," disse. "Voi pensate che non ho visto granché, del mondo. O mi sbaglio? È questo che pensate? Diciassette anni, e non ha mai messo il piede fuori dalla corte? Mai visto niente?"

"Non è una questione di anni," disse lui. "Certi vivono cent'anni e non hanno visto niente."

Lei lo guardò dritto negli occhi e per la prima volta sentì di non avere paura, di non essere più arrabbiata, ma solo calma e curiosa.

"Che importa se vi siete arrabbiato," disse. "È stato così bello vedere qualcuno che... brucia. Che è vivo. Non l'avevo mai visto, prima. È stato così bello. Adesso potete montare il vostro cavallo, dottor Struensee."

4.

Il Gabinetto era riunito, per una volta tanto al completo, quando il re comunicò che il dottore in medicina J.F. Struensee era stato nominato conferenziere reale, con il titolo di consigliere.

Se lo aspettavano. Rimasero tutti impassibili.

Fu comunicato inoltre che non c'era motivo di tenere altre riunioni di gabinetto prima della fine del mese di settembre, e che i decreti reali che nel frattempo il re avesse sottoscritto non avrebbero avuto bisogno dell'approvazione del gabinetto.

Ci fu un silenzio gelido, paralizzato. Questo non se lo aspettavano. Cosa voleva dire, in pratica?

"Nel contempo desidero comunicare," concluse il re, "che in questo giorno mi sono degnato di nominare il mio cane Vitrius consigliere di stato, e che d'ora innanzi dovrà essere trattato con il rispetto che si conviene a questo titolo."

Il silenzio fu molto profondo, e molto lungo.

Poi il re si alzò senza una parola, tutti seguirono il suo esempio, e la sala si vuotò.

Nel corridoio si radunarono per qualche attimo dei gruppetti che si sciolsero in fretta. In quei brevi istanti Guldberg riuscì tuttavia a scambiare qualche parola con il maresciallo di corte, il conte Holck, e con il ministro degli Esteri, il conte Bernstorff.

"La nazione," disse, "è davanti alla più grave crisi di tutti i tempi. Troviamoci stasera alle dieci dalla regina madre."

Era una situazione stupefacente. Guldberg non aveva rispettato né le proprie competenze né l'etichetta. Eppure nessuno degli altri due ne era rimasto irritato. Aveva poi aggiunto, "del tutto inutilmente", come si era poi detto:

"Segretezza assoluta".

Alla riunione del mattino, il giorno dopo, erano solo in tre partecipanti.

Re Cristiano VII, il suo cane – consigliere di stato fresco di nomina, lo schnauzer Vitrius che dormiva acciambellato ai piedi del re – e Struensee.

Struensee aveva passato un documento via l'altro al re che tuttavia, dopo un po', aveva lasciato intendere con un gesto della mano che desiderava fare un momento di pausa.

Il re fissava ostinatamente il piano del tavolo, senza tamburellare con le dita, senza manifestare spasmi. Il suo volto pareva esprimere un dolore così grande che Struensee si era spaventato.

O si trattava soltanto di un'infinita solitudine?

Senza alzare lo sguardo, e con un tono assolutamente calmo e concentrato, il re disse:

"La regina soffre di melanconia. È sola. È straniera in questo paese. Io non sono stato capace di lenire questa melanconia. Voi dovete sollevare questo peso dalle mie spalle. Voi dovete! prendervi cura di lei".

Dopo un attimo di silenzio, Struensee replicò:

"Il mio solo desiderio è che l'attuale tensione tra i reali consorti possa cessare".

Il re si era allora limitato a ripetere:

"Dovete sollevare questo peso dalle mie spalle".

Struensee tenne gli occhi fissi sui documenti che aveva davanti. Cristiano non alzò lo sguardo. Il cane continuò a dormire profondamente, accucciato ai suoi piedi.

5.

Non la capiva.

Struensee aveva incontrato la regina ad Altona, durante la sua breve sosta in città prima dell'arrivo a Copenaghen, ma quasi non l'aveva vista. Lei allora era solo una bambina, e per di più terrorizzata.

Lui era rimasto indignato. Non si aveva il diritto di trattare così degli esseri umani. Ma non l'aveva realmente vista.

Poi l'aveva vista. E di colpo aveva capito che portava in sé un grande pericolo. Tutti quelli che parlavano di lei la definivano "incantevole" e "affascinante", ma era comunque d'obbligo dirlo, riferendosi a una regina. Non significava nulla. Si era dato per scontato che fosse priva di volontà e affascinante, e che la sua vita sarebbe stata un inferno, sia pure su un piano più elevato rispetto alle mogli della borghesia, e su un altro pianeta rispetto alle donne del popolo. Ma qualcosa in lei lo indusse a pensare che la piccola inglese era stata sottovalutata.

La sua pelle era meravigliosa. Aveva delle mani bellissime. Una volta si era sorpreso a immaginare la sua mano stretta attorno al suo membro.

Il suo desiderio di imparare a cavalcare l'aveva lasciato stupefatto.

Lo lasciava quasi sempre stupefatto, le poche volte che s'incontravano. Gli pareva di vederla crescere, ma non sapeva dove sarebbe andata a finire.

I preparativi per la prima lezione di equitazione non avevano posto problemi. Ma, arrivato il momento, si era presentata vestita da uomo; nessuna donna della casa reale aveva mai cavalcato come un uomo, ossia con le gambe divaricate, a cavalcioni sul cavallo.

Era ritenuto osceno. Eppure lei si era presentata in abito da cavallerizzo.

Lui non aveva fatto commenti.

L'aveva gentilmente presa per mano, e l'aveva guidata al cavallo per la prima lezione.

"La prima regola," aveva detto, "è la prudenza."

"E la seconda?"

"L'audacia."

"Mi piace di più la seconda," aveva commentato.

Il cavallo era stato scelto con cura, era un animale molto tranquillo. Avevano cavalcato nel parco di Bernstorff per un'ora.

Il cavallo era andato al passo, con molta calma. Tutto si era svolto nel migliore dei modi.

Era montata a cavallo per la prima volta della sua vita.

Campi aperti. Boschetti d'alberi.

Struensee cavalcava al suo fianco. Avevano parlato di animali.

Come si muovevano, se potevano sognare, se erano consapevoli della propria esistenza. Se il loro amore era riservato a qualcuno in particolare.

Se avevano coscienza del proprio corpo, e come vedevano gli esseri umani, e quali avrebbero potuto essere i sogni dei cavalli.

La regina aveva detto che si immaginava i cavalli diversi dagli altri animali. Alla nascita sembravano insignificanti, con quelle zampe troppo lunghe, ma molto presto diventavano consapevoli della propria vita, del proprio corpo, e cominciavano a sognare, e potevano provare angoscia o amore, e possedevano segreti che si potevano leggere nei loro occhi, se vi si guardava dentro. Bisognava guardarli negli occhi, allora si capiva che i cavalli sognavano quando dormivano, in piedi, avvolti nei loro segreti.

Lui aveva detto: Mi rendo conto che mai in tutta la mia vita ho osato guardare dentro ai sogni di un cavallo.

E allora la regina aveva riso, per la prima volta nei quasi tre anni che aveva vissuto a Copenaghen.

Già il giorno dopo si era diffusa la voce.

Struensee stava attraversando l'atrio del castello quando incontrò la regina madre, che lo fermò.

Il suo volto era di pietra. A dire il vero, il suo volto era praticamente sempre di pietra; ma ora si intuiva sotto la pietra una collera che la rendeva terrificante.

"Dottor Struensee," disse, "sono stata informata che la regina è montata a cavallo in abiti maschili, ed era a cavalcioni del cavallo. È esatto?"

"È esatto," rispose.

"Si tratta di un'infrazione all'etichetta, ed è indecente."

"A Parigi," lui disse, "le dame cavalcano sempre così. Sul continente nessuno lo considera indecente. A Parigi, è..."

"A Parigi," l'interruppe lei seccamente, "c'è molta immoralità. Non abbiamo affatto bisogno di importare tutto questo in Danimarca."

Lui si era inchinato, senza rispondere.

"Solo un'altra domanda, dottor Struensee, a proposito di queste... idee continentali."

Lui accennò un leggero inchino.

"Qual è l'obiettivo finale di questi... illuministi? Me lo sono semplicemente... chiesto."

Struensee aveva scelto con cura le parole.

"Fare della terra un paradiso," aveva detto con un leggero sorriso.

"E che ne sarebbe allora del... vero paradiso? Voglio dire, di quello di Dio."

Con un sorriso altrettanto dolce, lui aveva risposto:

"Quello diverrà... secondo loro... meno necessario".

Con lo stesso tono tranquillo, la regina madre aveva detto:

"Capisco. È anche per questo che quei blasfemi devono essere annientati".

Si era poi voltata, e se ne era andata.

Struensee era rimasto a lungo immobile, guardandola allontanarsi. Aveva pensato: in realtà, non sono un uomo coraggioso. Mi sento percorrere da un gelido soffio di paura solo perché una vecchia mi rivolge la parola. Se si vede uno spiraglio nella storia e si sa che ci si dovrebbe infilare... è giusto che uno che si spaventa per una vecchia si assuma questo compito?

Più tardi aveva anche pensato: la resistenza comincia a farsi vedere. Non solo una vecchia. La nobiltà. Guldberg. Sono in tanti. L'opposizione non tarderà a delinearsi.

Quelli che sono contro, li riesco a distinguere. Ma quali sono a favore?

Capitolo 9

La capanna di Rousseau

1.

Sempre più difficile capire cosa succede.

Il cono di luce sembra essersi concentrato su un esiguo gruppo di attori sul palcoscenico. Stanno però ancora con i volti girati, che non si guardano.

Ormai pronti alla battuta. Volti ancora girati, e silenzio.

Una sera, mentre Cristiano stava raccontando per l'ennesima volta a Struensee i suoi incubi sulla dolorosa morte del sergente Mörl, perdendosi nei dettagli, Struensee si era messo a camminare avanti e indietro per la stanza, e alla fine, infuriato, aveva detto al re di smettere.

Cristiano era rimasto stupefatto. Quando c'era ancora Reverdil, prima di essere esiliato come punizione, poteva parlare di quelle cose. Struensee sembrava perdere le staffe. Cristiano aveva chiesto perché. Struensee si era limitato a rispondere:

"Vostra Maestà non capisce. Non si è mai sforzato di capire. Anche se ci conosciamo ormai da parecchio tempo. Ma io non sono un coraggioso. Ho il terrore della sofferenza. Non voglio pensare al dolore. Ho paura. È così, e Vostra Maestà avrebbe dovuto capirlo, se Vostra Maestà fosse stato interessato".

Cristiano aveva guardato Struensee con stupore durante questo sfogo, e aveva poi detto:

"Anch'io ho paura della morte".

"Io non ho paura della morte!!!" aveva ribattuto Struensee con impazienza. "Solo del dolore. Solo del dolore!!!"

C'è un disegno di Cristiano che risale all'estate del 1770 e rappresenta un ragazzo negro.

Cristiano disegnava molto raramente, ma quel che è rimasto rivela un notevole talento. Il disegno rappresenta Moranti, il paggio negro che era stato donato al re per alleviare la sua melanconia, perché "avesse qualcuno con cui giocare".

Nessuno dovrebbe esprimersi così. "Melanconia" era il termine corretto, ma "compagno di giochi" no. Brandt, che aveva avuto l'idea, si esprime esattamente così: un compagno di giochi per Sua Maestà. Si era diffusa un'atmosfera di sorda rassegnazione attorno al re. Era difficile trovare compagni di giochi tra i cortigiani. Il re pareva concentrare tutta l'energia della giornata in quell'ora dedicata a firmare i documenti e i comunicati che Struensee gli presentava; ma, una volta separati, veniva sopraffatto dall'apatia e ricadeva nei suoi borbottii. Brandt si era stancato della compagnia del re e gli aveva comprato un paggio negro come giocattolo. Aveva chiesto l'autorizzazione a Struensee, che si era limitato a scuotere il capo rassegnato, ma aveva acconsentito.

La posizione di Struensee a corte era ormai così evidente che si aveva bisogno della sua approvazione anche per comprare schiavi neri.

Era comprensibile che si fosse stancato, aveva fatto notare Brandt, visto che fare compagnia a Sua Maestà giocando con lui non poteva essere considerato uno dei suoi compiti ovvi in quanto direttore del teatro. In realtà Brandt non ne poteva più ed era furibondo. Il tempo trascorso con il sovrano era sempre più monotono, visto che spesso gli capitava di rimanere giornate intere seduto su una sedia, agitando le mani e borbottando tra i denti, o fissando con aria ebete la parete. Per di più il re aveva l'abitudine di mettere la sua sedia accostata e rivolta al muro, per evitare di vedere chi gli stava attorno.

Cosa poteva fare Brandt? Conversare era difficile. Mica poteva piazzarsi tra la sedia e il muro, aveva spiegato a Struensee.

Fate come volete, aveva risposto Struensee. Questa è comunque una gabbia di matti.

Il paggio nero era stato battezzato Moranti.

Moranti avrebbe finito per avere un ruolo negli avvenimenti successivi, perfino nelle relazioni diplomatiche.

Più tardi quello stesso autunno, quando la situazione si era fatta critica e i rapporti inquietanti sull'influenza di Struensee avevano raggiunto anche alcune potenze straniere, l'ambasciatore francese aveva chiesto udienza al re. Quando era arrivato, nella stanza c'era solo Struensee e aveva spiegato che quel giorno re Cristiano VII era indisposto, ma che desiderava attestare all'inviato del governo francese tutta la sua stima e devozione.

"Dottor Struensee..." aveva esordito l'ambasciatore francese, ma Struensee l'aveva immediatamente corretto.

"Consigliere."

L'atmosfera era pesante e ostile, ma cerimoniosa.

"...siamo stati raggiunti da voci circa i programmi quasi... rivoluzionari del monarca danese. Interessante. Interessante. A Parigi siamo ovviamente bene informati su queste idee. E critici. Come voi certamente sapete. Desidereremmo, con tutto il rispetto che vi dobbiamo, assicurarci che non possano scatenarsi per errore! per errore! delle oscure... forze... rivoluzionarie. Presso di voi. E in Europa. Che potrebbero consentire la diffusione del contagio... sì, consentitemi di usare questa parola, del contagio dell'Illuminismo. E dal momento che sappiamo che il giovane monarca vi ascolta, ameremmo..."

Struensee, contravvenendo all'etichetta, non aveva invitato l'ambasciatore francese ad accomodarsi; erano rimasti in piedi uno di fronte all'altro, a circa cinque cubiti di distanza.

"A Parigi hanno paura?" aveva chiesto Struensee con un tono di lieve ironia. "Paura della piccola e insignificante Danimarca? È questo che cercate di dirmi?"

"Vorremmo sapere cosa sta succedendo."

"Ciò che sta succedendo sono affari della Danimarca."

"Che non riguardano...?"

"Precisamente."

L'ambasciatore aveva lanciato a Struensee uno sguardo glaciale e aveva poi proferito con voce rabbiosa, come se per un attimo avesse perso il suo autocontrollo:

"Gli illuministi come voi, dottor Struensee, non dovrebbero essere insolenti!".

"Siamo soltanto obiettivi."

"Ma se il potere monarchico è in pericolo..."

"Non è in pericolo."
"Noi abbiamo sentito dire diversamente."
"Allora evitate di ascoltare."
D'un tratto si udirono violente grida provenire dal cortile del castello. Struensee trasalì e si avvicinò alla finestra. Era re Cristiano VII che giocava con il suo paggio. Cristiano faceva il cavallo, e il piccolo negro, seduto a cavalcioni sulla sua schiena, roteava la frusta urlando selvaggiamente, mentre Sua Maestà avanzava carponi.
Struensee si girò, ma troppo tardi. Il diplomatico francese l'aveva raggiunto alla finestra, e aveva visto. Struensee, con aria risoluta, chiuse le tende.
Ma la situazione era fin troppo evidente.
"Signor Struensee," disse l'ambasciatore in un tono di disprezzo e di collera, "io non sono un imbecille. E nemmeno lo sono il mio sovrano e altri reggenti in Europa. Ve lo dico con la chiarezza che voi dite di apprezzare tanto. State giocando col fuoco. Noi non permetteremo che il grande, devastante incendio rivoluzionario nasca da questo piccolo paese di merda."
E poi: il perfetto inchino di prammatica.

La situazione in cortile era stata fin troppo evidente, e rivelatrice. Era innegabile.
Era quello il sovrano assoluto che brandiva la fiaccola della ragione? O era un pazzo? Che fare di lui?
No, Struensee non sapeva che fare di Cristiano.
Il problema non faceva che crescere. In fin dei conti era un problema che sembrava metterlo personalmente in discussione. Era lui l'uomo giusto? O la fiaccola nera era anche dentro di lui?
La settimana prima che il paggio nero arrivasse a corte, Struensee era stato preso dalla disperazione. Poteva non ascoltare la voce della ragione? Forse la cosa più saggia era abbandonare Cristiano alla sua alienazione, lasciare che le tenebre lo inghiottissero.
Poteva la luce emanare dal buio di una fiaccola nera? La ragione avrebbe dovuto essere quella leva messa sotto la casa del mondo. Ma senza il punto d'appoggio? E se la ragione non avesse trovato un punto d'appoggio?
Ma lui voleva bene a quel ragazzo: non voleva abbandonare Cristiano, che forse apparteneva agli inutili, a quelli

che non avevano un posto nel grande disegno. Ma gli inutili, non erano forse anch'essi parte del grande disegno?

Non era per gli inutili, che il piano era stato concepito?

Rifletteva molto sulla propria esitazione. Cristiano era ferito, aveva una lesione nell'animo, ma allo stesso tempo il suo potere era necessario. Cosa desiderava lui stesso, o di cosa quanto meno si serviva? La malattia di Cristiano creava un vuoto nel centro del potere. Lui era lì per visitarlo. Doveva pur esserci una possibilità di salvare sia il ragazzo sia il sogno di una società nuova.

Queste erano le cose che si diceva. Senza ben capire, allora, se stesse in primo luogo difendendo Cristiano o se stesso.

L'immagine della fiaccola nera che emanava oscurità non lo abbandonava. In quel giovane monarca bruciava una fiaccola nera, ora lui lo sapeva, e la sua luce sembrava spegnere la ragione. Perché quell'immagine non gli dava requie? C'era forse una fiaccola nera anche dentro di lui? No, forse no.

Ma allora, che cosa c'era?

La luce, l'incendio della prateria. Erano parole così belle.

Ma Cristiano era sia luce e possibilità, sia una fiaccola nera che allungava la sua oscurità sul mondo.

Così era quell'uomo. Insieme possibilità e fiaccola nera.

Una volta, in uno dei suoi momenti di lucidità, Cristiano aveva parlato degli uomini fatti tutti di un pezzo; lui non era fatto tutto di un pezzo, aveva detto. Aveva molte facce. Aveva poi domandato: può allora esserci posto per quelli come me, nel regno della ragione?

Una domanda così semplice, così puerile. Che aveva inferto a Struensee una fitta di dolore.

Avrebbe dovuto esserci posto anche per Cristiano. Non era questo lo scopo di tutto? Non era proprio per questo che lo spiraglio nella storia doveva aprirsi davanti a Struensee; non era anche questo parte della missione?

Ma in cosa consisteva la sua missione? Si poteva immaginare di fronte alla posterità: il medico tedesco venuto per una visita a un manicomio.

A cui era stata affidata una missione?

"Visita" era la parola più appropriata, migliore di vocazione e di missione. Sì, aveva cominciato a pensare così.

Gli era cresciuto dentro. Una visita, una missione da compiere, un incarico assegnato, uno spiraglio che si apriva nella storia; ci si sarebbe infilato, e poi sarebbe scomparso.

Tenendo Cristiano per mano. Forse proprio questa era la cosa importante. Non lasciare indietro Cristiano. Quell'essere che aveva molte facce, e non era fatto tutto di un pezzo, nel cui animo bruciava sempre più rabbiosa una fiaccola nera che gettava le sue tenebre su tutto.

Noi due, aveva talvolta pensato Struensee. Una coppia grandiosa. Lui con la sua fiaccola nera che getta le sua oscurità, e io con il mio sguardo chiaro e la mia immensa paura, che nascondo così bene.

E questi due avrebbero dovuto mettere una leva sotto la casa del mondo.

2.

Sapeva che non avrebbe dovuto consentire quel regalo.

Il piccolo negro era un giocattolo. Non era di giocattoli che il re aveva bisogno; questo lo portava nella direzione sbagliata, come un colpo male indirizzato a una palla da biliardo.

Ciò che l'aveva fatto "cedere" – come più tardi si era espresso – era stato un fatto accaduto nella prima settimana di giugno del 1770.

Cristiano aveva cominciato a seguirlo come un cagnolino: ciarliero, devoto, o chiuso in un implorante silenzio. Bisognava fare qualcosa per strappare il re dal suo letargo. Struensee aveva perciò deciso di organizzare un breve viaggio, non per le corti europee, ma nella realtà. La realtà avrebbe sollevato il re dalla sua melanconia. Meta del viaggio sarebbe stata la campagna danese, per dare al re un'immagine della condizione di schiavitù dei contadini; ma un'immagine vera e realistica, spogliata dei maneggi della corte, senza che quei servi della gleba fossero coscienti che il re era tra loro e osservava la loro vita.

Il viaggio doveva perciò svolgersi in incognito.

Alla vigilia della partenza – il programma dettagliato era già stato accettato senza obiezioni dal re, che non era stato tuttavia informato del vero scopo, né era parso particolarmente interessato a conoscerlo – si erano diffuse delle voci. E ne era seguito un violento scontro con Rantzau, che a quell'epoca pareva aver riguadagnato la sua posizione a corte, ritrovato il favore del re e in più passava per uno degli intimi amici di Struensee.

Quella mattina Struensee si trovava nelle scuderie per fare un giro a cavallo di buon'ora; era poco dopo l'alba. Sellato il suo cavallo, stava per uscire dal cancello quando Rantzau l'aveva bloccato, afferrandogli le briglie. Visibilmente seccato, Struensee gli aveva chiesto cosa volesse.

"Da quanto capisco," disse Rantzau con ira malcelata, "sei tu quello che vuole. Ma cos'è questa storia, adesso. *Cos'è questa* storia? Portare in giro il re tra i contadini. Non andare a trovare quelli che prendono decisioni o altri di cui avremmo bisogno per le nostre riforme. Ma contadini. Per vedere... che cosa?"

"La realtà."

"Tu hai la sua fiducia. Ma stai commettendo un errore."

Per un attimo Struensee era stato sul punto di perdere la calma, ma era riuscito a controllarsi. Aveva spiegato che bisognava guarire il re dall'apatia e dalla melanconia. Il sovrano era stato tanto a lungo in quella gabbia di matti da perdere il lume della ragione. Non sapeva niente, della Danimarca.

"Che ne pensa la regina?" chiese Rantzau.

"Non gliel'ho chiesto," rispose Struensee. "Lascia il mio cavallo."

"Stai commettendo un errore," aveva allora gridato Rantzau, con voce così alta da poter essere sentito da tutti quelli che stavano nelle vicinanze, "tu sei un ingenuo, presto avrai tutto nelle tue mani, ma non capisci le regole del gioco, lascia perdere quel matto, tu non puoi..."

"Molla," aveva detto Struensee. "E non tollero che tu lo tratti da matto."

Ma Rantzau non lasciava le briglie, e continuava ad alzare la voce.

Allora Struensee aveva spronato il cavallo, Rantzau aveva perso l'equilibrio, era caduto all'indietro, e Struensee si era allontanato senza voltarsi.

Il mattino dopo il re e Struensee avevano intrapreso il loro viaggio di studio tra i contadini danesi.

I primi due giorni furono un successo. Ma al terzo era avvenuta la catastrofe.

Era tardo pomeriggio, in prossimità di Hillerød. Dalla

carrozza, in lontananza, avevano visto un gruppo di contadini radunati intorno a qualcosa. Una sorta di innocente riunione. La carrozza si era poi avvicinata, e la situazione era divenuta più chiara.

Un gruppo di uomini era raggruppato intorno a un oggetto. All'arrivo della vettura nacque una certa agitazione, la gente si disperse, e qualcuno si avviò di corsa verso l'edificio principale del podere adiacente.

La carrozza si fermò. Dall'interno il re e Struensee videro un uomo seduto su un telaio di legno. Il re ordinò di avvicinarsi e poterono distinguerne la figura con maggiore chiarezza.

Sopra un supporto di legno, due cavalletti che sostenevano una trave rozzamente intagliata, era seduto un giovane contadino, nudo, le mani immobilizzate dietro la schiena e i piedi legati insieme sotto la trave. Poteva avere sedici o diciassette anni. La schiena era insanguinata, probabilmente era stato frustato, e il sangue si era rappreso.

Era scosso da brividi violenti e sembrava sul punto di perdere conoscenza.

"Suppongo," disse Struensee, "che abbia cercato di fuggire. In questi casi li mettono sul cavalletto. Quelli che sopravvivono non scappano più. Quelli che muoiono sfuggono alla servitù della gleba. È così, Vostra Maestà, che usa nel Vostro regno."

A bocca aperta, Cristiano continuava a fissare il torturato, pieno di orrore. Nel frattempo, il piccolo assembramento si era disperso.

"Un'intera classe contadina è seduta sul cavalletto," disse ancora Struensee. "Questa è la realtà. Liberateli. Liberateli."

Il domicilio coatto nel luogo d'origine per i contadini era stato introdotto nel 1733 e serviva alla nobiltà per controllare, o meglio impedire, la mobilità della manodopera. Se uno era contadino, ed era nato in una certa proprietà, non poteva abbandonarla prima di compiere i quarant'anni. La posizione, il salario, le condizioni di lavoro e l'alloggio venivano stabiliti dal proprietario. Passati i quarant'anni, gli era consentito trasferirsi. Ma la realtà era che a quel punto la maggior parte dei contadini erano diventati talmente passivi, alcolizzati, oberati dai debiti e fisicamente logorati, che di trasferimenti se ne verificavano ben pochi.

Era la forma di schiavitù danese. Come sistema economico per la nobiltà aveva funzionato magnificamente; le condizioni erano peggiori nello Jutland del nord che in quello del sud, ma si trattava in ogni caso di schiavitù.

Ogni tanto gli schiavi fuggivano. Su questo punto Struensee aveva ragione. Dovevano perciò essere puniti.

Ma Cristiano non dava segno di aver capito; sembrava che la scena gli ricordasse qualcos'altro che aveva già vissuto. Non aveva apparentemente afferrato la spiegazione di Struensee, e aveva cominciato a muovere scompostamente le mascelle, a digrignare i denti come se le parole non volessero uscirgli di bocca; e in capo a pochi secondi si era messo a intonare una litania sconclusionata, spentasi poi in un mormorio.

"Ma quel ragazzo – forse è stato scambiato – con me!!! Perché mi puniscono? In quel modo!!! Struensee!!! Che cosa ho fatto, è una punizione giusta, Struensee, ora mi puniscono..."

Il mormorio di Cristiano si era fatto sempre più forte.

"Quel ragazzo è scappato, la punizione è il cavalletto," aveva cercato di spiegare Struensee, ma il re continuava quel suo ininterrotto farfugliare sempre più confuso e incoerente.

"Dovete calmarVi," disse Struensee con insistenza. "Calma. Calma."

Ma invano.

Era sceso il crepuscolo, la schiena del torturato era nera di sangue rappreso, doveva essere stato a lungo sul cavalletto di legno. Struensee, costretto infine a desistere dai tentativi di acquietare il re, vide che il ragazzo torturato lentamente cadeva in avanti, scivolava sulla trave di legno e vi restava appeso, la testa penzolante.

Cristiano lanciò un grido, selvaggio e disperato. Il ragazzo sul cavalletto taceva. Ora la situazione era fuori controllo.

Era impossibile calmare il re. Della gente arrivò correndo dall'attiguo podere. Il re non cessava di urlare, grida acute, stridenti, e non si lasciava zittire.

Il ragazzo sul cavalletto penzolava muto, il viso a pochi centimetri da terra.

Struensee gridò al cocchiere di fare dietrofront. Il re

era indisposto, bisognava rientrare immediatamente a Copenaghen. Ma, quando la carrozza ebbe terminato la manovra, il pensiero di Struensee riandò al ragazzo sospeso sul cavalletto. Non potevano lasciarlo così, sarebbe morto. Scese allora dalla carrozza con l'intenzione di chiederne la grazia; ma la carrozza si mise in movimento, mentre le grida di Cristiano si facevano sempre più acute.

Il ragazzo pendeva immobile. Le persone che si stavano avvicinando parevano ostili. E Struensee ebbe paura. Fu più forte di lui. Si trovava nelle terre selvagge della Danimarca. La ragione, le regole, i titoli o il potere non avevano alcun valore in quella desolazione. Qui gli uomini erano bestie. L'avrebbero fatto a pezzi.

Si sentì invadere da un immenso terrore.

Struensee abbandonò l'idea di salvare il ragazzo.

I cavalli e la carrozza, con il re che urlava sporgendosi dal finestrino, si allontanavano nel crepuscolo. Aveva piovuto. La strada era fangosa. Struensee correva, inciampando nel fango, gridando al cocchiere di aspettarlo, correva dietro alla carrozza.

Così si era concluso il viaggio tra i contadini danesi.

3.

Il re giocava sempre più spesso con Moranti, il paggio nero.

Nessuno se ne stupiva. Quando giocava, il re era calmo.

All'inizio di agosto Moranti fu colpito da una febbre improvvisa, rimase a letto tre settimane e si ristabilì solo molto lentamente; il re, estremamente irrequieto, ricadde nella sua melanconia. Nei due giorni in cui la malattia di Moranti sembrava poter avere un esito fatale, l'umore del re fu totalmente destabilizzato. Il Primo segretario B.W. Luxdorph, che dalle finestre della cancelleria fu testimone dell'accaduto, annota concisamente nel suo diario che "tra le undici e mezzogiorno furono lanciati dalla terrazza della reggia libri, bambole di porcellana, scaffali, spartiti eccetera. Sotto la terrazza si radunarono oltre quattrocento persone. Ciascuno se ne ripartì con qualcosa".

Dopo la guarigione di Moranti il re si calmò, ma la scena si ripeté ancora una volta, con una differenza non trascurabile: non era più solo sul balcone. L'incidente fu riportato con discrezione da un diplomatico. "Il re, che è giovane e ha un carattere scherzoso, questo venerdì mattina ha avuto la trovata di uscire sul balcone accompagnato dal suo negretto, e per divertirsi ha lanciato di sotto tutto ciò che gli capitava in mano. Una bottiglia ha colpito il segretario della delegazione russa sulla gamba, procurandogli una brutta ferita."

Non è specificata l'eventuale partecipazione di Moranti al lancio.

Questi accessi erano definiti assolutamente inspiegabili.

Si muovevano in cerchi concentrici, in orbite sempre più strette. Si avvicinavano l'uno all'altra.

La regina Caroline Mathilde e il medico di corte Struensee si frequentavano sempre più assiduamente.

Spesso facevano delle passeggiate nel bosco.

Nel bosco potevano conversare, nel bosco il seguito poteva improvvisamente rimanere indietro; alla regina piaceva camminare per il bosco in compagnia di Struensee.

Era un bosco di faggi.

Struensee parlava dell'importanza di rinforzare le membra del piccolo principe con l'esercizio fisico; il bambino aveva ora due anni. La regina parlava di cavalli. Struensee sottolineava la necessità che il piccolo imparasse a giocare come i bambini normali. Lei raccontava del mare e dei cigni che scivolavano sull'acqua che sembrava mercurio. Lui diceva che il piccolo doveva imparare per tempo tutti i dettagli della politica; la regina chiedeva di nuovo se gli alberi erano in grado di pensare.

Solo in situazioni di estremo pericolo, rispose lui. Lei replicò che un albero poteva pensare solo quando era pienamente felice.

Camminando per il bosco, talvolta i cespugli erano talmente fitti che il seguito non li poteva seguire da vicino. A lei piaceva passeggiare nel bosco. Era convinta che i faggi potessero amare. Che gli alberi potessero sognare era per lei scontato. Bastava osservare un bosco al tramonto, per rendersene conto.

Gli chiese se un albero poteva anche provare paura.

All'improvviso poteva dirgli quasi tutto. No, non tutto. Poteva domandargli perché suscitasse la generale indignazione quando cavalcava in abiti maschili; a questo lui poteva rispondere. Ma non poteva chiedergli perché fosse stata prescelta per diventare una fattrice reale portata alla monta. Non poteva dire: perché dovrei mettere al mondo dei reggenti? Perché sono la prima e la più in alto, quando in realtà non sono che una femmina da riproduzione, l'ultima e la più in basso.

Lei aveva il passo svelto. Qualche volta camminava davanti a lui, faceva in modo di camminare davanti a lui. Le era più facile porre certe domande quando non poteva vederla in volto. Non si girava, lo interrogava voltandogli le spalle.

"Come riuscite ad avere tutta quella pazienza con quel pazzo. Io non arrivo a capirlo."

"Il re?"

"È malato."

"No, no," lui disse. "Non voglio che parliate così del Vostro sposo. Voi che lo amate."

Allora lei si era fermata di colpo.

Il bosco era fitto. Lui vide che la sua schiena cominciava a sussultare. La regina piangeva, silenziosamente. Lontano, si udivano le voci delle dame d'onore, che avanzavano con cautela tra le sterpaglie.

Le si avvicinò. Lei singhiozzava senza ritegno e si appoggiò contro la sua spalla. Rimasero per qualche attimo assolutamente immobili. Le voci si avvicinavano.

"Vostra Maestà," disse lui sottovoce. "Dovete fare attenzione a quello che..."

Lei alzò lo sguardo verso di lui, improvvisamente calma.

"Perché?"

"Potrebbe... essere frainteso..."

Le voci adesso erano molto vicine, lei si teneva sempre contro di lui, appoggiata alla sua spalla; alzò ancora gli occhi, e disse, quasi senza espressione:

"Che fraintendano. Io non ho paura. Non ho paura di niente. Di niente".

A quel punto Struensee scorse i primi volti che li cercavano tra i rami degli alberi e dei cespugli; presto vicini, presto troppo vicini. Ma per qualche attimo ancora, la regina non aveva paura di niente; anche lei aveva visto le facce attraverso i rami del bosco, ma non aveva paura.

Lui lo sapeva, lei non aveva paura, e questo lo riempì di improvviso timore.

"Voi non avete paura di niente," aveva sussurrato.

Avevano poi ripreso a camminare nel bosco.

4.

Le serate dedicate dalle tre regine al gioco delle carte erano state sospese, senza che la regina madre avesse ricevuto alcuna spiegazione. Caroline Mathilde non voleva più. Senza dare una spiegazione. Le serate di tarocchi erano semplicemente sospese.

La regina madre tuttavia la ragione la sapeva. Lei non si trovava più al centro.

Per ricevere comunque una spiegazione, o perché la situazione si chiarisse una volta per tutte, la regina madre era andata a trovare Caroline Mathilde nei suoi appartamenti.

La regina madre non aveva voluto sedersi. Era rimasta in piedi al centro della stanza.

"Da quando siete arrivata in Danimarca," aveva detto con voce gelida, "voi siete cambiata. Non siete più così affascinante. Non siete in alcun modo incantevole come eravate prima. Non si tratta di una mia personale opinione, ma del parere di tutti. Vi tenete a distanza. Non sapete comportarvi."

Caroline Mathilde non aveva battuto ciglio, e aveva risposto:

"È esatto".

"Vi chiedo – con insistenza – di non cavalcare in abiti maschili. Mai prima d'ora una donna di sangue reale ha indossato abiti maschili. È scandaloso."

"Ma non scandalizza me."

"E quel dottor Struensee..."

"Non scandalizza nemmeno lui."

"Ve lo chiedo."

"Io faccio come mi pare," disse allora Caroline Mathilde. "Mi vesto come mi pare. Cavalco come mi pare. Parlo con chi mi pare. Io sono la regina. Perciò le regole sono io che le do. Il mio comportamento stabilisce quali sono le buone maniere. Sareste gelosa di me?"

La regina madre non aveva risposto, si era limitata a guardarla muta, impietrita dall'ira.

"Sì, non è forse così?" aveva aggiunto Caroline Mathilde. "Siete gelosa."

"State attenta," aveva detto la regina madre.

"Certo," aveva proseguito la regina con un sorriso. "Starò attenta. Ma solo quando sarò io a volerlo."

"Siete un'insolente."
"Presto," aveva aggiunto Caroline Mathilde, "cavalcherò senza sella. Dicono sia molto interessante. Non siete gelosa di me? Che conosco il mondo? Io credo che siete gelosa."
"State attenta. Siete solo una ragazzina. Non sapete niente."
"Sì, ma certi arrivano a cent'anni e non hanno visto nulla. Non sanno nulla. Esiste un mondo fuori dalla corte."
A quel punto la regina madre se n'era andata, furibonda.
La regina era rimasta seduta. Aveva pensato: dunque lui aveva ragione. Certi vivono cent'anni e non hanno visto nulla. C'è un mondo fuori dalla corte; se io dirò questo, la membrana sarà lacerata, il terrore e la rabbia esploderanno, e io sarò libera.

5.

Il 26 settembre i sovrani fecero un breve viaggio di piacere nello Holstein, accompagnati da Struensee e da un seguito limitato. Avrebbero visitato Ascheberg, e Struensee avrebbe mostrato alla regina la famosa capanna di Rousseau.
Era un autunno splendido. Alcune giornate di freddo avevano tinto le foglie di giallo e di una leggera sfumatura carminio; quando al pomeriggio avevano imboccato la strada per Ascheberg, il Monte brillava di tutti i colori dell'autunno, l'aria era tiepida e meravigliosa.
Era l'estate indiana del 1770. Già il giorno successivo avevano incominciato le loro passeggiate.

Quell'estate Struensee aveva cominciato a leggere per lei. Per il viaggio, lei l'aveva pregato di scegliere un libro che l'avesse particolarmente appassionato. Un libro che le desse svago, che catturasse il suo interesse offrendole nuove conoscenze, che le insegnasse qualcosa su Struensee stesso, e che fosse adatto al luogo che andavano a visitare.
Una scelta facile, aveva commentato lui, senza aggiungere altro. L'avrebbe sorpresa, aveva detto, una volta arrivati sul posto, nella capanna di Rousseau.
Allora lei avrebbe capito.
Il secondo giorno erano saliti da soli alla capanna. Era conservata e arredata con grande cura e rispetto; consiste-

va di due stanze: una dove il filosofo avrebbe dovuto lavorare, e un'altra dove avrebbe dovuto dormire. Ci si era dimenticati di installare una cucina; si supponeva che le condizioni così primitive sarebbero state mitigate mandando un servitore da Ascheberg con i pasti.

Lei aveva letto con grande interesse le citazioni di poesie sulle pareti e sul soffitto, e Struensee le aveva parlato di Rousseau.

Lei si sentiva pienamente felice.

Poi Struensee aveva preso il libro. Si erano seduti sul bellissimo sofà barocco, acquistato dal vecchio Rantzau a Parigi nel 1755, e sistemato nello studio in attesa dell'arrivo di Rousseau. Il libro che lui avrebbe letto erano i *Pensieri morali* di Ludvig Holberg.

Perché aveva scelto proprio quello?

All'inizio, lei aveva detto che quel libro, e quella scelta, le sembravano troppo lugubri; l'aveva allora pregata di dimenticare per un attimo il titolo, certo poco invitante, e di lasciargli leggere i titoli degli epigrammi che, le fece intendere, davano un'idea molto diversa.

"Qualcosa di proibito?" aveva chiesto lei.

"Al massimo grado," aveva risposto.

I titoli catturarono in effetti il suo interesse. "Non sprecare il tempo in attività sterili. Solo i pazzi sono felici. Non mi voglio sposare. Abbandona un'opinione se è stata smentita. Non tutti i crimini e i peccati sono altrettanto gravi. Solo gli ignoranti credono di sapere tutto. Felice è chi si immagina felice. C'è chi alternativamente pecca e prega. Tempo e luogo determinano ciò che è morale. Vizio e virtù cambiano coi tempi. Abolire la rima nella poesia. Il poeta vive in onore e povertà. Le riforme fanno spesso naufragio. Soppesa attentamente le conseguenze di una riforma. Che gli insegnanti si guardino dai discorsi dotti, che piuttosto rispondano alle domande. L'uniformità assopisce, i conflitti stimolano. Il cattivo gusto fa gran beneficio. È proibito ciò che attira di più."

A quell'ultimo titolo, lei lo aveva interrotto.

"È vero," disse. "È molto vero. E voglio sapere che cosa abbia detto Ludvig Holberg sull'argomento."

"Come desiderate," rispose.

Aveva tuttavia cominciato con un altro epigramma.

Lei aveva proposto che lui scegliesse liberamente tra i capitoli, così che la lettura si concludesse con il testo sul proibito. Si sarebbe potuto capire l'insieme, e apprendere il pensiero di Holberg. Iniziò col numero 84, intitolato "Tempo e luogo determinano ciò che è morale". Cominciò a leggere il testo nel secondo pomeriggio, dopo l'arrivo alla capanna di Rousseau, quella settimana di fine settembre ad Ascheberg, il luogo che conosceva così bene, che era parte della sua vita precedente quasi dimenticata, alla quale cercava ora di riallacciarsi.

Tentava di far concordare le sue vite. Sapeva che esisteva una coerenza, ma per il momento non la vedeva.

Il terzo pomeriggio lesse l'epigramma che iniziava con la frase "Si definisce moralità ciò che coincide con la moda accettata al momento, e immoralità ciò che vi si oppone". Lesse poi l'epigramma numero 20 del libro IV, quello che inizia con "La più singolare delle caratteristiche dell'uomo è che egli è più attirato da ciò che è più proibito".

Lei trovava che avesse una voce molto bella.

Anche Ludvig Holberg le piaceva. Era come se le voci di Struensee e di Ludvig Holberg si fondessero in una sola. Era una voce calda e profonda che le parlava di un mondo fino ad allora ignorato; la voce l'avvolgeva, e le pareva di galleggiare in un'acqua tiepida, che escludeva la corte e la Danimarca e il re e tutto il resto; come un'acqua, come se lei fluttuasse nel mare caldo della vita e non avesse paura.

Trovava che avesse una voce molto bella. E glielo disse.

"Avete una voce molto bella, dottor Struensee."

Lui continuò a leggere.

Lei indossava un abito da sera, il tessuto era leggero perché era una calda fine d'estate, un tessuto molto leggero che aveva scelto per la tiepida serata estiva. Si sentiva più libera, così. L'abito era scollato. La sua pelle era molto giovane, e talvolta, alzando gli occhi dal libro, lo sguardo di lui l'aveva contemplata; si era poi soffermato sulle sue mani, e all'improvviso gli era tornato in mente il pensiero di questa mano stretta attorno al suo membro, il pensiero che aveva avuto un giorno, ma aveva proseguito nella lettura.

"Dottor Struensee," aveva detto lei all'improvviso, "dovete sfiorare il mio braccio, mentre leggete."

"Perché?" aveva domandato lui, dopo una breve pausa.
"Perché altrimenti le parole diventano aride. Dovete sfiorarmi la pelle, così posso capire il vero significato delle parole."
Lui le aveva sfiorato il braccio. Era scoperto, e morbido. Seppe immediatamente quanto era morbido.
"Muovete la mano," disse lei. "Lentamente."
"Vostra Maestà," disse, "ho paura che..."
"Muovetela," disse lei.
Lui aveva continuato a leggere, la mano era scivolata delicatamente lungo il suo braccio nudo. Lei allora aveva detto:
"Credo che Holberg abbia detto che la cosa più proibita è un confine".
"Un confine?"
"Un confine. E dove c'è questo confine nascono la vita, e la morte, e di conseguenza il più grande piacere."
La mano di lui si era mossa, lei l'aveva presa nella sua, e l'aveva guidata al suo collo.
"Il massimo piacere," aveva sussurrato, "è prossimo al confine. È vero. È vero quello che Holberg scrive."
"Dove sta il confine?" mormorò lui.
"Cercalo," disse.
A quel punto il libro gli era scivolato di mano.

Era stata lei, non lui, a chiudere a chiave la porta.
Lei non aveva avuto paura, non aveva armeggiato in modo maldestro quando si erano spogliati; sentiva ancora di essere immersa in quella tiepida acqua della vita, e che niente era pericoloso, e che la morte era molto vicina, e che questa vicinanza aumentava l'eccitazione. Tutto pareva molto dolce e lento e caldo.
Si erano stesi uno accanto all'altra, nudi, sul letto che occupava la parte più interna della capanna, dove una volta il filosofo francese Rousseau avrebbe dovuto stendersi, ma non si era mai steso. Ora erano stesi loro. Questo la riempiva di eccitazione, era un luogo sacro e loro avrebbero varcato il confine, si avvicinavano all'ultimo divieto, all'ultimo limite. Il luogo era proibito, lei era proibita, era quasi la perfezione.
Si erano accarezzati. Con la mano, lei aveva toccato il suo membro. Le era piaciuto, e anche la sua durezza, ma

aveva aspettato perché la vicinanza al confine era tanto eccitante che voleva trattenere il tempo.

"Aspetta," aveva detto. "Non ancora."

Lui era steso al suo fianco e l'aveva accarezzata. I loro respiri si fondevano, con calma e piacere, e lei aveva capito che lui era come lei. Che sapeva respirare come lei. Nello stesso ritmo. Lui era dentro ai suoi polmoni e respiravano la stessa aria.

Aveva tentato di entrare in lei, come era naturale, ma non era riuscito; lei gli aveva accarezzato la nuca e aveva sussurrato:

"Non ancora. Non ancora".

Aveva sentito il suo membro sfiorarla, scivolare appena all'interno, ritrarsi, ritornare.

"Non ancora," aveva detto lei, "aspetta."

Lui aveva aspettato, ora quasi dentro di lei, in attesa.

"Lì," lei aveva mormorato. "Non ancora. Amor mio. Devi muoverti lì, sul confine."

"Il confine?" le chiese.

"Sì. Lì. Lo senti, il confine?"

"Non muoverti," disse lui. "Non muoverti."

Aveva capito. Dovevano aspettare, fiutarsi a vicenda come i cavalli si fiutano con i musi, tutto doveva accadere molto piano, aveva capito.

E lei fu presa da un'ondata di felicità, lui aveva capito, doveva aspettare, presto gli avrebbe dato il segnale, presto; lui aveva capito.

"Il confine," sussurrò lei, e lo ripeté mentre il piacere cresceva lentamente, molto lentamente nel suo corpo, "tu lo senti, il grande piacere, un po' di più, eccolo, è lì, il confine."

Fuori calava la sera. Lui giaceva sopra di lei, quasi immobile, si muoveva quasi impercettibilmente.

"Lì," mormorò lei. "Adesso. Supera il confine. Adesso. Entra. Ah, sì, supera adesso."

Alla fine, con grande dolcezza, era scivolato dentro di lei, aveva valicato il confine più proibito, e tutto era stato come doveva essere.

Adesso, pensò lei, è come essere in paradiso.

Quando fu terminato, lei rimase distesa con gli occhi chiusi, il sorriso sulle labbra. Lui si era rivestito in silenzio, e si era fermato un attimo alla finestra, a guardar fuori.

Era calato il tramonto, e lasciò correre lo sguardo sull'immenso parco, lungo la vallata, sul mare, sul canale, sugli alberi, sulla natura domata e su quella selvaggia.

Erano sul Monte. Ed era accaduto.

"Dobbiamo scendere a raggiungere gli altri," aveva detto a bassa voce.

Qui c'era la natura perfetta. La parte selvaggia, e allo stesso tempo domata. Gli tornò alla mente ciò che si erano lasciati alle spalle, la corte, Copenaghen. I giorni in cui una leggera bruma galleggiava sull'Øresund. Un altro mondo. Laggiù l'acqua era sicuramente nera quella sera, i cigni dormivano raggomitolati su se stessi; lui ripensava a ciò che lei aveva raccontato, l'acqua come mercurio, gli uccelli che dormivano avvolti nei loro sogni. E d'improvviso un uccello che si alzava, le punte delle ali che frustavano la superficie dell'acqua, e diventava libero, e scompariva nella nebbia leggera.

Nebbia, acqua e uccelli che dormivano, avvolti nei loro sogni.

Ma anche il castello, l'antica fortezza orribile, minacciosa, che aspettava il suo momento.

Parte quarta

L'ESTATE PERFETTA

Capitolo 10

Nel labirinto

1.

La presa di potere era avvenuta rapidamente, quasi in modo naturale. Ci fu solo un comunicato. Che non faceva che confermare qualcosa che era già realtà.

La conferma ufficiale della rivoluzione danese fu un decreto. Nessuno sa chi abbia redatto o dettato il documento che avrebbe mutato così radicalmente la storia della Danimarca. Fu emesso un decreto reale, relativo a certi cambiamenti nelle linee del potere; cambiamenti che potevano essere definiti convulsioni molto vicine al cuore oscuro e imperscrutabile del potere.

J.F. Struensee fu nominato "ministro del Gabinetto reale", e l'ordinanza del re decretava inoltre: "Egli potrà promulgare secondo le mie intenzioni tutte le disposizioni che gli darò verbalmente, e che mi presenterà per la firma dopo averle siglate, oppure potrà promulgarle a mio nome sotto il sigillo del Gabinetto". Si leggeva inoltre, come precisazione, che il re avrebbe ricevuto una volta la settimana un "estratto" dei decreti emessi da Struensee, ed era chiaramente indicato, se qualcuno non avesse compreso il significato fondamentale dell'enunciato introduttivo, che i decreti a firma di Struensee avevano "lo stesso valore di quelli contrassegnati dalla firma del re".

Il titolo di ministro del Gabinetto reale – titolo nuovo ed esclusivo, dal momento che con la sua nomina Struensee era rimasto il solo tra i molti esclusi – non aveva poi una grande importanza. La cosa importante erano quelle parole nel decreto: "oppure potrà promulgarle a mio nome sotto il sigillo del Gabinetto", ossia il diritto di promulgare *leggi* senza il bisogno della firma del re.

In pratica significava che il sovrano assoluto Cristiano VII aveva delegato l'intero potere a un medico tedesco, J.F. Struensee. La Danimarca era nelle mani di un tedesco.

O in quelle dell'Illuminismo; a corte non sapevano definire quale fosse peggio.

La presa di potere era un fatto. Nessuno a posteriori capì come davvero fossero andate le cose.

Forse entrambi l'avevano ritenuta una soluzione pratica. Non era questione di rivoluzione.

Una riforma pratica. Ciò che aveva di pratico era che Struensee avrebbe esercitato tutto il potere.

Una volta presa la decisione Cristiano parve sollevato; i suoi tic si attenuarono, i suoi attacchi di aggressività per un certo periodo cessarono del tutto, e per brevi momenti sembrava realmente felice. Il suo cane, e il paggio nero Moranti, occupavano sempre più il tempo del sovrano. Adesso poteva dedicarsi solo a loro. E Struensee poteva dedicarsi al suo lavoro.

Sì, era una soluzione pratica.

Per un periodo, dopo il decreto, la soluzione pratica funzionò benissimo, e permise loro di essere sempre più vicini. Vicini, a condizioni pratiche e inverosimili, pensava spesso Struensee. Aveva la sensazione che Cristiano, lui stesso, Moranti e il cane fossero saldati insieme: come dei cospiratori che partecipavano a una spedizione segreta, diretta al cuore oscuro della ragione. Tutto era chiarezza e ragione, ma illuminato dalla malattia mentale del re, la bizzarra fiaccola nera che compariva e scompariva, ineluttabile, secondo i suoi capricci, avvolgendoli con naturalezza nella sua vacillante oscurità. Si stavano lentamente ritirando, come in una grotta rassicurante, trattenendo il tempo, ripiegando in una sorta di vita familiare del tutto normale, a parte le circostanze.

A parte le circostanze.

Poteva restare seduto nello studio di Gabinetto, la porta chiusa a chiave sorvegliata dalle guardie, le pile di carte sul tavolo e il necessario per scrivere, mentre i ragazzi e il cane gli giocavano intorno. I ragazzi erano una buona compagnia. Riusciva a concentrarsi bene quando i ragazzi giocavano. Erano lunghi pomeriggi di tranquillità assoluta in una solitudine quasi felice; nonostante i ragazzi, come usava definirli quando pensava a loro, il re e il paggio nero, si trovassero nella stessa stanza.

I ragazzi giocavano silenziosi e tranquilli sotto il tavolo. Il cane, lo schnauzer, era sempre con loro.

Mentre lui scriveva e lavorava, si sentivano i loro movimenti nella stanza, le loro voci bisbiglianti; nient'altro. Pensava: mi vedono come un padre che non deve essere disturbato. Giocano ai miei piedi, sentono il fruscio della mia penna, e parlano sottovoce.

Lo fanno per riguardo. È una bella cosa. E ogni tanto sentiva salirsi dentro un'onda calma di calore; la camera era così quieta, l'autunno fuori così bello, i rumori della città così lontani, i ragazzi così carini, il cane così divertente, tutto così bello. Avevano riguardo per lui. Giocavano sotto l'immenso tavolo di quercia ormai non più attorniato dai potenti del regno, ma da un solo Potente. Loro non lo vedevano però come il Potente, solo come una persona gentile, taciturna, come una figura paterna, presente attraverso il fruscio della penna sulla carta.

Il taciturno. *Vati. Lieber Vati, ich mag Dir, wir spielen, lieber lieber Vati*.

Forse gli unici figli che mi sarà dato di avere.

Così dev'essere la vita, gli capitava di pensare. Un lavoro tranquillo, una penna che scrive, inaudite riforme che scivolano nella vita reale senza fatica, i miei ragazzi che giocano con il cane sotto il tavolo.

Che bello, se fosse così.

C'erano tuttavia momenti, a quella scrivania, che suscitavano un attimo di terrore.

Cristiano era emerso dai suoi giochi silenziosi sotto il tavolo. Seduto sul bordo della scrivania, guardava Struensee con aria pensosa e timida, ma incuriosita. La parrucca giaceva in un angolo, gli abiti erano in disordine; aveva tuttavia – o forse proprio per quello – un'aria graziosa.

Era rimasto per un po' seduto a guardare, finché aveva timidamente chiesto a Struensee cosa stesse scrivendo, che poi lui avrebbe dovuto firmare.

"Vostra Maestà in questo momento sta riducendo l'esercito," rispose Struensee con un sorriso. "Non abbiamo nemici all'esterno. Questo esercito non ha senso, d'ora in poi sarà ridotto, e costerà meno. Un risparmio di sedicimila talleri all'anno."

"È proprio vero?" chiese Cristiano. "Non abbiamo nemici all'esterno?"

"È vero. La Russia, non lo è. E nemmeno la Svezia. E non abbiamo intenzione di attaccare la Turchia. Non siamo d'accordo, su questo?"

"E che dicono i generali?"

"Diventeranno nostri nemici. Ma potremo gestirli."

"Ma, i nemici che ci faremo a corte?"

"Contro di loro," rispose sorridendo Struensee, "è difficile usare questo enorme esercito."

"È vero," disse Cristiano con grande serietà. "Vogliamo dunque ridurre l'esercito?"

"Sì, è quello che vogliamo."

"Allora lo voglio anch'io," aggiunse Cristiano con la stessa serietà.

"Non tutti l'apprezzeranno," disse ancora Struensee.

"Ma a voi piace, dottor Struensee?"

"Sì. E presto faremo molto più di questo."

Fu allora che Cristiano lo disse. Struensee non l'avrebbe mai dimenticato; era passato solo un mese da quando il libro gli era caduto di mano, da quando aveva varcato il confine della massima proibizione. Cristiano era seduto vicino a lui sul tavolo, il pallido sole di ottobre filtrava dai vetri disegnando grandi quadrati sul pavimento, e fu allora che il re lo disse.

"Dottor Struensee," sussurrò Cristiano, con una serietà che non sembrava poter appartenere al ragazzo folle che giocava sotto il tavolo del Gabinetto con il suo paggio nero e il suo cane. "Dottor Struensee, vi prego con insistenza. La regina è sola. Prendetevi cura di lei."

Struensee era rimasto impietrito.

Aveva posato la penna, e dopo un lungo momento aveva chiesto:

"Che volete dire, Vostra Maestà? Credo di non capire".

"Voi capite tutto. Prendetevi cura di lei. Quel fardello io non lo posso portare."

"Come lo devo interpretare?"

"Voi capite tutto. Io vi amo."

A questo, Struensee non aveva replicato.

Aveva capito, e non capito. Il re era al corrente? Cristiano gli aveva soltanto sfiorato il braccio con un tocco leggero, l'aveva guardato con un sorriso tanto dolorosamente insicuro e allo stesso tempo così bello che Struense mai l'avrebbe dimenticato, poi, con un movimento quasi impercettibile era scivolato a terra per tornare al suo negretto e al suo cane, sotto il tavolo dove il dolore non era visibile e la fiaccola nera non ardeva, e c'erano solo il cagnolino, e il ragazzo nero.

Dove tutto era solo calma, felicità e affetto, in seno all'unica famiglia che re Cristiano VII avrebbe mai avuto.

2.

Quando la Guardia del corpo fu messa in disarmo, Guldberg era presente e notò con stupore che anche il conte Rantzau era venuto a osservare questa nuova misura di risparmio.

Raccolta delle armi, dei capi di abbigliamento. Fogli di congedo.

Guldberg si era avvicinato a Rantzau e l'aveva salutato; insieme e in silenzio avevano seguito la cerimonia.

"Una metamorfosi della Danimarca," aveva prudentemente detto Rantzau.

"Sì," aveva replicato Guldberg, "sono molte le metamorfosi che stanno accadendo. A ritmo molto elevato, come sapete. Mi pare di capire che ve ne rallegriate. Il vostro amico, il 'Taciturno', è molto rapido. Ho letto questa mattina anche il decreto sulla libertà di pensiero e di parola. Non è molto prudente, da parte vostra. Abolire la censura. Non molto prudente."

"Cosa volete dire?"

"Il tedesco non capisce che la libertà potrebbe essere usata contro di lui. Se si dà la libertà a questo popolo, si cominceranno a scrivere libelli. Forse anche contro di lui. Contro di voi, voglio dire. Se siete suo amico."

"E cosa potrebbero contenere questi libelli?" chiese Rantzau. "Che ne pensate? O sapete?"

"Il popolo è così imprevedibile. Dei libelli liberamente scritti forse racconteranno la verità, e infiammeranno le masse ignoranti."

Rantzau non aveva risposto.

"Contro di voi," aveva ribadito Guldberg.

"Non capisco."

"Le masse purtroppo non capiscono i benefici dell'Illuminismo. Purtroppo, per voi. Le masse sono interessate solo all'immondizia. Alle chiacchiere."

"Quali chiacchiere?" aveva chiesto Rantzau, questa volta gelido e in guardia.

"Lo sapete fin troppo bene."

Guldberg l'aveva guardato con i suoi calmi occhi da lupo, e per un istante aveva provato qualcosa che somigliava a un trionfo. Solo i più insignificanti e disprezzati come lui non avevano paura. Sapeva che questo spaventava Rantzau. Questo Rantzau, con il suo disprezzo per l'onore, per le tradizioni e per i parvenu. Quanto disprezzava, nel suo intimo, il suo amico Struensee! Struensee il parvenu! Era così evidente.

Disprezzava i parvenu. Incluso Guldberg. Il figlio di un impresario di pompe funebri di Horsens. Con la differenza che Guldberg non poteva provare paura. Per questo potevano ritrovarsi qui, un parvenu di Horsens e un tronfio conte illuminista, due nemici che reciprocamente si odiavano, e per questo Guldberg poteva dire tutto, con voce calma, come se non ci fosse pericolo. Come se il potere di Struensee non fosse che una divertente e spaventosa parentesi nella storia; e consapevole che Rantzau sapeva cos'era la paura.

"Quali chiacchiere?" ripeté ancora Rantzau.

"Le chiacchiere su Struensee," rispose Guldberg con la sua voce secca, "dicono che la giovane regina dissoluta gli abbia aperto le braccia. Abbiamo solo bisogno di prove. E le avremo."

Rantzau aveva fissato Guldberg ammutolito, senza riuscire a credere che qualcuno potesse formulare quell'accusa inaudita.

"Come osate!" riuscì finalmente a dire.

"Ecco la differenza, conte Rantzau. La differenza tra noi. Io oso. E parto dal presupposto," aggiunse Guldberg con tono del tutto neutro, prima di voltarsi e andarsene, "che molto presto dovrete scegliere da che parte stare."

3.

Restava immobile in lei, attendendo le contrazioni.

Aveva cominciato a capire che si raggiungeva il massimo del piacere quando aspettava le contrazioni restando profondamente in lei, quando le loro membrane respiravano e si muovevano all'unisono, dolcemente, palpitando. Era quella, la cosa più fantastica. Aveva amato imparare ad aspettare dentro di lei. Nemmeno una volta lei aveva dovuto dirlo, aveva imparato quasi subito. Poteva restare assolutamente immobile, a lungo, il membro profondamente dentro di lei, a percepire le pulsazioni, là, come se i loro corpi fossero svaniti e solo esistesse il loro sesso. Quasi non si muoveva, giaceva immobile, i corpi non c'erano più, nemmeno i pensieri, entrambi esclusivamente concentrati ad avvertire le pulsazioni, e il ritmo. Non esistevano che le membrane umide e morbide, lei muoveva quasi impercettibilmente il ventre, con una lentezza infinita, lui tastava con il suo membro in lei, la punta sensibile di una lingua che cercava qualcosa, e restava fermo attendendo le contrazioni, trovando in lei lo stesso ritmo delle proprie pulsazioni, poi leggermente si muoveva, e aspettava, presto sarebbe giunto l'attimo in cui l'avrebbe sentita contrarsi e rilasciarsi, contrarsi e rilasciarsi, il suo membro in attesa nella sua stretta vagina, e avvertiva allora una sorta di ritmo, una sorta di battito. Aspettava, e la contrazione arrivava, e allora tutto acquistava quel ritmo che lei imprimeva dal fondo di se stessa. Sotto di lui, lei chiudeva gli occhi, e lui la sentiva, e i loro corpi non esistevano più, tutto era dentro di lei, i loro sessi che lentamente, impercettibilmente, si gonfiavano e rilassavano, e lenti palpitavano insieme, e quando lui li sentiva respirare allo stesso modo, poteva lentamente cominciare a muoversi, in un ritmo che a tratti spariva, e allora attendeva, per poi riprendere a respirare all'unisono, lentamente. Questo gli aveva insegnato. Questa lunga attesa delle contrazioni delle membrane segrete, non capiva come lei avesse potuto sapere, ma quando il ritmo arrivava, quando le membrane respiravano insieme potevano lentamente cominciare a muoversi, e giungeva quel piacere inaudito, e si dissolvevano nello stesso lento interminabile sospiro.

Molto dolcemente. In attesa delle contrazioni interne, poi i loro corpi scomparivano e tutto era solo dentro di lei, respiravano allo stesso ritmo, e mai aveva provato qualcosa di simile.

Aveva conosciuto molte donne, e lei non era la più bella. Ma nessuna gli aveva insegnato ad attendere il ritmo delle contrazioni, delle pulsazioni più profonde dei corpi.

Organizzarono la disposizione delle stanze in modo da favorire la clandestinità, e nel corso dell'inverno furono sempre meno prudenti quando facevano l'amore. Cavalcavano anche sempre più spesso insieme, nell'aria fredda, sotto la neve leggera, attraverso i campi gelati. Cominciarono a cavalcare lungo la spiaggia.

Lei si spingeva fino all'acqua facendo scricchiolare il velo di ghiaccio, i capelli al vento, spensierata.

Pesava tre grammi e solo la massa del cavallo le impediva di volare. Perché avrebbe dovuto proteggersi il volto dalla neve turbinante, dal momento che era un uccello? Poteva vedere più lontano che mai, oltre le dune di Sjælland e oltre la costa della Norvegia, fin verso l'Islanda e i grandi iceberg del Polo nord.

Si sarebbe ricordata di quell'inverno; Struensee a cavallo la seguiva da vicino lungo la spiaggia, in silenzio, ma accanto a ogni suo pensiero.

Il 6 febbraio 1771 aveva comunicato a Struensee di essere incinta.

Avevano fatto l'amore. Dopo lo aveva detto.

"Aspetto un bambino," aveva detto. "E noi sappiamo che è tuo."

Lei scoprì di voler fare l'amore tutti i giorni.

Il desiderio saliva in lei ogni mattina, e a mezzogiorno era violento. A quell'ora precisa diventava irresistibile, e lei voleva che Struensee interrompesse il lavoro e la raggiungesse, per darle un rapido resoconto dell'attività svolta nella mattinata.

Era così che era diventata una cosa naturale. Prima niente era stato naturale, adesso lo era.

Lui si era adeguato. All'inizio con stupore, poi con grande gioia, da quando aveva scoperto che il suo corpo condivideva la gioia di lei, che il piacere provato da lei faceva nascere il suo. Era così. Mai avrebbe potuto immaginare che il piacere di lei potesse in tale misura originare il suo. Credeva che il piacere fosse solo il proibito. C'era anche questo, è vero. Ma il piacere e il proibito erano per lei cosa naturale, che ogni giorno cresceva finché, a mezzogiorno, il desiderio si era fatto bruciante e incontrollabile, e che questa cosa naturale potesse ricrearsi ogni giorno lo lasciava sbalordito.

Solo molto più tardi cominciò ad avere paura.

Facevano l'amore nella sua camera da letto, poi lei rimaneva coricata, il capo posato sul suo braccio e chiudeva gli occhi, sorridendo come una bambina che sapeva di aver fecondato il piacere di quell'uomo, l'aveva fatto nascere, e ne faceva ora sentire il peso sul suo braccio, come se quel piacere fosse un bambino che gli apparteneva. Solo molto più tardi lui cominciò ad avere paura. Le aveva però già detto:

"Dobbiamo essere prudenti. So che circolano voci. E si faranno chiacchiere anche sul bambino. Dobbiamo essere prudenti".

"No," aveva reagito lei.

"No?"

"Perché adesso non ho più paura di niente."

Che cosa poteva risponderle?

"Io lo sapevo," continuò lei. "L'ho saputo con certezza fin dall'inizio che eri tu. Dalla prima volta che ti ho visto, quando avevo paura di te e pensavo che eri un nemico che andava annientato. Ma era un segno. Un segno del tuo corpo. Che mi ha marchiato a fuoco, come si marchia un animale. Io lo sapevo."

"Tu non sei un animale," disse. "Ma dobbiamo essere prudenti."

"Verrai domani?" chiese lei senza ascoltare. "Verrai domani mattina alla stessa ora?"

"E se non venissi, perché è pericoloso?"

Lei teneva gli occhi chiusi. Non li voleva aprire.

"È pericoloso, in effetti. E se dicessi che mi hai disonorata? Se li chiamassi urlando, e singhiozzando dicessi che mi hai violentata. Ti prenderebbero e ti giustizierebbero, ti esporrebbero sulla ruota, e anche me. No, me no. Mi condannerebbero all'esilio. Ma io non chiamo, amore mio. Perché tu sei mio, e io ti ho e ogni giorno faremo l'amore."

Non aveva voluto rispondere. Lei si era girata verso di lui, gli occhi ancora chiusi, l'aveva accarezzato sulle braccia e sul petto, e alla fine aveva spostato la mano sul suo sesso. Un tempo aveva visto quella scena nei suoi sogni segreti, la mano di lei che si chiudeva intorno al suo membro, e adesso era vero, e sapeva che quella mano possedeva un formidabile potere d'attrazione e una forza inimmaginabile, perché non era soltanto intorno al suo membro, che si chiudeva, ma intorno a lui stesso, e lei sembrava più forte di quanto avesse mai potuto immaginare, e questo lo riempiva di piacere ma anche di qualcosa che non ancora, ma forse presto, sarebbe somigliata alla paura.

"Amore mio," mormorò, "non avrei mai potuto immaginare che il tuo corpo avesse... un..."

"Un...?"

"Un così grande talento per l'amore."

Lei aveva aperto gli occhi e gli aveva rivolto un breve sorriso. Sapeva che era vero. Era andato tutto così straordinariamente in fretta.

"Grazie," rispose.

Lui sentì crescere il desiderio. Non sapeva se voleva cedervi. Sapeva solo che lei lo teneva in suo potere, e che il desiderio aumentava, e che qualcosa lo spaventava, senza saperne la ragione.

"Amore mio," sussurrò, "che faremo?"

"Questo," rispose lei. "Sempre."

Non rispose. Presto avrebbe nuovamente superato il confine proibito, adesso era diverso, ma lui ancora non ne sapeva il perché.

"Mai ti libererai di me," mormorò lei, così piano che lui quasi non la udì; "perché io porto il tuo marchio. Come un animale marchiato a fuoco."

Ma lui sentì. Forse proprio in quel momento preciso – quando di nuovo lo lasciò entrare in lei, per ascoltare una volta ancora le misteriose pulsazioni che li avrebbero uniti – lui aveva avvertito la prima ombra di paura.

Una volta, mentre era distesa accanto a lui, nuda, aveva fatto scivolare le dita tra i suoi capelli biondi, e con un lieve sorriso aveva detto:

"Tu diventerai la mia mano destra".

"Cosa intendi?" chiese.

In tono scherzoso, ma con assoluta sicurezza, lei aveva sussurrato:

"Una mano. Una mano fa ciò che la testa desidera, non è vero? E ho così tante idee".

Perché aveva paura?

A volte pensava: avrei dovuto scendere dalla carrozza di Cristiano ad Altona. E ritornare dai miei.

Una mattina, di buon'ora, mentre si dirigeva al Gabinetto, il re, in vestaglia, con i capelli arruffati e senza calze né scarpe, l'aveva raggiunto di corsa nel Corridoio di marmo, l'aveva afferrato per un braccio e l'aveva implorato di ascoltarlo.

Si erano seduti in un salone vuoto. Dopo un momento il re si era calmato, aveva riacquistato il respiro normale, e aveva confidato a Struensee quello che definiva "un segreto che mi è stato rivelato questa notte mentre ero in preda alle mie angosce".

Ecco ciò che il re gli aveva raccontato.

Esisteva una cerchia segreta composta da sette uomini. Erano stati designati da Dio per realizzare il Male nel mondo. Erano i sette apostoli del Male. Lui stesso era uno di loro. La cosa più terribile era che poteva provare amore solo per chi apparteneva a quella cerchia. Di conseguenza, se provava amore per qualcuno, voleva dire che quella persona era uno dei sette angeli del Male. Quella notte l'aveva capito chiaramente, e adesso provava una profonda angoscia; volendo bene a Struensee, desiderava sapere da lui se questo era vero, se Struensee apparteneva effettivamente alla cerchia segreta del Male.

Struensee cercò di calmarlo, e gli chiese di spiegare più in dettaglio il suo "sogno". Cristiano aveva allora, al suo solito modo, cominciato a borbottare, si era ingarbugliato, poi bruscamente aveva detto che il sogno gli aveva dato la certezza che era una donna a governare misteriosamente l'universo.

Struensee gli aveva chiesto che senso poteva avere quella storia.

Il re non aveva saputo dare una risposta. Aveva solo ripetuto che una donna governava l'universo, che una cerchia di sette malvagi era responsabile di tutte le azioni del Male, che lui era uno di loro, ma che forse avrebbe potuto essere salvato dalla donna che governava l'universo; che lei sarebbe allora diventata la sua benefattrice.

Poi fissò Struensee a lungo, e domandò:

"Ma voi non siete uno dei Sette?".

Struensee si limitò a scuotere il capo. A quel punto il re, la voce carica di disperazione, gli chiese:

"Perché vi amo, allora?".

Uno dei primi giorni di primavera, nell'aprile 1771.

Re Cristiano VII, la sua consorte regina Caroline Mathilde e il medico di corte J.F. Struensee prendevano il tè nel castello di Fredensborg, sul balcone che si affacciava sul parco.

Struensee parlava della concezione ideologica del parco. Aveva lodato quel fantastico arrangiamento, in cui i vialetti formavano un labirinto e le siepi dissimulavano la simmetria del progetto. Aveva fatto notare che quel labirinto era concepito in modo tale che c'era un unico punto da cui si poteva individuare la logica del sistema. Laggiù tutto era confusione, enigmi, vicoli ciechi, vialetti che riportavano sui propri passi, caos. Ma da quell'unico punto tutto diventava chiaro, logico e ragionevole. Dal balcone in cui si trovavano. Il balcone del Dominatore. Era solo da quel punto che i collegamenti diventavano evidenti. E a quel punto, che era quello della ragione e della coerenza, poteva accedere solo il Dominatore.

Sorridendo, la regina aveva domandato cosa significasse. Lui cercò di spiegarsi meglio.

"Il punto del Dominatore. Che è quello del potere."

"Questo vi sembra... attraente?"

Rispose con un sorriso. Dopo un attimo, lei si chinò verso di lui, e gli sussurrò, all'orecchio perché il re non potesse sentire:

"Stai dimenticando una cosa. Che tu sei in mio potere".

4.

Si sarebbe ricordato della conversazione, e della minaccia.

Il balcone del Dominatore era un punto di vista, e dava coerenza alla simmetria del labirinto, niente di più. Gli altri contesti restavano caotici.

Era arrivata la fine della primavera, e si era deciso di trascorrere l'estate al castello di Hirschholm. I preparativi per il viaggio erano iniziati. Struensee e la regina erano d'accordo. Il re non era stato interpellato, ma sarebbe andato anche lui.

Trovava naturale che non l'avessero interpellato, che avesse anche lui il permesso di andare, e di essere d'accordo.

Ecco ciò che accadde alla vigilia della partenza.

Dal balcone, dove in quel momento era seduto solo, Cristiano aveva visto i due giovani amanti allontanarsi a cavallo per la loro passeggiata quotidiana, e all'improvviso si era sentito solo. Aveva chiamato Moranti, ma sembrava introvabile.

Era rientrato.

C'era lì il cane, lo schnauzer, che dormiva per terra in un angolo della stanza. Cristiano si stese sul pavimento, la testa appoggiata sul corpo del cane; ma, dopo qualche attimo, il cane si alzò, si spostò in un altro angolo, e si riaccucciò.

Cristiano lo seguì e ancora una volta si stese usando il corpo del cane come cuscino; il cane tornò ad alzarsi, e andò a cercarsi un altro angolo.

Cristiano rimase coricato per terra, a fissare il soffitto. Questa volta rinunciò a seguire il cane. Abbozzò un sorriso in direzione del soffitto; c'erano dei cherubini che decoravano la cornice tra le pareti e il soffitto. Si sforzò di abbozzare un sorriso non troppo contratto, solo calmo e gentile; i cherubini lo guardavano con i loro sguardi interrogativi. Dall'altro lato della stanza sentì che il cane gli mormorava di non importunare i cherubini. Allora smise di sorridere.

Decise di uscire; aveva deciso di raggiungere il centro del labirinto, perché là lo aspettava un messaggio.

Era certo che si trovasse al centro del labirinto. Da molto tempo non era stato contattato dai Sette; aveva interrogato Struensee, ma questi aveva rifiutato di rispondere. Se anche Struensee faceva parte dei Sette, loro erano due dei congiurati, e lui aveva qualcuno con cui confidarsi. Era sicuro che Struensee fosse uno dei due. Lui lo amava, e quello era il segno.

Forse anche Moranti faceva parte dei Sette, e il cane; di conseguenza erano in quattro. Aveva identificato quattro dei Sette.

Ne restavano tre. Caterine? Ma lei era già la Sovrana dell'Universo. No, ne mancavano tre, ma lui non riusciva a trovarne altri tre. Tre che lui amasse. Dov'erano? Senza contare che il cane non era una certezza; lui amava il cane, e quando il cane gli parlava ne era sicuro. Ma il cane pareva esprimere soltanto affetto, devozione, e disinteresse. Non era sicuro del cane. A ogni modo il cane gli parlava; e questo lo rendeva unico. Perché gli altri cani non erano capaci di parlare. Era assurdo immaginare degli animali parlanti, una cosa impossibile: ma poiché il suo cane parlava, doveva trattarsi di un segno. Era un segno quasi chiaro, ma solo quasi chiaro.

Era incerto sul cane.

I Sette avrebbero ripulito il tempio dalla sporcizia. Allora lui stesso sarebbe risorto, come l'Araba Fenice. Ecco cos'era il fuoco ardente dell'Illuminismo. Ecco il perché dei Sette. Il male era la cosa necessaria per creare purezza.

Quale nesso ci fosse in tutto questo non era ben chiaro. Ma era convinto che fosse così. I Sette erano gli angeli caduti dal cielo. Aveva bisogno di capire cosa doveva fare. Un segno. Un messaggio. Che certamente si trovava al centro del labirinto; un messaggio dai Sette, o dalla Sovrana dell'Universo.

Un po' titubante, un po' correndo a piccoli passi, entrò nel labirinto di siepi potate, cercando di ricordare il disegno dei sentieri che aveva in testa, l'immagine vista dal balcone, dove il caos diventava ragione.

Dopo un momento rallentò il passo. Ansimava, e sapeva di doversi calmare. Piegò a sinistra, poi a destra, la sua immagine del labirinto era perfettamente chiara, era certo che fosse perfettamente chiara. Dopo qualche minuto arrivò a un vicolo cieco. La siepe si ergeva come un muro davanti a lui, fece dietrofront, girò a destra, poi di nuovo a destra. Adesso il suo ricordo era meno preciso, ma cercò di dominarsi e all'improvviso riprese a correre. Aveva di nuovo il respiro affannoso. Quando il sudore cominciò a colare, strappò la parrucca e continuò a correre, così andava meglio.

L'immagine nella memoria era ormai completamente scomparsa.

Non c'era più nessuna certezza. I muri che lo attorniavano erano verdi e pungenti. Si fermò. Doveva ormai essere molto vicino al centro. Rimase immobile, in ascolto. Niente uccelli, niente rumori; abbassò lo sguardo sulle sue mani, una sanguinava, non capiva come fosse successo. Sapeva di trovarsi molto vicino al centro. Al centro avrebbe trovato il messaggio, oppure Caterine.

Silenzio assoluto. Perché anche gli uccelli avevano smesso di cantare?

A un tratto udì una voce che sussurrava. Era rimasto immobile. Riconosceva quella voce, veniva dall'altro lato della siepe, dove doveva esserci il centro.

"È qui," diceva la voce. "Vieni."

Era senz'ombra di dubbio la voce di Caterine.

Cercò di sbirciare attraverso la siepe, ma era impossibile. Adesso il silenzio si era fatto nuovamente assoluto, ma non c'era alcun dubbio, era la voce di Caterine, e lei si trovava dall'altra parte. Tirò un profondo respiro, doveva mantenersi calmo, ma anche attraversare la siepe. Fece un passo avanti e cominciò a scostare i rami. Erano pieni di spine, si rese improvvisamente conto che sarebbe stata un'impresa dolorosa. Ma era calmo, ora, doveva passare dall'altra parte, doveva indurirsi, mostrarsi duro. Doveva essere invulnerabile. Non c'era altra soluzione. Le prime decine di centimetri furono facili, poi il muro di siepe si fece molto compatto; si protese in avanti, come per attraversarlo con un tuffo. Cadde effettivamente in avanti, ma incontrò molta resistenza. Le spine gli punsero il viso come piccole spade, sentì un forte bruciore, cercò di alzare un braccio per liberarsi, ma finì per cadere ancora più avanti. Ora la siepe era ancora più fitta, doveva trovarsi molto vicino al centro del labirinto. Non riusciva però a vedere attraverso. Sferrò dei calci disperati, il corpo avanzò ancora di un poco, ma verso il basso i rami erano molto più grossi, era impossibile scostarli, sembravano più tronchi che rami. Cercò di rimettersi in piedi ma riuscì solo a metà. Le mani bruciavano, il viso bruciava. Spezzò freneticamente i rametti più esili, ma erano pieni di spine, i minuscoli coltelli gli bruciavano senza requie la pelle. Lanciò un grido, poi si fece forza e tentò ancora una volta di alzarsi. Ma invano.

Era prigioniero. Il sangue colava sul volto. Cominciò a singhiozzare. C'era solo silenzio. Non sentiva più la voce di Caterine. Era molto vicino al centro, lo sapeva, ma prigioniero.

I cortigiani, che l'avevano visto entrare nel labirinto, si erano preoccupati e dopo un'ora avevano iniziato a cercarlo. Lo trovarono infilato dentro la siepe, solo un piede spuntava fuori. Chiamarono aiuto. Il re fu liberato, ma si rifiutava di mettersi in piedi.

Sembrava completamente apatico. Riuscì tuttavia a ordinare, con voce flebile, di far venire Guldberg.

Guldberg arrivò.

Il sangue si era seccato sul volto del re, sulle braccia e

sulle mani, ma lui restava immobile a terra, lo sguardo fisso verso l'alto. Guldberg ordinò che portassero una barella, e che i cortigiani si allontanassero per poter parlare da solo col re.

Guldberg si era seduto accanto al sovrano, l'aveva coperto con il proprio mantello, e aveva cercato di mascherare il turbamento parlando sottovoce a Cristiano.

All'inizio l'emozione gli faceva tremare violentemente le labbra; aveva parlato così sottovoce che Cristiano non era riuscito a sentire. Poi le parole erano diventate comprensibili. "Vostra Maestà," aveva sussurrato, "non abbiate paura, vi salverò da questa umiliazione, io Vi amo, tutti questi depravati (e qui i suoi mormorii si erano fatti più forti), tutti questi depravati ci disonorano ma la vendetta li colpirà, loro ci disprezzano, guardano dall'alto in basso noi esseri insignificanti, ma noi taglieremo queste membra peccaminose dal corpo della Danimarca, il tempo del pigiatore verrà, loro ridono di noi e ci scherniscono ma ci avranno scherniti per l'ultima volta, la vendetta di Dio li colpirà e noi, Vostra Maestà... io sarò il Vostro... noi faremo..."

In quel momento Cristiano era improvvisamente emerso dalla sua apatia, aveva fissato Guldberg e si era messo seduto.

"Noi?!!!" gridò fissando Guldberg come se questi fosse diventato pazzo, "NOI??? di chi state parlando, siete pazzo, pazzo!!! Io sono l'eletto da Dio e voi osate... osate..."

Guldberg era trasalito, come colpito da una frustata, e tacendo aveva chinato la testa.

Il re si era lentamente rimesso in piedi; e mai Guldberg avrebbe dimenticato quella visione: quel ragazzo con il capo e il viso coperti di sangue coagulato e annerito, i capelli arruffati e gli abiti lacerati, sì, all'apparenza l'immagine stessa di un pazzo coperto di sangue e di sudiciume; e tuttavia, tuttavia, sembrava in quel momento possedere una calma e un'autorità come se non fosse affatto un pazzo, ma un prescelto da Dio.

Forse era anche lui un essere umano, in definitiva.

Cristiano fece cenno a Guldberg di alzarsi. Gli restituì il mantello, e con voce molto calma e ferma disse:

"Voi siete l'unico che sa dove lei si trova".

Non attese una risposta, aggiunse soltanto:

"Voglio che prepariate oggi stesso un decreto di grazia. Che firmerò io stesso. Io. Non Struensee. Io stesso".

"Chi dovrà essere graziato, Sua Maestà?" chiese Guldberg.

"Caterine-Polacchina."

Quella voce non ammetteva repliche, né domande. Arrivarono poi i cortigiani con la barella. Ma non serviva più. Cristiano uscì dal labirinto da solo, senza bisogno d'aiuto.

Capitolo 11
Il figlio della rivoluzione

1.

Lavarono e medicarono le ferite di Cristiano, posticiparono di tre giorni la partenza per Hirschholm e inventarono una spiegazione sulla malaugurata caduta del re in un cespuglio di rose; lentamente, tutto rientrò nella normalità. Si ripresero i preparativi per il viaggio, e verso le dieci del mattino la spedizione era pronta per muoversi alla volta di Hirschholm.

Non tutta la corte si trasferiva. Solo una piccola parte, che non era poi così piccola: il convoglio era formato da ben ventiquattro vetture, e il seguito, ritenuto ridotto, consisteva di diciotto persone, oltre a un pugno di soldati (alcuni, pare, congedati già dopo la prima settimana) e al personale di cucina. Il nucleo centrale era formato dai sovrani, da Struensee e dal piccolo principe ereditario, che aveva ora tre anni. Un piccolo gruppo.

C'era anche Enevold Brandt, chiamato "la bambinaia del re" dalle cattive lingue. Oltre a qualche amante dei funzionari minori. E due falegnami.

Alla partenza si poteva chiaramente notare nella figura della regina il suo stato di gravidanza. A corte non si parlava d'altro. Nessuno aveva dubbi sull'identità del padre.

Quattro carrozze erano già pronte quel mattino nella corte del castello, quando il conte Rantzau s'incontrò con Struensee per un "colloquio urgente", come l'aveva chiamato.

Chiese per prima cosa se era previsto che dovesse accompagnarli anche lui. Struensee rispose, con un inchino cortese: se lo desideri. Tu desideri che io venga? rispose subito Rantzau, stranamente teso e guardingo. Si studiarono con sospetto.

Nessuna risposta.

Rantzau pensò di aver correttamente interpretato quel silenzio. Aveva domandato, "senza mezzi termini", se veramente sarebbe stato saggio trascorrere l'estate, e forse l'autunno, a Hirschholm con un seguito così ridotto. Struensee gli aveva chiesto il motivo di tale domanda. Rantzau aveva risposto che stava crescendo il fermento nel paese. Che quel fiume di decreti e riforme che ormai fluiva dalla mano di Struensee (aveva espressamente usato questi termini, "dalla mano di Struensee", perché conosceva bene lo stato mentale del re, e del resto non si considerava un idiota) erano sicuramente utili per il paese. Che quelle riforme erano spesso sagge, concepite con le migliori intenzioni, e talora conformi ai migliori principi della ragione. Era incontestabile. Per dirla breve, erano molto ben formulate. Ma, per dirla altrettanto breve, numerose! Quasi incalcolabili!

Il paese non era preparato, in ogni caso non lo era l'amministrazione! Di conseguenza, tutto ciò era estremamente pericoloso per lo stesso Struensee e per tutti i suoi amici. Ma, aveva continuato Rantzau senza dare a Struensee la possibilità di intervenire o di rispondere, perché mai questa accanita imprudenza! Questa marea di riforme, questa ondata davvero rivoluzionaria che si stava sollevando sopra il regno di Danimarca, questa fulminea rivoluzione, non era forse un buon pretesto, o in ogni caso un buon pretesto tattico, per Struensee e per il re, ma soprattutto per Struensee!!!, per trovarsi più vicino al campo nemico?

Per potere in qualche modo studiare i nemici. Vale a dire: il modo di pensare e di agire delle truppe nemiche?

Era stato uno sfogo stupefacente.

"In breve, è proprio saggio partire?" concluse.

"Breve non lo direi proprio," ribatté Struensee. "E non so se chi mi parla è un amico o un nemico."

"Sono io che parlo," disse Rantzau. "Un amico. Forse il tuo solo amico."

"Il mio solo amico," ripeté Struensee. "Il mio solo amico? Suona di malaugurio."

Questo era stato il tono della conversazione. Formale, piena di malcelata ostilità. Era seguito un lungo silenzio.

"Ti ricordi di Altona?" aveva poi chiesto Struensee a bassa voce.

"Mi ricordo. Era tanto tempo fa. Ho l'impressione."

"Tre anni? Lo trovi così tanto?"

"Tu sei cambiato," aveva freddamente risposto Rantzau.

"Io non sono cambiato," aveva detto Struensee. "Non io. Ad Altona eravamo d'accordo su quasi tutto. Ti ammiravo, in effetti. Avevi letto tutto. E mi hai insegnato molto. Di questo ti sono grato. Ero così giovane, allora."

"Ma adesso sei vecchio e saggio. E ovviamente non provi più ammirazione."

"Adesso metto in pratica."

"Metti in pratica?"

"Proprio così. Nella realtà. Non solo teorie."

"Mi sembra di avvertire una nota di disprezzo," aveva detto Rantzau. "Non solo teorie."

"Se sapessi da che parte stai, ti risponderei."

"Nella realtà. Niente teorie. Niente speculazioni da scrivania. E qual è la tua ultima 'realizzazione'?"

Era una conversazione sgradevole. E le carrozze stavano aspettando; Struensee aveva lentamente allungato la mano alla pila di carte sul tavolo, e ne aveva presa qualcuna, come per mostrarle. Ma non lo fece. Si limitò a guardare i documenti che aveva in mano, in un triste silenzio, e per un istante si sentì invadere da un immane dolore, o un'insormontabile stanchezza.

"Ho lavorato questa notte," disse.

"Sì, dicono che lavori duro, di notte."

Lui finse di non cogliere l'insinuazione.

Non poteva essere sincero con Rantzau. Non poteva parlargli della vischiosità. Ma qualcosa che aveva detto Rantzau lo mise di malumore. Era l'antica sensazione di inferiorità verso i brillanti compagni di Ascheberg che ritornava a galla.

Il taciturno medico di Altona in mezzo alla compagnia di amici brillanti. Forse non avevano capito il reale motivo del suo silenzio.

Adesso lo capivano. Lui, il semplice medico di campagna, salito tanto in alto, in modo illecito e incomprensibile! Ecco cosa insinuava Rantzau. Tu non sei al tuo posto.

Resti in silenzio, perché non hai niente da dire. Avresti dovuto restare ad Altona.

Ed era vero: ogni tanto aveva l'impressione di vedere la vita come una serie di punti allineati su un foglio di carta, un lungo elenco di compiti numerati, *che qualcun altro, qualcun altro aveva stabilito per lui*!!! La vita numerata in ordine di importanza, dove i numeri da uno a dodici – come sul quadrante di un orologio – erano i più importanti; poi i numeri da tredici a ventiquattro – come le ore del giorno e della notte – e quindi i numeri da venticinque a cento, sgranati in una lunga spirale di compiti sempre più piccoli, ma comunque importanti. E a ogni numero, a lavoro concluso, avrebbe dovuto segnare una crocetta, "paziente trattato". Alla fine della vita sarebbe stato redatto il rapporto conclusivo, e tutto sarebbe stato chiaro. E avrebbe potuto tornare a casa.

Il cambiamento annotato, il compito eseguito, i pazienti trattati, quindi la statistica e un resoconto riassuntivo delle esperienze.

Ma qui, dov'erano i pazienti? Erano fuori, e non li aveva mai incontrati. Doveva fidarsi di teorie che altri avevano elaborato: i brillanti, i più eruditi, i grandi filosofi, le teorie che gli amici della capanna di Rousseau padroneggiavano con tanta disinvoltura.

I pazienti della società danese, quella società che stava per rivoluzionare, doveva solo immaginarseli: come le piccole teste che aveva disegnato quando un tempo aveva scritto la sua tesi sui movimenti dannosi delle membra. Erano gli uomini all'interno del meccanismo. Perché doveva pur essere possibile, pensava spesso quando non riusciva a dormire la notte e sentiva quella Mostruosa Reggia Danese pesare come piombo sul petto, doveva essere possibile! possibile!!! capire e al tempo stesso dominare il meccanismo, e vedere le persone.

L'uomo non era una macchina, ma si trovava all'interno della macchina. Ecco il trucco. Dominare la macchina. Allora i volti che aveva disegnato gli avrebbero sorriso pieni di gratitudine e di benevolenza. Il problema, la vera difficoltà era che non sembravano riconoscenti. Le piccole teste malevole degli esseri umani tra i vari punti, quelli che già avevano una croce sopra, fatti, risolti!!!, tutti quei volti che spuntavano fuori restavano cattivi, malevoli e ingrati.

Soprattutto non gli erano amici. La società era una

macchina, e i volti erano malevoli. No, più niente era chiaro.

Ora fissava il suo ultimo amico, Rantzau, che forse era invece un nemico. O, peggio ancora, un traditore. Decisamente Altona era molto lontana.

"Questa settimana," iniziò lentamente, "la 'realizzazione' consiste nell'abrogazione della legge contro l'infedeltà, la riduzione delle pensioni eccessive ai funzionari e l'abolizione della tortura. Sto anche preparando il trasferimento degli introiti di dogana dell'Øresund dalle Casse reali a quelle dello stato, l'istituzione di una cassa per l'aiuto ai figli illegittimi, che saranno battezzati con rito religioso, e inoltre..."

"E la servitù dei contadini? O ti accontenterai di legiferare sulla morale?"

Ancora una volta: il volto tra i paragrafi, sospettoso, con un sorriso malevolo. La servitù dei contadini era la prima questione! la più grande di tutte!, prevista tra i primi ventiquattro punti, no, tra i primi dodici!, quelli del quadrante dell'orologio. Aveva abbandonato a una morte inesorabile il ragazzo sul cavalletto di legno, aveva rincorso la carrozza nell'ombra del crepuscolo; aveva avuto paura. In un certo senso, con quella corsa era fuggito dal compito più importante, la servitù della gleba. Sulla carrozza non aveva fatto che ripetersi che l'importante era essere sopravvissuto.

Con la determinazione poteva. Promulgare dei decreti. Certo. Poteva. Con la determinazione.

Ciò che faceva adesso non era che l'inizio, la sfera morale; legiferava per migliorare la morale, legiferava per far diventare l'uomo più buono; no, il ragionamento era sbagliato, era il contrario. Non si poteva abolire per legge l'uomo malvagio. "Non sono le leggi di polizia che potranno migliorare i costumi." L'aveva scritto lui stesso.

Tuttavia, e sapeva che quella era la sua debolezza, si soffermava molto sui costumi, sulla morale, sui divieti, sulla libertà intellettuale.

Forse perché il resto era di una difficoltà inaudita?

"La servitù?" la domanda fu ripetuta, impietosamente.

"Presto," rispose.

"In che modo?"

"Reverdil," cominciò lentamente, "che era il precettore

del re, aveva elaborato un progetto, prima di essere cacciato. Gli ho scritto, chiedendogli di ritornare."

"Quel piccolo ebreo," disse Rantzau in tono freddo ma carico d'odio, "quel piccolo ebreo ributtante. Sarà dunque lui a liberare i contadini danesi. Sai quanti nemici ti farai?"

Struensee rimise i documenti sul tavolo. Non aveva senso continuare quella conversazione. Rantzau s'inchinò in silenzio, si girò e si diresse alla porta. Prima che la chiudesse alle proprie spalle, spuntò fuori l'ultimo dei volti malevoli: da Rantzau, che diceva di essere il suo ultimo amico, e forse in qualche misura lo era anche, Rantzau il grande teorico e maestro che ora lo guardava con occhio tanto critico, il suo amico, o il suo ex amico, se mai lo era stato.

"Tu non hai più molti amici. Sembra quindi una follia andare a passare l'estate a Hirschholm. Ma il tuo problema, è un altro."

"Quale?" chiese Struensee.

"Non sei capace di scegliere i nemici giusti."

2.

Non era una fuga, avrebbero pensato in seguito. Perché allora quella fretta furiosa, quei gesti rapidi, quelle risate, quelle porte che sbattevano?

Non era una fuga, solo la partenza per la meravigliosa estate a Hirschholm.

Si preparavano i bagagli. Il primo giorno sarebbero partite solo quattro carrozze. L'indomani il resto dell'enorme equipaggiamento. Vivere la semplice vita di campagna richiedeva un'organizzazione notevole.

Sulla prima carrozza la regina, Struensee, re Cristiano VII, il paggio Moranti e il cane del re.

Si viaggiava in silenzio.

Cristiano era molto tranquillo. Osservava i suoi compagni di viaggio con un sorriso misterioso che non sapevano interpretare. Ne era sicuro. Stava pensando che, se la regina Caroline Mathilde non fosse stata tra loro, quattro dei Sette si sarebbero trovati del tutto soli in quella carrozza. Avrebbe allora potuto, senza alcun pericolo, chiedere consiglio a Struensee, a Moranti e al cane, i tre esseri che amava, su come fronteggiare il periodo di grandi difficoltà e privazioni che certamente sarebbe venuto.

Il castello reale di Hirschholm.

Lo sapeva. Come sapeva che i consigli e le indicazioni dalla sua Benefattrice, la Sovrana dell'Universo, avrebbero tardato ancora qualche tempo.

Qui un tempo c'era un castello. Così va detto: qui c'era un castello, e qui fu inghiottito dalla rivoluzione danese. Non rimane più niente.

Il castello di Hirschholm era stato costruito su un'isola. L'edificio, circondato dall'acqua, sorgeva al centro di un lago, e di notte l'acqua era costellata di quegli uccelli assopiti che lei amava tanto, specialmente quando dormivano avvolti nei loro sogni. C'era voluto mezzo secolo per costruirlo, e in effetti non era stato terminato che nel 1746; un castello grandioso, bello, una Versailles del nord; ebbe però lo stesso destino dei sogni molto brevi: non visse che un'estate, l'estate del 1771. Poi il sogno finì, e il castello, rimasto solo e disabitato, andò lentamente in rovina.

Non bruciò. Non fu saccheggiato. Morì semplicemente di dolore, e poi scomparve. Come se quell'estate di sconfinata felicità l'avesse appestato; era stato il castello di Caroline Mathilde e di Struensee, e quando arrivò la catastrofe nessuno volle più metter piede su quella terra, così segnata dal contagio del peccato.

Già nel 1774 furono sospesi tutti i lavori, alla fine del secolo la rovina era totale, e quando il castello di Christiansborg andò a fuoco si decise di demolire Hirschholm e di utilizzarne il materiale per ricostruirlo. Tutto fu fatto a pezzi. I saloni sontuosamente arredati furono saccheggiati e portati via, la superba Sala dei Cavalieri al centro del castello fu distrutta, pietra a pietra, i blocchi di marmo furono trasportati lontano. Ogni traccia della coppia di amanti doveva essere cancellata. La stanza di Caroline Mathilde era un ricettacolo di cose curiose; la regina nutriva una passione per le cineserie, e quell'estate aveva riempito il salotto di vasi e bambole cinesi che si era fatta inviare dalla Compagnia delle Indie orientali. Lei stessa aveva fatto sistemare la bella stufa di maiolica nella sala delle udienze di Hirschholm, quella che "raffigurava una dama cinese con il parasole". Tutto fu demolito.

Il castello era diventato un simbolo d'infamia, infettata dal bastardo e dalla sua amante, doveva sparire, come si cancella da una fotografia un volto indesiderato, perché la storia sia liberata da qualcosa di sgradevole che mai c'è stato, mai avrebbe dovuto esserci. L'isola doveva essere purificata da quel peccato.

Nel 1814 ogni traccia del castello era sparita; era quindi durato quanto la vita di un uomo, dal 1746 al 1814, sessantotto anni. Il castello di Hirschholm divenne così il solo a essere identificato con un'estate d'amore, pregna di amore e di morte al confine estremo del proibito, e per questo motivo fu costretto alla morte e alla distruzione. Oggi sull'isola in cui sorgeva il castello c'è solo una chiesetta in stile impero, costruita nell'Ottocento.

Come una preghiera. Come un'ultima preghiera per chiedere perdono all'Altissimo; una domanda di grazia per quei peccati di cui due esseri umani depravati si erano resi colpevoli.

Per il resto, nient'altro che erba e acqua.

Ma gli uccelli, naturalmente, ci sono ancora, quelli che lei aveva visto quella sera tardi arrivando a Hirschholm, e che aveva interpretato come il segno di essere finalmente a casa, sicura, tra gli uccelli che dormivano avvolti nei loro sogni.

Qui un tempo c'era un castello. Qui lei giunse. Aspettava un bambino. E sapeva che era figlio di lui.

Come lo sapevano tutti.

Aspetto un bambino, aveva detto. E noi sappiamo che è figlio tuo.

Lui l'aveva baciata, e non aveva detto nulla.

Tutto si era svolto così in fretta. Aveva realizzato la rivoluzione danese in otto mesi, le riforme erano state firmate e avrebbero continuato anche ora a esserlo da quel nido del peccato chiamato castello di Hirschholm, che per tale ragione dovette più tardi essere distrutto, come si brucia la biancheria di un morto di peste.

Aveva già emesso cinquecentosessantaquattro ordinanze in quel primo anno. Nessun ostacolo sembrava opporsi, in fin dei conti. Tutto era naturale, e scorreva con facilità. La rivoluzione funzionava a meraviglia, la penna frusciava, i decreti erano resi esecutivi, e lui faceva l'amore con quella strana ragazza che si definiva regina di Danimarca. Faceva l'amore, scriveva, e firmava. La firma del re non era più necessaria. Sapeva che le cancellerie e i ministeri tuonavano d'ira, ma nessuno osava farsi avanti fino a lui. E allora continuava, e continuava.

Rivoluzionario da scrivania, pensava ogni tanto. Aveva

sempre aborrito quell'espressione. Adesso, comunque, tutto sembrava funzionare partendo dalla sua scrivania. Proprio dalla sua scrivania. E tutto diventava realtà.

Non lasciava mai il suo studio, eppure la rivoluzione avanzava. Forse tutte le rivoluzioni dovrebbero avvenire così, pensava. Non c'era bisogno di truppe, di violenza, di terrore o di minacce; solo di un re malato di mente con potere assoluto, e di un atto di cessione del potere.

Si rendeva conto di essere totalmente dipendente da quel ragazzo alienato. Era anche altrettanto dipendente da lei?

Quando gli aveva detto del bambino, era stato felice, e aveva immediatamente capito che la fine poteva essere prossima.

Facevano l'amore da tanto tempo senza la minima prudenza.

Mai aveva incontrato una donna come quella ragazza; era incredibile, sembrava ignorare la paura e la timidezza. Era inesperta, e aveva imparato tutto in un unico soffio. Sembrava amare il proprio corpo, e amava usare il suo. La prima notte a Hirschholm si era seduta sopra di lui e l'aveva cavalcato lentamente, voluttuosamente, totalmente immersa nell'ascolto dei segnali segreti del suo corpo, obbedendoli, controllandoli. No, lui non capiva dove questa ragazzina inglese di vent'anni avesse imparato tutto questo. Alla fine era scivolata al suo fianco, flessuosa come una gatta, e aveva detto:

"Sei felice?".

Lui sapeva che era felice. E che la catastrofe era ormai molto vicina.

"Dobbiamo essere prudenti" aveva risposto.

"È troppo tardi da tempo," aveva detto lei al buio. "Io sono incinta. E il bambino è tuo."

"E la rivoluzione danese? Verranno a saperlo che è mio figlio."

"Ho concepito con te il figlio della rivoluzione," aveva risposto.

Lui si era alzato, era andato alla finestra, aveva guardato l'acqua. Il crepuscolo scendeva più presto, ora, c'era un caldo umido, e lo specchio d'acqua che circondava il castello era coperto di piante, e di uccelli, e si sentiva un odore di pantano, pesante, gradevole ma anche carico di morte. Tutto era andato così in fretta.

"Noi abbiamo concepito il futuro," la sentì dire dal buio.

"O l'abbiamo ucciso," mormorò piano.

"Che vuoi dire?"

Lui non sapeva perché avesse detto così.

Sapeva che l'amava.

Non era soltanto il suo corpo, il suo fantastico talento per l'amore, il suo talento erotico; era anche il fatto che lei crescesse tanto rapidamente, che ogni settimana la vedesse diventare un'altra, era il lato esplosivo di quell'ingenua ragazzina inglese che non avrebbe tardato a raggiungerlo, forse a superarlo, per diventare qualcosa che non sapeva immaginare; mai l'avrebbe creduto possibile. Lei aveva certamente molte facce, ma nessuna malata di mente, come Cristiano. Lei non aveva dentro una fiaccola nera che avrebbe potuto avvolgerlo in una tenebra mortale, no, lei era un essere sconosciuto che l'attirava nell'istante preciso in cui credeva di averla vista, ma presto si rendeva conto di non averla vista affatto.

Ricordò di averla sentita dire "come il marchio di un animale".

Così doveva essere l'amore? Lui non voleva che fosse così.

"Sono solo un medico di Altona," aveva detto.

"Sì? E allora?"

"Qualche volta mi domando se non sia stato dato un compito troppo grande a un medico di Altona, restio, puro di cuore, e non sufficientemente colto," rispose a bassa voce.

Le voltava le spalle, perché per la prima volta aveva osato dirlo, e si vergognava un po', le voltava quindi le spalle, e non osava guardarla negli occhi. Ma l'aveva detto, e si vergognava, anche se gli pareva giusto averlo detto.

Non voleva darsi arie. Darsi arie era quasi un peccato mortale. L'aveva imparato da bambino. Non era che un medico di Altona. Quella era la cosa fondamentale. Ma poi veniva la presunzione: l'aver capito di aver ricevuto un compito, e il non aver pensato di essere troppo insignificante, anche se avrebbe dovuto pensarlo.

Gli arroganti di corte non avrebbero esitato un secondo. Quelli che non erano dei parvenu. Per loro la presunzione era del tutto naturale, perché tutto quanto possedevano l'avevano ereditato, non conquistato con i propri meriti. Lui non era arrogante, aveva paura.

Di questo si vergognava. Lo chiamavano "il Taciturno". Forse questo li spaventava. Lui era taciturno, era alto di statura, e sapeva tacere. Questo li spaventava. Ma non capivano che in fin dei conti era solo un medico di Altona che aveva presuntuosamente creduto di avere una missione da compiere.

Gli altri non si vergognavano mai. Per questo le voltava le spalle.

Un giorno, sul finire dell'estate, dopo che la bambina era nata, lei era entrata nel suo studio per dirgli che Bernstorff, che era stato congedato e stava ora ritirato nelle sue terre, doveva essere richiamato.

"Bernstorff? Ma ci odia," aveva detto Struensee.

"Non ha importanza. Abbiamo bisogno di lui. Deve essere rabbonito, e utilizzato. Nemico o no."

Aveva poi aggiunto:

"Dobbiamo proteggerci i fianchi".

Lui si era limitato a fissarla. "Proteggerci i fianchi." Da dove aveva preso quell'espressione? Era incredibile.

3.

Fu un'estate fantastica.

Abolirono ogni etichetta; leggevano Rousseau, cambiavano lo stile dell'abbigliamento, vivevano in semplicità, a contatto con la natura, facevano l'amore, parevano ossessionati dall'ansia di concentrare tutte le componenti della felicità per non sprecarne un solo minuto. I visitatori erano sbalorditi dalla libertà di costumi, che tuttavia, come rimarcavano con stupore nelle loro lettere, mai si esprimeva in un linguaggio indecoroso. Tutte le regole erano state abolite. I domestici servivano spesso a tavola, ma non sempre. Per la preparazione dei pasti i compiti venivano suddivisi. Si facevano escursioni, si stava fuori fino a tardi la sera. Una volta, nel corso di una gita alla spiaggia, la regina aveva attirato Struensee tra le dune, l'aveva spogliato e avevano fatto l'amore. I componenti del seguito avevano notato la sabbia sui loro abiti, ma non si erano stupiti. Tutti i titoli erano stati aboliti. Ogni gerarchia era scomparsa. Ci si chiamava per nome.

Era come un sogno. Ci si rendeva conto che tutto diventava più semplice, più sereno.

Ecco cosa si scopriva a Hirschholm: che tutto era possibile, che era possibile uscire dal manicomio.

Anche Cristiano era felice. Sembrava molto lontano, e al tempo stesso vicino. Una sera, a tavola, allegro e sorridente, aveva detto a Struensee:

"Si è fatto tardi, è ora che il re di Prussia raggiunga il talamo della regina".

Tutti erano trasaliti. Struensee aveva chiesto, in tono lieve:

"Il re di Prussia? E chi sarebbe?".

"Ma siete voi!" aveva replicato Cristiano, stupito.

La gravidanza era sempre più evidente, ma lei insisteva a voler cavalcare nei boschi, senza dare ascolto alle preoccupazioni e alle obiezioni di chi le stava intorno.

Era diventata una cavallerizza molto abile. Non cadeva mai. Cavalcava veloce, sicura. Lui la seguiva, inquieto. Un pomeriggio c'era stata però una caduta. Struensee era caduto. Il cavallo si era impennato, ed era rimasto a lungo a terra, con un forte dolore alla gamba. Si era poi faticosamente rialzato.

Lei l'aveva sorretto fino all'arrivo dei soccorsi.

"Amore mio," aveva detto, "credevi davvero che avrei potuto cadere? Non sono caduta. Non voglio perdere il bambino. Per questo sei stato tu, a cadere."

Lui si era limitato a rispondere:

"Forse la fortuna non mi assiste più".

La aiutò di persona a partorire.

Su stampelle, accanto al letto della regina e su stampelle, Struensee assistette alla nascita della figlioletta.

Aiutò la bambina a uscire, era questo che pensava, aiutava la sua bambina a venire al mondo, e all'improvviso si sentì sopraffatto; aveva già fatto nascere dei bambini, ma questa, questa!!! Si sosteneva con la stampella contro l'ascella, ma la stampella era scivolata e la sua gamba ferita gli aveva fatto molto male, gli sembrava, non ricordava bene, e si era messo a piangere.

Nessuno l'aveva mai visto piangere, e se ne parlò a lungo; per alcuni quella divenne una prova.

Singhiozzava. La bambina era lì. Era la vita eterna che aveva tirato fuori da lei, la loro figlioletta, che era la vita eterna.

Si era poi controllato, e aveva fatto ciò che andava fatto. Era andato da re Cristiano VII e gli aveva annunciato che la sua regina, Caroline Mathilde, aveva messo al mondo una bambina. Il re era parso indifferente, e non aveva voluto vedere la piccola. Più tardi, in serata, aveva avuto di nuovo un attacco isterico, e col paggio Moranti si era divertito a rovesciare le statue nel parco.

La bambina fu battezzata con il nome di Louise Augusta.

4.

Nel giro di ventiquattr'ore, la corte di Copenaghen sapeva che la bambina di Struensee e della regina era nata. La regina madre convocò immediatamente Guldberg.

Era seduta accanto al figliolo che farfugliava con la bava alla bocca, senza degnarlo di uno sguardo in quel momento inquietante, ma senza neanche mai smettere di tenere stretta la sua mano sinistra. Cominciò col dire che quella figlia della colpa era una vergogna per il paese e per la casa reale, ma che voleva le fosse fornita una visione globale dei fatti.

Chiedeva un'analisi della situazione, e la ebbe.

Guldberg fece un'esposizione dettagliata.

Dopo l'avventura algerina, in cui una flotta danese era stata inviata nel Mediterraneo e in gran parte distrutta, si imponeva la necessità di ricostruire la Marina. Il problema era stato sottoposto a Struensee che aveva risposto con due comunicati. Il primo proibiva la fabbricazione di acquavite a base d'orzo e ogni tipo di distillazione privata. Il secondo annunciava la sua intenzione di ridurre a metà la corte e di diminuire l'apparato bellico della flotta. Questo significava che il cantiere navale di Holmen era costretto a ridurre l'attività. Gli operai, soprattutto i marinai reclutati in Norvegia, erano furibondi. Guldberg era stato più volte in contatto con loro. Una delegazione era anche venuta a trovarlo.

Gli avevano chiesto se fossero vere le voci secondo cui Struensee teneva il re prigioniero e aveva intenzione di ucciderlo.

Guldberg, con "gesti e ammiccamenti", aveva lasciato intendere che c'era del vero, ma che era indispensabile riflettere e pianificare con cura le misure da prendere per la difesa del regno e della casa reale. Aveva detto che, come loro, era indignato per i posti di lavoro persi in cantiere. In quanto a quel depravato di Struensee, pregava Dio ogni sera perché fosse colpito da un fulmine, per il bene della Danimarca.

Ora gli operai stavano preparando un'insurrezione. Avrebbero marciato su Hirschholm.

"E una volta là?" aveva chiesto la regina madre. "Pensano di ucciderlo?"

Senza un minimo sorriso, Guldberg si limitò a rispondere:

"La rivolta di un popolo scontento contro il tiranno non si può mai prevedere".

Poi, come accidentalmente, aveva aggiunto:

"Solo avviare, e dirigere".

La neonata dormiva, con un respiro tanto leggero che Struensee poteva percepirlo solo accostando l'orecchio. Gli sembrava bellissima. In fin dei conti, una figlia l'aveva avuta.

Tutto era così tranquillo quell'estate.

Ah, quanto avrebbe desiderato fosse sempre così.

Ma alle nove di sera dell'8 settembre 1771, una carrozza attraversò il ponte che collegava la terra con l'isola del castello di Hirschholm; era il conte Rantzau che voleva conferire immediatamente con Struensee. Rantzau era furibondo; disse di voler "arrivare a un accordo".

"Tu sei completamente pazzo," aveva detto. "Copenaghen è piena di pubblicazioni che parlano apertamente della tua relazione con la regina. Non c'è più alcun ritegno. Il tuo divieto di distillare li ha resi furiosi. Certi reparti dell'esercito sono ancora affidabili, ma sono proprio quelli che hai congedato. Perché state qui, e non a Copenaghen? Devo assolutamente saperlo."

"Tu da che parte stai?" aveva domandato Struensee.

"È quello che chiedo a te. Tu sai che sono coperto di debiti. Ed è la ragione per cui – sì, la ragione per cui – ti

Struensee in veste di Don Giovanni e seduttore della regina Caroline Mathilde in un libello del 1772.

metti a fare una legge che dice che 'il diritto giuridico dovrà essere esercitato in tutte le controversie in materia di debiti, senza riguardo al rango o alla reputazione personale del debitore'; cosa che suona bene, ma che nessuno mi toglie dalla testa che è stata fatta unicamente per rovinarmi. La tua intenzione finale! La tua vera intenzione! Da che parte stai, tu? Vorrei saperlo, adesso, prima che... prima che..."

"Prima che tutto vada a rotoli?"

"Rispondimi, prima."

"Non è per te che ho fatto la legge. E nemmeno per te la cambio. La risposta è no."

"No?"

"No."

Era seguito un lungo silenzio. Poi Rantzau aveva detto:

"Struensee, hai fatto molta strada da Altona. Incredibilmente molta. Dove pensi di andare, adesso?".

"Dove pensi di andare tu?"

Rantzau si era alzato, e aveva detto soltanto:

"A Copenaghen".

E se n'era andato, lasciandolo solo. Struensee aveva raggiunto la propria stanza, si era disteso sul letto e si era messo a fissare il soffitto cercando di non pensare a niente.

E invece non faceva che pensare e ripensare sempre la stessa cosa: io non voglio morire. Che devo fare?

"Proteggerci i fianchi," aveva detto lei.

Ma erano tanti, i fianchi da proteggere! E poi quella stanchezza.

Non aveva abbandonato la spedizione reale ad Altona. Aveva scelto di visitare la realtà. Dove avrebbe trovato la forza?

Capitolo 12

Il suonatore di flauto

1.

Del gruppo di giovani illuministi che un tempo si trovavano ad Altona, uno solo era rimasto vicino a Struensee. Enevold Brandt.

Era il suo ultimo amico. Il suonatore di flauto.

"Il piccolo ebreo ripugnante" – come l'aveva chiamato Rantzau – Elie Salomon François Reverdil, era stato richiamato dall'esilio in Svizzera. In quegli anni di lontananza aveva mantenuto una fitta corrispondenza con gli amici in Danimarca. Il suo dolore, la sua disperazione per quello che era successo erano grandi. Non capiva perché il suo adorato ragazzo avesse agito in quel modo, non capiva; ma quando era arrivata l'offerta di ritornare, non aveva esitato un istante. Il suo compito era presentare un progetto per l'abolizione della servitù della gleba, progetto a suo tempo sospeso.

Avrebbe invece finito per occuparsi di altre mansioni. Niente sarebbe stato come si era immaginato.

Se le sue mansioni cambiarono, fu a causa di uno strano incidente che rese impossibile la presenza di Enevold Brandt accanto a Cristiano. L'accaduto, l'incidente dell'indice, doveva costare a Brandt la vita.

Ma fu sei mesi dopo.

In seguito all'"incidente", Reverdil divenne la guardia del corpo del re. Prima era stato il suo precettore, e amico, ora divenne il suo guardiano. Era una situazione desolante. I lupi avevano dilaniato il suo amato ragazzo, Cristiano era ormai diventato un altro. Niente era come prima. Cristiano aveva dato il benvenuto al suo antico precettore, ma senza calore, parlando e mormorando come sotto una pellicola di ghiaccio. Il pretesto per far ritornare Reverdil, la grande riforma che si sarebbe dovuta realizzare sulla servitù della gleba, si fece sempre più evanescente.

L'influenza politica di Reverdil scomparve. La servitù della gleba, invece, restò.

In quell'episodio, il re era rimasto leggermente ferito.

Il giorno in cui avvenne l'incidente – "l'incidente dell'indice" come fu poi chiamato – Struensee aveva inviato a Copenaghen i decreti sulle Sezioni regionali per l'applicazione delle ventose e sul Finanziamento della Fondazione dei bambini abbandonati, così come le direttive concernenti la nuova libertà di culto per i riformati e i cattolici, la legge che autorizzava i Fratelli Moravi a insediarsi nello Schleswig, e le direttive per l'istituzione di una nuova scuola, l'equivalente danese della "Real-Schulen" tedesca.

Questa volta un solo messaggero portava il lavoro di tutta la settimana. In generale i messaggeri erano invece inviati a giorni alterni.

In modo del tutto naturale, un dettaglio che faceva parte del grande gioco. Il piccolo dettaglio erano le riforme. Il grande gioco si sarebbe rivelato essere l'indice.

Brandt era il suonatore di flauto.

Struensee l'aveva incontrato all'epoca di Altona, più precisamente ad Ascheberg. Era il periodo in cui si saliva alla capanna di Rousseau per leggere ad alta voce e parlare del tempo che sarebbe venuto: quando degli uomini buoni avrebbero preso il comando e il potere, l'idra della reazione sarebbe stata cacciata e l'utopia realizzata. Brandt aveva adottato con grande entusiasmo le nuove idee, che sembravano tuttavia posarsi su di lui come farfalle; brillavano e volavano via e ritornavano ancora, lasciandolo in apparenza indifferente. Le usava come ornamento. Aveva scoperto con gioia che le signore del suo ambiente ne erano deliziate, il che era forse la cosa più importante. Struensee lo considerava un artista, volubile ma degno di essere amato.

L'Illuminismo aveva per Brandt un'attrazione erotica e dava colore all'esistenza, rendeva le notti eccitanti e variate. L'Illuminismo per lui era come le attrici italiane, e come il suo flauto.

Era il flauto, aveva pensato Struensee ai tempi della capanna di Rousseau, a renderlo sopportabile.

C'era qualcosa, in quella sua quieta ossessione per il flauto, che induceva Struensee a tollerarne la superficialità. La musica del flauto indicava che c'era anche dell'altro, in Brandt. Dei tempi di Altona e delle serate nella capanna di Aschebergs Have, Struensee non ricordava tanto il suo rapporto d'amore per "la politica" e "l'arte", quanto la solitudine che il suono del flauto creava intorno a quel giovane illuminista.

Il quale, per qualsiasi ragione, avrebbe potuto abbracciare qualsiasi idea.

Non c'era che lo scintillio.

Forse fu proprio il suono del flauto di Brandt che, a modo suo, lasciò il segno su quella fantastica estate del 1771. E qualcosa dell'atmosfera di Hirschholm si diffuse. Un'atmosfera di spensieratezza, di libertà e di suono di flauto aleggiò come sottofondo sensuale anche a Copenaghen, in quell'estate calda e passionale. I decreti di Struensee aprirono i parchi reali anche ai comuni mortali. I divertimenti aumentarono, anche per l'abolizione del diritto della polizia di controllare i bordelli. Un decreto mise fine all'abitudine della polizia di "ispezionare" dopo le nove di sera bordelli e osterie, per verificare eventuali depravazioni.

Quei controlli erano stati regolarmente usati come mezzo di estorsione sui clienti. Certo non diminuivano il vizio, ma aumentavano gli introiti dei poliziotti. Per non essere arrestati, bisognava pagare sul posto.

Ma la cosa più importante per la gente fu l'apertura dei parchi.

La "profanazione dei parchi reali" – ossia il rapporto sessuale consumato nottetempo nei parchi reali di Copenaghen – era stata fino ad allora punita con la perdita della falange di un dito, se non si era in grado di pagare immediatamente, come regolarmente accadeva. I parchi aperti al pubblico, in particolare quello di Rosenborg, divennero in quelle calde notti estive un fantastico scenario erotico. Sui tappeti erbosi e tra i cespugli, nell'oscurità tentatrice e propizia, si era andato creando un luogo di incontri amorosi pieno di mormorii, risate, gemiti, anche se Rosenborg Have fu presto sorpassato da Frederiksberg Have, che di notte era solo parzialmente illuminato.

Tre sere alla settimana questo parco era aperto in particolare alle coppie mascherate. Era stato proclamato il diritto della gente a mascherarsi, anche nei parchi pubblici, e di notte. In pratica, era l'autorizzazione a far l'amore liberamente, all'aperto, nell'anonimità garantita dalle maschere.

Maschere che nascondevano i volti, intimità denudate e sussurri. Fino ad allora i parchi reali erano riservati alle dame di corte, che li attraversavano con infinita lentezza sotto i loro ombrellini. Ora erano aperti al pubblico, e di notte! Di notte!!! Un'ondata di languida passione si riversò in quei parchi un tempo sacri e sottochiave. Quella sovraffollata Copenaghen, con i suoi bassifondi dove la promiscuità costringeva a consumare ogni piacere carnale in stanze affollate, in cui i desideri si mescolavano ai desideri e alla vergogna degli altri, quella popolazione ammassata di Copenaghen aveva ora accesso ai nuovi luoghi reali, dove poteva dar libero sfogo alle proprie passioni.

Parchi, notte, umori, odori di passioni.

La licenza era nell'aria, scandalosa, straordinariamente eccitante, e tutti sapevano che era causata dal contagio del peccato proveniente dalla fornicazione reale. In fin dei conti, la colpa era di Struensee e della regina. Così rivoltante! E così allettante!!! Ma per quanto tempo??? Sembrava che un alito pesante ed eccitante gravasse sopra Copenaghen. Il tempo! sta per scadere!!!

Bisognava approfittare. Prima che tornassero le punizioni, i divieti e la legittima indignazione. Si sarebbe detta una caccia al tempo. Tra poco la lussuria sarebbe stata cancellata dal fuoco del castigo.

Ma fino ad allora! queste brevi settimane!!! fino ad allora!!!

Era il flauto di Brandt a dare l'intonazione. Erano scomparsi i divieti del vecchio devoto regime pietistico per i balli, per gli spettacoli e i concerti al sabato e alla domenica, nei periodi di quaresima e di avvento. Quando mai qualcosa era stato consentito? Come per magia, i divieti erano svaniti.

E nei parchi, adesso, quelle ombre, quei corpi, quelle maschere, quelle passioni; e, in sottofondo, un misterioso flauto.

2.

Brandt era arrivato a Hirschholm tre giorni dopo gli altri, e aveva scoperto con orrore di essere stato nominato aiutante di campo del re.

Bambinaia, avevano detto. Si ritrovava in un castello, su un'isola, lontano dai balli in maschera e dagli intrighi del teatro; il suo ruolo sarebbe stato assistere ai giochi di Cristiano e ai suoi sproloqui. La situazione era assurda, ed era furibondo. Era pur sempre *maître de plaisir,* no? Ministro della Cultura! Dov'era la cultura, in tutto questo? L'asilo d'infanzia reale? Trovava estenuanti le escursioni nella natura. L'amore della regina e di Struensee gli appariva frustrante e, per lui personalmente, privo di qualsiasi interesse. Era esiliato, lontano dalle attrici italiane. Giudicava ridicoli i giochi di Caroline Mathilde e di Struensee con la bambina, la loro adorazione per la neonata.

Gli mancavano la corte, Copenaghen, il teatro. Non disponeva più di alcun potere. Il suo compito era intrattenere il re, il cui comportamento era grottesco, come d'abitudine. Era il guardiano di un monarca malato di mente.

Le sue ambizioni erano più grandi. Nacque così un conflitto.

In confronto alle conseguenze che ebbe, l'incidente non fu che una comica inezia.

Un giorno, durante la colazione negli appartamenti della regina, il re, che non aveva partecipato alla conversazione e si era limitato come al solito a mormorare tra sé, si era alzato di scatto e con la voce affettata di un attore sulla scena, aveva puntato il dito contro Brandt gridando:

"È giunta l'ora di infliggervi una bella lezione a colpi di bastone. Vi darò una scarica di legnate, perché lo meritate! È a voi che sto parlando, conte Brandt, l'avete capito?".

Si era fatto un gran silenzio; dopo un attimo, Struensee e la regina avevano preso da parte re Cristiano e gli avevano parlato duramente, senza lasciar capire agli altri ciò che dicevano. Il re si era allora sciolto in lacrime. Poi, ancora scosso dai singhiozzi, aveva fatto segno al suo vecchio precettore Reverdil di avvicinarsi; erano usciti in anticamera, dove Reverdil l'aveva calmato e consolato. Forse si era anche permesso di sostenere e incoraggiare Cristiano, tenuto conto che Reverdil aveva sempre disprezzato

Brandt, forse aveva anche lasciato intendere di trovare giustificato lo scatto di Cristiano.

In ogni caso Reverdil non aveva fatto una paternale al re, cosa che in seguito gli fu rimproverata.

Gli altri commensali ritenevano che bisognasse dare al re una lezione, per impedire in futuro simili offensivi comportamenti. Struensee aveva detto al re con severità che Brandt esigeva delle scuse e una riabilitazione, essendo stato dileggiato in pubblico.

Il re si era limitato a digrignare i denti e a pizzicarsi il corpo con le mani, e si era rifiutato.

Più tardi, dopo cena, Brandt era andato negli appartamenti del re. Aveva ordinato a Moranti e alla piccola Phebe, una cameriera della regina, che stavano giocando con lui, di allontanarsi. Aveva quindi chiuso la porta, e aveva chiesto al re quale arma volesse scegliere per il duello che si sarebbe dovuto disputare.

Terrorizzato, angosciato dall'idea della morte, il re si era limitato a scuotere il capo. Brandt aveva lasciato intendere che potevano bastare anche i pugni, e Cristiano, che spesso amava lottare per gioco, aveva creduto di potersela cavare in questo modo scherzoso, ma Brandt, bruscamente assalito da un'inspiegabile rabbia, l'aveva gettato a terra senza alcuna pietà, coprendo di ingiurie il re che singhiozzava. La lotta era continuata sul pavimento e quando Cristiano aveva tentato di proteggersi con le mani, Brandt gli aveva morso il dito indice a sangue.

Brandt aveva quindi lasciato il re piangente e prostrato, era andato da Struensee e gli aveva detto di aver avuto soddisfazione. In tutta fretta erano stati chiamati dei cortigiani per curare il dito del sovrano.

Struensee aveva proibito a tutti di divulgare l'accaduto. Se qualcuno avesse fatto domande, si sarebbe dovuto rispondere che la vita del re non era mai stata in pericolo, che il conte Brandt non aveva affatto tentato di ucciderlo, che d'abitudine il re amava giocare alla lotta, esercizio eccellente per il corpo; che tuttavia bisognava in generale osservare il massimo silenzio sull'accaduto.

Alla regina, però, Struensee aveva detto molto preoccupato:

"A Copenaghen circola voce che noi vogliamo uccidere il re. Sarebbe spiacevole che questa storia venisse risaputa. Io non lo capisco proprio, quel Brandt".

Il giorno dopo, Brandt fu sostituito da Reverdil nella carica di aiutante di campo, ed ebbe più tempo da dedicare al flauto. Reverdil non ebbe invece più tempo per elaborare il progetto per l'abolizione della servitù della gleba. Più tempo per il flauto, a discapito della politica.

Brandt dimenticò presto l'episodio.

In seguito ebbe però motivo per ricordarsene.

3.

L'autunno arrivò tardi quell'anno; i pomeriggi erano calmi e venivano trascorsi passeggiando, bevendo il tè e aspettando.

Un anno prima, in quella tarda estate trascorsa nei giardini di Ascheberg, tutto era stato così magico, e nuovo; adesso si cercava di ritrovare quella sensazione. Come se si cercasse di mettere l'estate e Hirschholm sotto una campana di vetro: fuori, nell'oscurità, nella realtà danese, si supponeva che il numero dei nemici continuasse a crescere. No, lo si sapeva. I nemici erano più numerosi che la precedente fine estate ad Ascheberg, dove c'era ancora dell'innocenza. Era come se ora si fossero trovati su un palcoscenico e il cono di luce si fosse lentamente ristretto su di loro; la piccola famiglia nella luce, e all'intorno un'oscurità in cui non volevano guardare.

I bambini erano la cosa più importante. Il maschio aveva tre anni e Struensee metteva in pratica con lui tutti i principi teorici sull'educazione dei bambini che aveva in precedenza enunciato; una vita sana, abiti semplici e comodi, bagni, vita all'aperto, e giochi nella natura. La piccola l'avrebbe presto seguito. Per il momento era troppo piccola. Era una creatura graziosa e adorabile, e attirava l'ammirazione di tutti. Ma sapevano tutti, anche se nessuno ne parlava, che era anche il centro del bersaglio contro cui si indirizzava l'odio dei danesi per Struensee.

La figlia della colpa. I rapporti arrivavano. Tutti parevano sapere.

Struensee e la regina sedevano spesso nella stretta striscia di giardino sul lato sinistro del castello, dove c'erano i mobili da esterno e gli ombrelloni. Da lì lo sguardo poteva spaziare sul parco che si stendeva sull'altra sponda. Una sera videro da lontano re Cristiano, come al solito in compagnia di Moranti e del cane, che camminava sul bordo dell'acqua e si divertiva ad abbattere statue.

Le statue erano in quella parte del giardino. Erano sempre il bersaglio della sua ira o del suo buonumore.

Avevano cercato di fissarle più solidamente con funi, perché non fosse possibile rovesciarle, ma non aveva funzionato. Non c'era che rimetterle a posto dopo il passaggio del re, senza cercare di riparare i danni o ricostruire i pezzi mancanti.

Struensee e la regina erano rimasti a lungo senza dire parola a osservare la sua battaglia contro le statue.

Era tutto ormai fin troppo familiare.

"Noi ci siamo abituati," aveva detto Caroline Mathilde, "ma non dobbiamo permettere che qualcuno estraneo alla corte lo veda."

"Tutti lo sanno."

"Tutti lo sanno, ma non si deve dire," aveva replicato Caroline Mathilde. "Cristiano è malato. A Copenaghen si dice che la regina madre e Guldberg stanno progettando di rinchiuderlo. Ma per noi due sarebbe la fine."

"La fine?"

"Un giorno questo prescelto da Dio rovescia delle statue. Un altro giorno sarà noi che rovescerà."

"Non lo farà," aveva detto Struensee. "Ma senza Cristiano io non sono niente. Se il popolo danese verrà a sapere che l'eletto da Dio è solo un povero pazzo, lui non potrà più tendere la mano verso di me e indicarmi e dire: TU! Tu sarai il mio braccio, e la mia mano, e TU avrai il potere assoluto di sottoscrivere leggi e decreti. Adesso può trasferire la designazione di Dio. Se non potrà più farlo, allora rimarrà soltanto..."

"La morte?"

"O la fuga."

"Piuttosto la morte che la fuga," aveva detto la regina dopo una pausa di silenzio.

Degli scoppi di risa giungevano dall'altra riva. Adesso Moranti stava rincorrendo il cane.

"Un paese così bello," disse lei. "E della gente così brutta. Ci restano ancora degli amici?"

"Uno o due," disse Struensee. "Uno o due."

"Ma è davvero pazzo?"

"No," rispose Struensee. "Ma non è un uomo fatto tutto di un pezzo."

"Che cosa orrenda," lei disse. "Un uomo fatto tutto di un pezzo. Come un monumento."

Lui non aveva risposto. Allora lei aveva aggiunto:

"E *tu*, lo sei?".

Lei aveva cominciato a rimanere nello studio di Struensee mentre lui lavorava.

All'inizio Struensee aveva creduto che volesse stare vicina a lui. Poi aveva capito che era il lavoro a interessarla.

Doveva spiegarle ciò che scriveva. All'inizio lo faceva con un sorriso. Quando poi comprese che il suo interesse era assolutamente serio, ci mise tutto l'impegno. Un giorno gli aveva presentato una lista di persone che voleva licenziare; lui inizialmente aveva riso. Poi lei gli aveva spiegato. E lui aveva capito. La lista non era dettata dall'odio, o dalla gelosia. Aveva fatto una valutazione della struttura del potere.

La sua analisi l'aveva sorpreso.

Lui credeva che la sua visione molto lucida, molto brutale dei meccanismi del potere fosse nata alla corte inglese. No, gli aveva obiettato lei, là vivevo in un convento. Dove l'aveva imparato, allora? Non era una di quelle che Brandt usava con disprezzo definire "donne intriganti". Struensee capì che lei aveva una visione d'insieme diversa dalla sua.

La sua era il sogno di una società buona, basata sulla giustizia e sulla ragione. L'ossessione di Caroline Mathilde erano gli strumenti. Era l'uso degli strumenti quello che lei chiamava "il grande gioco".

Quando lei parlava del grande gioco, lui provava disagio. Ne sapeva anche la causa. Era il tono dei discorsi di un tempo, tra i brillanti illuministi di Altona, quando si rendeva conto di non essere che un semplice medico, e taceva.

Anche adesso ascoltava, e taceva.

Una sera lei aveva interrotto la sua lettura ad alta voce dei *Pensieri morali* di Holberg, e aveva detto che quelle erano solo astrazioni.

Tutti quei principi erano importanti, ma lui doveva capire gli strumenti. Doveva vedere i meccanismi, perché era un ingenuo. Il suo cuore era troppo puro. I puri di cuore erano condannati a perire. Lui non aveva saputo servirsi della nobiltà. Doveva dividere i nemici. Sottrarre alla città di Copenaghen la sua indipendenza amministrativa era un'idiozia, e creava dei nemici inutili. Lui si era limitato a guardarla in silenzio, pieno di stupore. Le riforme, secondo lei, dovevano essere indirizzate sia contro che a favore. I decreti fluivano dalla sua penna, ma mancavano di un piano.

Doveva scegliere i suoi nemici, gli aveva detto.

Lui aveva riconosciuto l'espressione. L'aveva già sentita. Le aveva chiesto se avesse parlato con Rantzau. Riconosco questa espressione, le aveva detto. Non l'hai inventata tu.

"Sì, invece," lei aveva risposto, "ma forse Rantzau ha visto le stesse cose che vedo io."

Struensee era rimasto perplesso. Keith, l'ambasciatore inglese, aveva detto a Brandt che sapeva benissimo che "Sua Maestà la regina adesso governa in maniera assoluta attraverso il ministro". Brandt l'aveva riferito. Era forse una verità che non aveva voluto vedere? Un giorno aveva promulgato un decreto che stabiliva che la chiesa di Amaliegade dovesse essere svuotata e trasformata in ospedale femminile; non si era quasi accorto che la proposta era stata di Caroline Mathilde. Era una sua proposta e lui le aveva dato forma e l'aveva firmata, credendola propria. E invece era sua.

Aveva dunque perduto sia la visione d'insieme che il controllo? Non lo sapeva con certezza. Aveva cercato di reprimere quel pensiero. Lei gli stava seduta di fronte, alla scrivania, ascoltava, e commentava.

Devo insegnarti il grande gioco, gli diceva di tanto in tanto, perché sapeva che lui detestava quell'espressione. Una volta Struensee, con tono scherzoso, le aveva ricordato il suo motto: *O, keep me innocent, make others great*.

"Questo era allora," aveva detto lei. "Nel prima. Tanto tempo fa."

"Nel prima" era un'espressione che lei diceva spesso, nel suo imperfetto danese. Ed erano tante, le cose che stavano "nel prima".

4.

Com'era diventato immobile, quel castello! Come se l'immobilità del castello, del lago e dei parchi fosse diventata parte dell'immobilità di Struensee.

Restava spesso seduto accanto al letto della bambina mentre lei dormiva, e le guardava il viso. Così innocente, così bello. Quanto sarebbe durato?

"Cos'hai?" gli aveva chiesto una sera Caroline Mathilde, con impazienza. "Sei diventato così silenzioso!"

"Non lo so."

"Non lo sai?!!"

Non era riuscito a spiegarlo. Aveva sognato di poter cambiare tutto, di avere tutto il potere; ma ora la vita si era come fermata. Forse era così, morire. Semplicemente arrendersi, e chiudere gli occhi.

"Cos'hai?" aveva ripetuto lei.

"Non lo so. Certe volte, sogno soltanto di poter dormire. Di addormentarmi. Di morire."

"Sogni di morire?" aveva detto lei, con un'asprezza nella voce che non riconosceva. "Ma io no. Io sono ancora giovane."

"Sì, scusami."

"In realtà," aveva continuato Caroline Mathilde con una sorta di rabbia trattenuta, "io ho appena cominciato a vivere!!!"

Lui non aveva saputo rispondere.

"Non riesco a capirti," aveva concluso lei.

Quel giorno si era insinuata tra loro una leggera irritazione, che si era dissolta quando si erano ritirati nella stanza da letto della regina.

Avevano fatto l'amore.

In quella tarda estate, dopo aver fatto l'amore, spesso lui si sentiva assalire da un'incomprensibile inquietudine. Non capiva cosa fosse. Lasciava il letto, apriva le tende, e guardava fuori, al di là dell'acqua. Sentiva un flauto, e sapeva che era Brandt. Perché voleva sempre guardare fuori, e lontano, quando avevano fatto l'amore? Non lo sapeva. Il naso contro i vetri: era un uccello che voleva uscire? Non avrebbe mai potuto. Doveva continuare fino alla fine.

Uno o due amici erano rimasti. Uno o due. Fuga o morte. Anche il signor Voltaire era stato un ingenuo.

"A cosa pensi?" gli domandò.

Lui non rispose.

"Lo so," disse lei. "Sei orgoglioso di te stesso. Sai di essere un amante fantastico. Ecco cosa pensi."

"Certo lo sono," disse lui in tono distaccato, "lo sono sempre stato."

Troppo tardi si era reso conto di ciò che aveva detto, e se ne era pentito. Ma lei aveva sentito, ne aveva colto il significato, e subito non aveva risposto. Poi aveva detto:

"Tu sei l'unico che ho avuto. Non posso quindi fare confronti. Ecco la differenza".

"Lo so."

"A parte il matto. L'avevo dimenticato. In un certo senso lo amo, sai?"

Gli guardava la schiena per vedere se era rimasto ferito, ma non riuscì a cogliere nulla. Sperava di averlo ferito. Le sarebbe proprio piaciuto, averlo ferito.

Nessuna risposta.

"Lui non è perfetto come te. Non è così fantastico. Ma non è stato il cattivo amante che puoi immaginare. Sei ferito, adesso? Lui era come un bambino, quella volta. Era quasi... eccitante. Ti ho ferito?"

"Posso andarmene, se vuoi."

"No."

"Sì, voglio andarmene."

"Quando io vorrò che tu vada," disse lei con lo stesso tono basso e cortese, "allora te ne andrai. Non prima. Non un secondo prima."

"Che cosa vuoi? Lo sento dalla tua voce che c'è qualcosa."

"Voglio che ti avvicini."

Lui rimase dov'era. Sapeva che non voleva muoversi, ma che l'avrebbe comunque fatto.

"Voglio sapere a cosa pensi," riprese lei dopo un lungo silenzio.

"Penso che prima credevo di avere il controllo. Adesso non lo credo più. Che ne è stato?"

Lei non rispose.

"Il signor Voltaire, con il quale ho avuto anch'io uno scambio epistolare," disse lui, "Voltaire credeva che io potessi essere la scintilla. Che avrebbe acceso un incendio. Che ne è stato?"

"Tu l'hai acceso in me," disse lei. "In me. E adesso bruceremo insieme. Vieni."

"Lo sai," rispose allora, "lo sai che sei forte? E a volte mi fai paura."

5.

Quando tutto andava bene, Cristiano poteva giocare indisturbato.

Cristiano e il paggio nero Moranti e la piccola Phebe e il cane. Giocavano nella stanza del re. Il letto era molto ampio, c'era posto per tutti e quattro. Cristiano aveva avvolto Moranti in un lenzuolo, che lo nascondeva completamente, e giocavano alla corte.

Moranti era il re. Doveva stare seduto contro la testata del letto, con il volto completamente nascosto, come chiuso in un bozzolo, mentre ai piedi del letto erano seduti Cristiano, Phebe e il cane. Rappresentavano la corte, dovevano essere interpellati e ricevere gli ordini.

Moranti distribuiva gli ordini e le disposizioni. La corte si inchinava.

Era molto divertente. Si erano tolti le parrucche e i vestiti, avevano addosso solo la biancheria intima ornata di pizzi.

Da quella figura avvolta nel lenzuolo giungevano parole e ordini soffocati. A cui la corte si inchinava con movenze ridicole. Era talmente divertente.

Giocavano così, quando tutto andava bene.

Il 17 settembre, mentre Cristiano e i suoi compagni giocavano al re e alla sua ridicola corte, arrivò a Hirschholm un corriere da Copenaghen che portava un plico proveniente da Parigi.

Il messaggio conteneva un poema indirizzato a re Cristiano VII dal signor Voltaire. Più tardi sarebbe stato pubblicato come epistola 109, sarebbe diventato famoso e sarebbe stato tradotto in molte lingue. Per il momento il poema era scritto a mano, era composto da centotrentasette versi e aveva per titolo "Della libertà di stampa".

Era indirizzato a Cristiano, ed era un inno in suo onore. Voltaire era stato infatti informato che il re danese aveva introdotto la libertà d'espressione nel suo paese. Non poteva certo sapere che Cristiano era scivolato in un altro tipo di sogno, che non trattava di libertà ma di fuga, che il ragazzo che giocava con le sue bambole viventi era appena consapevole della riforma attuata da Struensee, e neppure che la nuova libertà di espressione aveva avuto in definitiva come unico risultato la diffusione di libelli, ispirati e sobillati dalla reazione, che ormai si era data a un'opera sistematica di diffamazione di Struensee. In quel nuovo clima di libertà, quegli scritti polemici attaccavano la dissolutezza di Struensee, e fomentavano le voci sulle sue notti di lussuria con la regina.

Non era a questo che doveva servire la libertà, ma Struensee si era rifiutato di ritirare il decreto, e quel fiume di fango si era diretto contro di lui. E Voltaire, all'oscuro di tutto ciò, aveva scritto un poema, su Cristiano. Che trattava dei principi che Voltaire esaltava, dei principi giusti, che facevano rifulgere il monarca danese.

Era stata una sera così bella, a Hirschholm.

Si era provveduto a che Cristiano interrompesse i suoi giochi e venisse vestito; si erano poi radunati per una serata di lettura. Prima Struensee aveva letto il poema, davanti a tutti. E tutti avevano applaudito, guardando con simpatia e affetto Cristiano, che appariva impacciato ma felice. Poi Cristiano era stato esortato a leggerlo di persona. All'inizio non aveva voluto. Poi si era arreso, e aveva letto i versi di Voltaire, lentamente, nel suo francese elegante e ricercato, con la sua particolare enfasi.

Monarque vertueux, quoique né despotique,
crois-tu régner sur moi de ton golfe Baltique?
Suis-je un de tes sujets pour me traiter comme eux,
*pour consoler ma vie, et me rendre heureux?**

Era scritto molto bene. Voltaire esprimeva la sua gioia nel sapere che al nord si poteva scrivere liberamente, e si faceva portavoce dell'umanità nel ringraziarlo.

Des déserts du Jura ma tranquille vieillesse
ose se faire entendre de ta sage jeunesse;
et libre avec respects, hardi sans être vain,
je me jette à tes pieds, au nom du genre humain.
*Il parle par ma voix.***

* Monarca virtuoso, benché despota nato, / vuoi tu guidarmi dal tuo Baltico golfo? / Son io tuo suddito, che così mi hai trattato, / e consolazione e gioia alla mia vita dato?

** Dai deserti del Giura la mia tranquilla vecchiaia / osa parlare alla tua saggia giovinezza; / e libero ma con rispetto, ardito ma non vano, / ai tuoi piedi mi getto, in nome del genere umano. / Sua è la mia voce.

Il lungo poema insisteva sull'assurdità della censura, sull'importanza della letteratura che poteva incutere paura ai detentori del potere, su quanto la censura fosse impotente, essendo incapace di formulare un pensiero. E quanto fosse impossibile uccidere un pensiero vittorioso. *Est-il bon, tous les rois ne peuvent l'écraser!**** Se da qualche parte il pensiero è represso, altrove risorgerà comunque vittorioso. Se è disprezzato in un paese, sarà ammirato in un altro.

Qui, du fond de son puits tirant la Vérité,
a su donner une âme au public hébété?
*Les livres ont tout fait.*****

La voce di Cristiano tremava, quando era giunto alla fine. Avevano applaudito di nuovo, molto a lungo.

Cristiano era tornato a sedere tra loro, raggiante di felicità e l'avevano guardato con simpatia, quasi con affetto, e lui era felice.

Dalla terrazza del castello, quasi ogni sera di quell'estate, saliva la musica di un flauto.

Era Brandt, il suonatore di flauto.

Era la musica della libertà e della felicità di quell'estate. Il flauto al castello di Hirschholm, il favoloso castello che visse quell'unica estate. Qualcosa sarebbe forse accaduto, ma non ancora. Tutto era in attesa. Il suonatore di flauto, l'ultimo amico, suonava per tutti loro, senza vederli.

Il re si divertiva. La regina stava china sulla neonata, in un gesto d'amore. Struensee, immobile e prigioniero, un uccello con la punta delle ali contro i vetri della finestra, un uccello che si era quasi arreso.

*** Se è giusto, nemmeno tutti i re lo possono schiacciare!

**** Chi, dal fondo del suo pozzo pescando Verità, / alle genti abbrutite dare un'anima ha saputo? / Tutto i libri hanno compiuto.

Capitolo 13

La rivolta dei marinai

1.

No, non c'era niente di comico nel poema di Voltaire. Era uno dei migliori omaggi alla libertà di parola che fossero mai stati scritti.

Ma dedicato proprio a Cristiano? Si cercava dappertutto la scintilla che avrebbe scatenato l'incendio. Già nel 1767, Voltaire gli aveva scritto "è ormai verso il nord che bisogna andare per trovare delle idee che possano servire da modello; e se soltanto la mia fragilità e la mia debolezza non lo impedissero, seguirei il desiderio del mio cuore: venire da Voi, Maestà, e gettarmi ai Vostri piedi".

Voltaire ai piedi di Cristiano! Ma proprio questa era la situazione. Questo il contesto. I giovani monarchi del nord erano sconcertanti ma allettanti possibilità. Anche il principe ereditario di Svezia, il futuro re Gustavo III, manteneva contatti con gli enciclopedisti. Gustavo ammirava Diderot, e leggeva tutto di Voltaire; i piccoli reami del nord erano strani piccoli focolai di Illuminismo. O meglio: avrebbero potuto diventarlo.

Che speranze potevano avere i filosofi illuministi, nei loro esili in Svizzera o a San Pietroburgo? Con i loro libri messi al rogo, e le loro opere costantemente censurate. La libertà d'espressione e la libertà di stampa erano la chiave.

E così c'erano quei giovani monarchi incredibilmente curiosi, in quei loro piccoli arretrati paesi del nord. La libertà d'espressione era stata improvvisamente introdotta in Danimarca. Perché il povero Voltaire, perennemente in pericolo e perseguitato, non avrebbe dovuto scrivere un poema inneggiante, disperato e pieno di speranza?

Certo non poteva sapere qual era la realtà.

2.

Nell'autunno del 1771 cominciò la reazione. Venne a ondate.

La prima ondata fu la rivolta dei marinai norvegesi.

Ebbe inizio quando il magro e ingobbito precettore svizzero, Reverdil, diede a Struensee un consiglio riguardo la soluzione della questione algerina. Reverdil era nonostante tutto una persona sensata, pensava Struensee. Ma come utilizzare le persone sensate in quel manicomio? Come guardiani dei matti?

Era stato un errore affidare a Reverdil la sorveglianza di Cristiano. Ma ormai il re detestava Brandt. Qualcuno doveva sorvegliarlo. Che si poteva fare?

Così era stato scelto Reverdil.

Reverdil aveva una profonda conoscenza di quel manicomio che ogni tanto poteva tornare utile, anche quella tarda estate del 1771 a Hirschholm. Ricevette l'incarico di esporre "in modo chiaro e preciso" i problemi legati all'avventura algerina, e di fornire possibili soluzioni. Ma i problemi legati all'avventura algerina in quei mesi stavano crescendo come una valanga, non c'era nulla di chiaro, nessun'altra logica che quella del manicomio.

In realtà Struensee quella catastrofe l'aveva ereditata. Molto prima del suo arrivo, una flotta danese bene armata era stata inviata ad Algeri. Era stata dichiarata la guerra. Gli anni passavano. Alla fine il disastro era diventato evidente a tutti. Quando il medico personale del re era giunto a corte, la catastrofe era già in corso, l'aveva solo ereditata. La luce limpida della ragione era stata oscurata dalle tenebre della follia. E Struensee si era sentito impotente.

In quel manicomio, si era ritenuto logico che la Danimarca dichiarasse guerra all'Algeria, e inviasse una flotta nel Mediterraneo. Quella logica era stata già da tempo dimenticata. Si trattava di un grande gioco di potere, con la Turchia e la Russia. Logico era anche che quella folle impresa fallisse.

Reverdil aveva soprattutto apprezzato il fatto di essersi sbarazzato per qualche giorno della compagnia di Cristiano. Le sue conclusioni sulla faccenda, che già conosceva da tempo, furono fosche. Che fare?!! A parte le navi affondate, le perdite di vite umane, i costi spropositati che minacciavano di accrescere il debito dello stato e di minare tutte le riforme, a parte questo, che non era poco, c'era in più l'amarezza che quella follia ereditata potesse rovinare tutto il resto.

Le lucide analisi di Reverdil erano intollerabili.

La situazione a quel punto era che nel Mediterraneo era rimasta una piccola squadriglia danese, al comando dell'ammiraglio Hooglandt. I resti della fiera armata che aveva preso il mare. Quella flotta aveva ricevuto l'ordine di dare la caccia ai corsari algerini, in attesa di rinforzi. Questi rinforzi, che avrebbero dovuto salvare l'onore della Marina danese, sarebbero partiti da Copenaghen, ma dovevano ancora essere costruiti. La costruzione era prevista nei cantieri navali di Holmen. La nuova squadra avrebbe compreso grandi navi da battaglia e galeotte armate di potenti cannoni e di lancia-bombe con i quali si sarebbe potuto bombardare Algeri. La squadra, secondo l'ammiragliato, doveva contare almeno nove grandi navi da guerra oltre a fregate, sciabecchi e galeotte.

Per costruire le navi necessarie, erano stati reclutati seicento marinai dalla Norvegia. Già da qualche tempo si trovavano a Copenaghen, in attesa dell'ordine di incominciare. A poco a poco la loro irritazione era cresciuta. I salari tardavano. Le prostitute si facevano pagare bene e, senza salario, niente prostitute. La distribuzione gratuita di acquavite non li aveva placati, aveva anzi causato parecchi danni alle taverne della città.

I marinai norvegesi, inoltre, erano molto fedeli al re; per tradizione chiamavano il monarca danese "Piccolo Padre", e in Norvegia avevano imparato a usare questa espressione in senso quasi mitico, quando si voleva minacciare qualche autorità locale di far intervenire il potere centrale.

I marinai norvegesi si erano indignati per le voci secondo le quali il Piccolo Padre Cristiano era tenuto prigioniero dal tedesco Struensee. Le nuove pubblicazioni che circolavano libere e fiorivano copiosamente avevano compiuto la loro missione. Il sacro talamo del Piccolo Padre era stato profanato. Era uno sfacelo totale. Niente lavoro. Le puttane riluttanti. Per coronare il tutto, era apparsa anche la fame. Niente puttane, niente salario, niente lavoro, il Piccolo Padre minacciato; il furore era ingigantito.

Reverdil era stato categorico. Aveva consigliato di porre fine all'avventura algerina. E Struensee l'aveva ascoltato. Nessuna nave sarebbe stata costruita. Ma i marinai erano ancora lì, e rifiutavano di essere rispediti in Norvegia.

Era con loro che Guldberg manteneva il contatto. In ottobre decisero di marciare su Hirschholm.

Non c'era il minimo dubbio: i rapporti erano foschi, la fine pareva ormai prossima.

I rapporti sulla marcia dei marinai rivoltosi arrivarono subito a Hirschholm. Struensee li ascoltò in silenzio, poi andò dalla regina.

"Tra quattro ore saranno qui," le disse. "Ci uccideranno. Non abbiamo che quindici soldati da opporre, delle belle uniformi e nient'altro. Senza contare che sicuramente saranno già fuggiti. Nessuno potrà impedire ai marinai di ucciderci."

"Che cosa facciamo?" chiese Caroline Mathilde.

"Possiamo fuggire in Svezia."

"È da vigliacchi," disse lei. "Io non ho paura di morire, e non morirò."

Gli aveva lanciato uno sguardo che aveva accresciuto la tensione tra loro.

"Neanch'io ho paura di morire," replicò Struensee.

"Di che cosa hai paura, allora?" domandò lei.

Lui sapeva la risposta, ma tacque.

Aveva notato che i termini "paura" o "timore" comparivano continuamente nei loro discorsi. Qualcosa, in questa "paura", lo riportava all'infanzia, a un tempo lontano, "nel prima", come usava dire lei nel suo bizzarro danese.

Perché la parola "paura" compariva tanto spesso proprio ora? Era il ricordo di quella fiaba che aveva letto da piccolo, quella del ragazzo che si era messo in viaggio per il mondo per imparare a conoscere la paura?

Era una fiaba, se lo ricordava. Raccontava di una persona saggia, intelligente, umana, paralizzata dalla paura. Ma quel ragazzo intelligente aveva un fratello. Che tipo era, il fratello? Il fratello era sciocco, e forte. Ma non riusciva a provare paura. Non aveva la capacità di provare paura. Era lui, l'eroe della fiaba. Era partito per andare a conoscere la paura, ma nulla riusciva a spaventarlo.

Era invulnerabile.

Che cos'era la "paura"? Era la capacità di vedere ciò che era possibile, e ciò che era impossibile? Erano le antenne, i segnali d'allarme nel suo animo, o era il terrore paralizzante che, intuiva, avrebbe potuto distruggere tutto?

Aveva detto di non aver paura di morire: e subito si accorse che ciò la rendeva furiosa. Non gli credeva, e nella sua diffidenza c'era una punta di disprezzo.

"In realtà, tu lo desideri," lei disse a Struensee. "Io invece non voglio morire. Io sono troppo giovane per morire. E non lo voglio. E non mi sono arresa."

Lui lo trovava ingiusto. Sapeva che lei aveva toccato un punto dolente.

"Dobbiamo decidere in fretta," le aveva detto, per evitare di rispondere.

Solo le persone tutte d'un pezzo non erano capaci di provare paura. Il fratello sciocco, incapace di provare paura, aveva conquistato il mondo.

I puri di cuore erano condannati alla rovina.

Lei prese una rapida decisione per entrambi.

"Restiamo qui," disse seccamente. "Io resto qui. I bambini restano qui. Tu fai come vuoi. Fuggi pure in Svezia se vuoi. In realtà è da tempo che hai voglia di fuggire."

"Non è vero."

"Allora resta."

"Ci uccideranno."

"Certo che no."

Lei aveva poi lasciato la stanza per organizzare l'accoglienza ai marinai rivoltosi.

3.

In seguito Struensee avrebbe ricordato questo momento come il più umiliante che avesse mai vissuto. Nulla di quanto accadde dopo sarebbe stato tanto orribile.

Eppure era andato tutto così bene!

La regina Caroline Mathilde aveva attraversato il ponte con il suo seguito e, al limite della terraferma, aveva incontrato i marinai rivoltosi. Aveva parlato loro. Li aveva affascinanti e conquistati. Dopo averli calorosamente ringraziati per il loro omaggio, si era girata verso re Cristiano che era rimasto silenzioso, tre passi dietro a lei, tremante d'angoscia pur senza manifestare i suoi soliti tic o gesti maniacali; a nome del re si era scusata per il mal di gola e la forte febbre che gli impediva di parlare di persona.

Non aveva mai nominato Struensee, era solo stata molto affascinante.

Li aveva assicurati del favore e della benevolenza del re, e aveva energicamente smentito le voci secondo cui le navi non sarebbero state costruite. Tre giorni prima il re aveva deciso che due nuove grandi navi da guerra sarebbero state costruite nei cantieri di Holmen per rafforzare la flotta contro i nemici del paese. Tutto il resto era solo menzogna. Aveva deplorato il ritardo nel pagamento dei salari, compatito la loro fame e sete dopo un così lungo cammino, aveva spiegato che nelle dispense era stato approntato un pranzo a base di cinghiali arrosto e di birra, aveva augurato loro buon appetito, e li aveva assicurati che era suo massimo desiderio visitare la bella Norvegia, di cui aveva sentito tanto decantare lo splendore delle valli e delle montagne in passato.

O "nel prima", come si era espressa lei.

I marinai avevano lanciato un potente "hurrà" per i sovrani, ed erano passati al pranzo.

"Tu sei completamente pazza," disse Struensee, "due nuove navi da guerra! Non ci sono soldi, forse appena per i loro salari. Questa non è che aria, è una cosa impossibile. Tu sei pazza."

"Io non sono pazza," rispose. "Anzi, sono sempre più lucida."

Lui era rimasto seduto, il volto nascosto tra le mani.

"Mai mi sono sentito così umiliato," disse. "Sei proprio obbligata a umiliarmi?"

"Io non ti umilio," rispose lei.

"Invece sì."

Si udivano dalla sponda opposta le urla selvagge dei marinai norvegesi sempre più ubriachi, ormai non più rivoltosi, ma fedeli al loro re. Struensee non l'avevano visto. Forse non esisteva. La notte prometteva di essere lunga. Di birra ce n'era a sufficienza, domani sarebbero ripartiti, la sommossa era domata.

Lei si era andata a sedere accanto a lui, e gli aveva accarezzato piano i capelli.

"Io ti amo," aveva sussurrato. "Ti amo così tanto. Ma non ho intenzione di arrendermi. Né di morire. Né di lasciar perdere noi due. È solo questo. Solo solo questo. Solo questo. Non ho intenzione di lasciar perdere noi due."

4.

Guldberg aveva informato degli sviluppi della rivolta la regina madre, che l'aveva ascoltato con un volto di pietra, e il principe ereditario, che sbavava come al solito.

"Voi avete fallito," aveva commentato la regina madre a Guldberg. "E forse abbiamo fatto un errore di valutazione. La piccola sgualdrina inglese è più coriacea di quanto non pensassimo."

Non c'era molto da aggiungere. Guldberg si era limitato a dire evasivamente che Dio era dalla loro parte e che certamente li avrebbe aiutati.

Erano rimasti a lungo in silenzio. Guldberg aveva osservato la regina madre, e ancora una volta era rimasto colpito dallo straordinario amore che nutriva per il figlio, che teneva sempre per mano come se non volesse lasciarlo libero. Era incomprensibile, ma lei lo amava. Ed era davvero convinta, con una fredda disperazione che lo spaventava, che quel figlio demente sarebbe diventato il prescelto da Dio, che gli sarebbe stato conferito l'intero potere su quella nazione, che fosse possibile non tener conto del suo misero aspetto, della sua testa deforme, dei suoi tremori, delle sue ridicole litanie imparate a memoria, delle sue piroette; come se lei non considerasse minimamente questi elementi esteriori, limitandosi a vedere una luce interiore che mai aveva avuto modo di manifestarsi.

Lei vedeva la luce di Dio brillare in quel guscio insignificante, lo vedeva eletto dal Signore, e pensava che il loro solo compito era preparargli il cammino. Perché la luce potesse apparire. E, come se lei avesse sentito e compreso i pensieri di Guldberg, passò la mano sulla guancia del principe, la sentì appiccicosa, estrasse un fazzolettino di pizzo, gli asciugò la bava, e disse:

"Sì. Dio ci assisterà. E io vedo la luce di Dio anche nel suo povero aspetto".

Guldberg tirò un respiro profondo. La luce di Dio in quel misero aspetto. La regina madre aveva parlato di suo figlio. Ma lui sapeva che riguardava anche se stesso. Gli ultimi, i più umili, portavano in loro la luce di Dio. Aveva tirato un respiro profondo che era parso un singhiozzo; ma non poteva esserlo, ovviamente.

Si ricompose. Cominciò poi a spiegare i due piani che aveva concepito, che avrebbero dovuto essere messi in atto uno dopo l'altro, se la rivolta dei marinai fosse fallita, come malauguratamente si era già avverato; perché i più modesti e i più insignificanti, che possedevano malgrado tutto la luce interiore di Dio, potessero continuare la loro lotta per la purezza.

5.

La sera stessa Rantzau fu inviato a Hirschholm per mettere in atto il piano, quello che doveva seguire alla rivolta dei marinai norvegesi.

Era estremamente semplice; Guldberg era convinto che i piani semplici talvolta potevano riuscire, quelli che coinvolgevano pochissime persone, senza grandi raccolte di truppe, senza masse, solo pochi prescelti.

Il piano semplice coinvolgeva i due amici di Struensee. Rantzau e Brandt.

Si erano incontrati di nascosto in una locanda a due chilometri da Hirschholm. Rantzau aveva spiegato che la situazione era critica, che era necessario agire. Il divieto di distillare l'alcol in casa poteva anche essere una saggia misura, ma era stupido. La gente adesso dimostrava per le strade. La caduta di Struensee era solo una questione di tempo. Regnava il caos, ovunque circolavano scritti diffamatori, libelli satirici, canzonature contro Struensee e la regina. C'era fermento ovunque.

"Lui crede di essere l'uomo del popolo," aveva detto Brandt con amarezza, "e loro lo odiano. Con tutto quello che ha fatto per loro, loro lo odiano. Il popolo divora il suo benefattore. Eppure se lo merita. Ha voluto fare tutto in una volta."

"L'impazienza dei buoni," aveva replicato Rantzau, "è peggio della pazienza dei malvagi. Tutto, tutto! gli ho insegnato. Ma non questo."

Rantzau aveva spiegato il piano. Brandt doveva annunciare al re che Struensee e la regina progettavano di ucciderlo. Doveva quindi essere messo in salvo. Il re era la

chiave. Una volta portato a Copenaghen, fuori dal controllo di Struensee, il resto sarebbe stato semplice.
"E poi?"
"Poi Struensee dovrà morire."

Il giorno successivo il piano fallì; ciò che accadde fu così assurdamente comico che nessuno avrebbe potuto prevedere un simile sviluppo.
Ecco ciò che accadde.
Verso le cinque del pomeriggio, il re era stato colpito da un inspiegabile attacco di collera, era corso oltre il ponte che collegava il castello alla terraferma gridando di volersi annegare. Quando Struensee si era precipitato a raggiungerlo, Cristiano era caduto improvvisamente in ginocchio, aveva afferrato Struensee per le gambe e piangendo aveva chiesto se era vero che doveva morire. Struensee aveva cercato di calmarlo, accarezzandogli la testa e la fronte, ma Cristiano era diventato ancora più inquieto, e di nuovo aveva chiesto se era vero.
"Che volete dire, Vostra Maestà?"
"È vero che voi volete uccidermi?" aveva chiesto il re con un gemito. "Non siete uno dei Sette? Rispondetemi, non siete uno dei Sette?"
Così era cominciata la faccenda. I due fuori, sul ponte. E il re l'aveva chiamato per nome, ripetutamente.
"Struensee?" aveva sussurrato, "Struensee Struensee Struensee?"
"Che avete, amico mio?" aveva chiesto Struensee.
"È vero, ciò che Brandt mi ha confidato?"
"Che cosa Vi ha confidato?"
"Mi vuole portare in segreto a Copenaghen. Appena sceso il buio. Stasera!!! Per impedire che voi mi uccidiate. Poi vogliono uccidere voi. È vero che mi volete uccidere?"
Ecco come erano andate le cose, come era fallito il piccolo semplice piano. Non avevano capito che Struensee faceva parte dei Sette. Nemmeno avevano capito altre cose. Di qui il loro fallimento, la rivelazione della loro stupidità. La volontà del re aveva vanificato il loro complotto.
Solo Struensee aveva capito, solo dopo aver fatto una domanda.
"Perché me lo raccontate, se credete che io voglia ucciderVi?"
A cui Cristiano aveva soltanto risposto:

"Brandt era il nemico di Caterine-Polacchina. Lui l'ha infangata. Lei, che è la Sovrana dell'Universo. Per questo lo odio".

Così erano andate le cose quando fallì anche il secondo piano.

Struensee aveva convocato Brandt, e questi aveva subito ammesso.

Senza che gli fosse ordinato, Brandt era caduto in ginocchio.

Questa era stata la scena nel salone di sinistra accanto allo studio di Struensee nel castello di Hirschholm. Era una giornata di fine novembre: Brandt stava in ginocchio, il capo chino, e Struensee in piedi gli voltava la schiena, come se non avesse la forza di vedere il suo amico in quello stato.

"Dovrei farti uccidere," disse.

"Sì."

"La rivoluzione divora i suoi figli. Ma se divora anche te, non mi resterà nessun amico."

"No."

"Io non ti voglio uccidere."

Era seguito un lungo silenzio; Brandt era sempre in ginocchio, in attesa.

"La regina," continuò Struensee, "vuole tornare a Copenaghen il più presto possibile. Nessuno di noi ha ormai molta speranza, ma lei vuole tornare. È ciò che desidera la regina. E io non ho altri desideri. Verrai con noi?"

Brandt non rispose.

"Che silenzio attorno a noi," riprese Struensee. "Ci puoi lasciare, se vuoi. Puoi andare... da Guldberg. E da Rantzau. Io non ti biasimerò."

Ancora Brandt non rispose, ma cominciò a singhiozzare forte.

"Siamo a un bivio," disse ancora Struensee. "A un bivio, come si usa dire. Cosa farai?"

Seguì un prolungato silenzio, poi Brandt si alzò lentamente in piedi.

"Verrò con te," disse.

"Grazie. Porta il tuo flauto. Suonerai per noi nella carrozza."

La sera dopo, prima di salire in carrozza, si erano radunati per parlare un momento, prendendo il tè, nel salone interno.

Il fuoco era acceso nel camino, e non c'era altra luce. Erano pronti a partire. C'erano re Cristiano VII, la regina Caroline Mathilde, Enevold Brandt e Struensee.

Solo la luce dal camino.

"Se potessimo vivere un'altra vita," aveva domandato Struensee, "se ci fosse offerta una nuova vita, una nuova possibilità, cosa vorremmo essere?"

"Pittore su vetro," aveva detto la regina. "In una cattedrale inglese."

"Attore," aveva risposto Brandt.

"Un uomo che semina in un campo," aveva detto il re.

Era seguito il silenzio.

"E tu?" aveva chiesto la regina a Struensee, "tu cosa vorresti essere?"

Aveva guardato lungamente i suoi amici, quell'ultima sera a Hirschholm, si era alzato, e aveva detto:

"Medico".

E poi:

"La carrozza è arrivata".

Si misero in viaggio per Copenaghen quella notte stessa.

Sedevano tutti e quattro nella stessa carrozza: il re, la regina, Brandt e Struensee.

Gli altri li avrebbero seguiti più tardi.

La carrozza come una sagoma nera nella notte.

Brandt suonava il suo flauto, dolcemente, piano, come una messa o un lamento funebre o, per uno di loro, un inno alla Sovrana dell'Universo.

Parte quinta

BALLO IN MASCHERA

Capitolo 14

L'ultima cena

1.

Ora Guldberg vedeva sempre più chiaramente. Poteva interpretare i gorghi della corrente.

L'esperienza dell'analisi del *Paradiso perduto* di Milton gli era servita. Si era abituato a interpretare le immagini, e allo stesso tempo a restarne criticamente a distanza. L'immagine di una fiaccola che emana una nera oscurità, l'immagine che Struensee aveva dato della malattia di Cristiano, poteva in primo luogo essere respinta perché mancava di logica, in secondo luogo essere accettata come immagine dell'Illuminismo.

Guldberg scrive che questa visione della metafora rivela la differenza tra il poeta e il politico. Il poeta crea l'immagine erronea, senza porsi la minima domanda. Il politico invece la mette a fuoco, e crea un ambito di utilizzazione del tutto sorprendente per il poeta.

Così il politico diventa l'assistente del poeta, e il suo benefattore.

La luce nera della fiaccola poteva quindi essere interpretata come l'immagine dei Nemici della Purezza, quelli che parlavano di Illuminismo, quelli che parlavano di luce, ma creavano tenebre.

Dalla mancanza di logica si crea così una critica della mancanza di logica. La sporcizia della vita da un sogno di luce. Ecco come interpretava l'immagine.

Poteva fornire un esempio tratto dalla propria esperienza.

Si era reso conto di poter essere anche lui colpito dal contagio del peccato. Dal contagio della lussuria. La sua conclusione: la fiaccola nera era probabilmente la piccola sgualdrina inglese.

All'Accademia di Sorø, Guldberg aveva insegnato la storia dei paesi nordici. L'aveva insegnata con grande piacere. Considerava l'influenza straniera a corte come una malattia, disprezzava la lingua francese, che per altro padroneggiava alla perfezione, e sognava di poter diventare un giorno l'oggetto di una biografia. Si sarebbe intitolata "Il tempo di Guldberg", e sarebbe incominciata con la tipica formula delle saghe islandesi: "C'era un uomo chiamato Guldberg". Ecco quale sarebbe stata la prima frase.

Le prime parole dovevano dare il tono. Era la storia di un uomo che aveva conquistato il suo onore. Non un uomo che cresceva impadronendosi dell'onore degli altri, come nelle saghe islandesi, ma difendendo l'onore degli eroi, dei grandi. Considerava l'eletto da Dio come un eroe, uno dei grandi. Anche se il corpo era umile.

Bisognava difendere l'onore del re. Questo era il suo compito. Guldberg aveva insegnato all'Accademia di Sorø fino a quando il contagio pietista l'aveva raggiunto, Quando il fetore dei Fratelli Moravi e dei pietisti si era fatto insopportabile, aveva abbandonato la sua vocazione all'insegnamento, una volta che il saggio su Milton aveva creato i presupposti per la sua carriera politica. Aveva anche lasciato il suo incarico di storico, dopo aver tuttavia pubblicato una serie di scritti. Il più degno di nota era la sua traduzione del *Panegirico a Traiano* di Plinio il Giovane, che aveva completato con un saggio introduttivo alla costituzione romana.

Aveva cominciato dalle origini, e si era fermato a Plinio. Era Plinio che aveva creato la gloria di Traiano, e l'aveva difesa.

C'era un uomo chiamato Plinio.

Guldberg aveva un carattere passionale. Odiava la piccola sgualdrina inglese con un'intensità che poteva essere quella di una passione carnale. Quando aveva appreso della sua depravazione, era stato colto da un furore e da un'eccitazione che mai aveva provato. Il corpo di cui il re, l'eletto da Dio, avrebbe dovuto servirsi, era ora penetrato da uno sporco membro tedesco. La più grande innocenza e purezza si era unita al vizio più grande. Il corpo sacro della regina era ora la fonte del peccato più grave. Questo l'eccitava, e odiava la propria eccitazione. Aveva l'impressione di perdere il controllo. L'odio e la passione si fondevano in lui, come mai gli era successo prima.

Dall'esterno, comunque, nessun cambiamento. Parlava sempre a voce bassa e calma. Rimasero tutti interdetti quando, progettando il colpo di grazia, si era improvvisamente messo a parlare a voce molto alta, quasi stridula.

Come nelle saghe islandesi, doveva difendere l'onore del re. Ma quando la fiaccola aveva cominciato a emanare le sue tenebre nella sua stessa anima? Qual era stato per lui il momento culminante della saga? Forse quella volta che la piccola sgualdrina inglese si era chinata verso di lui, e sussurrando gli aveva posto la svergognata domanda sul piacere e sul tormento. Come se lui fosse stato escluso dal piacere e dal tormento! E da allora non faceva che ricordare la sua pelle, che pareva così bianca, e seducente, e i suoi seni.

Una volta, di notte, aveva pensato così intensamente a lei, al suo tradimento del re, e al proprio odio nei suoi confronti, che si era toccato il membro, ed era stato preso da un piacere talmente violento da non poter arrestare il seme. La vergogna che aveva provato era quasi insopportabile. Era caduto in ginocchio accanto al letto, e a lungo, singhiozzando, aveva invocato Dio onnipotente di avere pietà di lui.

Quella volta aveva capito che non c'era che un'unica via. Il contagio del peccato aveva colpito anche lui. Era venuto il tempo di estirparlo.

La scintilla del contagio non era Struensee. Era la piccola sgualdrina inglese, la regina Caroline Mathilde.

Il piccolo piano era andato a monte. Quello grande, il terzo dunque, non doveva fallire.

2.

La carrozza dei sovrani era arrivata al castello di Frederiksberg verso mezzanotte e, non essendo attesi, non destarono all'inizio nessuna agitazione. Ma non appena la notizia si diffuse, l'agitazione fu enorme.

Quando si fu placata, seguì una grande e inquietante calma.

La regina madre aveva convocato Rantzau e Guldberg.

Per prima cosa aveva voluto sapere con precisione quali prove avessero in mano; non solo voci sulla depravazione della regina, ma prove.

Guldberg aveva allora fornito un rendiconto dei risultati raggiunti.

Due delle dame di camera, che quotidianamente avevano il compito di riordinare la stanza da letto della regina, l'avevano già tenuta sotto sorveglianza prima del soggiorno a Hirschholm. Avevano messo della cera nel buco della serratura, e talora infilato dei pezzetti di carta nelle fessure della porta. Al mattino avevano accertato che la cera era sparita e che i pezzetti di carta erano caduti. Certe sere, molto tardi, avevano sparso di farina la scala che conduceva alla camera da letto della regina, fino alla porta stessa. L'indomani avevano esaminato le impronte che c'erano, e avevano potuto constatare senz'ombra di dubbio che provenivano dalla stanza di Struensee. Avevano esaminato il letto della regina, e avevano rilevato un grande disordine, le lenzuola stropicciate, e l'indizio che più di una persona vi aveva passato la notte. Cristiano non poteva evidentemente essere quella persona. Avevano trovato nel letto delle macchie che la decenza femminile proibiva loro di nominare. Su fazzoletti e asciugamani avevano rinvenuto lo stesso tipo di macchie, come di un liquido seccato. Un mattino avevano trovato la regina nuda nel letto, ancora addormentata, gli indumenti sparsi sul pavimento.

Le prove erano innumerevoli.

Erano poi accadute cose a loro modo stupefacenti. Una di queste dame di corte era stata presa dai rimorsi, o da una falsa compassione, e in lacrime aveva confessato alla regina che lei sapeva, e il perché, e che cosa aveva fatto. La regina si era infuriata, aveva minacciato di licenziarla immediatamente, era scoppiata a piangere, ma – e questo era davvero sorprendente – aveva implicitamente ammesso il proprio comportamento peccaminoso, prima di pregarla di mantenere il silenzio. Poi, sopraffatta dalla forza dei suoi sentimenti, aveva aperto il cuore alle sue dame di camera. Sua Maestà aveva domandato loro se non avevano mai provato amore o un sentimento per qualcuno; "perché, se si provano tali sentimenti, si deve seguire l'altra persona in tutto, fosse anche al patibolo o alla ruota, se necessario anche all'inferno".

Le sconcezze erano comunque continuate, come se la regina nella sua arroganza non desse il minimo peso al pericolo che non poteva ignorare. Era sorprendente.

Continuate. Senza dar peso al pericolo. Era, in un certo senso, inconcepibile.

Guldberg supponeva che non ne avesse fatto parola al suo amante tedesco. Cosa aveva realmente in testa quella piccola e astuta sgualdrina inglese? Difficile dirlo. La più grande ingenuità, e la più grande forza di volontà.

Avrebbe dovuto capire come sarebbe andata a finire. Una settimana dopo la dama di camera aveva in effetti riferito tutto quanto a Guldberg, anche questa volta in lacrime.

Le prove dunque c'erano. E c'era una testimone pronta a deporre in caso di processo.

"Questo significa," disse la regina madre pensierosa, "che potrà essere condannato in forma del tutto legale."

"E la regina?" chiese allora Guldberg.

La regina madre non aveva risposto, come se la cosa non la riguardasse, il che aveva sorpreso Guldberg.

"Sarà ucciso in piena legalità," aveva continuato meditabonda, come se stesse gustando le parole. "In piena legalità gli taglieremo la mano e la testa, lo ridurremo in pezzi, gli recideremo il membro che ha insozzato la Danimarca, tortureremo il suo corpo e lo stenderemo sulla ruota. E io personalmente..."

Rantzau e Guldberg l'avevano guardata stupefatti, e Rantzau aveva infine detto:

"Assisterete a tutto?".

"Assisterò a tutto."

"E la regina?" aveva chiesto ancora una volta Guldberg, stupito che la regina madre si preoccupasse tanto del destino di Struensee, ma non si curasse di quello della piccola sgualdrina inglese, che era l'origine di tutto. La regina madre si era invece rivolta a Rantzau, e con uno strano sorriso aveva detto:

"Quanto alla regina, faremo in modo che voi, conte Rantzau, che siete stato il grande amico di Struensee fin dai tempi di Altona, che ne avete condiviso le idee, voi che siete stato anche amico e fedele confidente della regina, voi che vi siete ora convertito e avete confessato il vostro peccato contro la gloria di Dio e della Danimarca, voi avrete il delicato compito di arrestare la regina. E allora la guarderete profondamente nei suoi begli occhi colpevoli, come si guardano due vecchi amici, e le annuncerete che tutto è finito. Questo le dovrete dire: tutto è finito".

Rantzau non aveva risposto.

"Non sarà per voi una cosa piacevole," aveva aggiunto. "Ma sarà la vostra unica punizione. Le ricompense invece saranno molte. Ma questo già lo sapete."

3.

Cristiano andava da Struensee sempre più raramente.

Ormai la firma del re non era più necessaria. Bastava quella di Struensee. Tuttavia una volta, in quel periodo, Cristiano era andato da Struensee per quella che definiva una comunicazione importante.

Struensee aveva invitato il re ad accomodarsi, e si era disposto ad ascoltarlo.

"Questa mattina," aveva detto Cristiano, "ho ricevuto un messaggio dalla Sovrana dell'Universo."

Con un mezzo sorriso tranquillizzante, Struensee l'aveva osservato e aveva chiesto:

"Da dove proviene, questo messaggio?".

"Da Kiel."

"Da Kiel!?? E cosa dice questo messaggio?"

"Dice," aveva risposto Cristiano, "che Lei è la mia benefattrice, e che io sono sotto la Sua protezione."

Era rimasto molto calmo, non si era tormentato le mani, non aveva farfugliato, non era stato colto da spasmi.

"Amico mio," aveva detto Struensee, "in questo momento ho molto da fare e ne discuterei volentieri, ma dobbiamo rimandare. E poi, noi siamo tutti sotto la protezione di Dio Onnipotente."

"Dio Onnipotente," aveva replicato il re, "non ha tempo per me. Ma la mia benefattrice, la Sovrana dell'Universo, mi ha detto nel suo messaggio che quando nessun altro ha tempo, o quando Dio è troppo occupato con le sue faccende, Lei ha sempre tempo per me."

"Tanto meglio," aveva detto Struensee. "E chi sarebbe, questa Sovrana dell'Universo?"

"È colei che ha tempo," aveva risposto il re.

4.

Il piano finale, quello che non poteva fallire, esigeva anche una legittimazione giuridica.

Per abbattere il dominio "sanguinoso e depravato" di Struensee, aveva spiegato Guldberg alla regina madre, era necessario smascherare l'infame piano di colpo di stato che Struensee e la piccola sgualdrina inglese avevano concepito insieme. Il piano di Struensee includeva anche l'assassinio del re Cristiano VII di Danimarca.

Questo piano ovviamente non esisteva, ma poteva essere teoricamente montato e messo in opera.

Di conseguenza Guldberg stese questo presunto piano di Struensee. Ne fece una copia certificata e distrusse l'originale; il documento sarebbe stato usato per convincere i dubbiosi. Si trattava di prevenire un infame colpo di stato.

Il piano, elaborato da Guldberg ma attribuito a Struensee, era di una logica chiara e convincente. Conteneva l'indicazione che il 28 gennaio 1772 era il giorno previsto da Struensee per attuare la sua rivoluzione. Quel giorno, re Cristiano VII sarebbe stato costretto ad abdicare, la regina Caroline Mathilde sarebbe stata nominata reggente, e Struensee capo di stato provvisorio.

Queste erano le linee generali.

Al piano, che appariva come autentico, Guldberg aveva aggiunto una postilla che avrebbe motivato ai dubbiosi la necessità di una reazione immediata.

"Non si può perdere tempo," aveva scritto Guldberg, "perché chi non esita ad assumersi la reggenza con la forza non esiterà nemmeno davanti a un crimine ancor peggiore. Una volta ucciso il re, Struensee prenderà il suo posto nel letto della regina Caroline Mathilde; il principe ereditario sarà allora eliminato o piegato da una severa educazione, per lasciar spazio a sua sorella, la bambina che fin troppo palesemente è frutto del loro scandaloso amore. Per quale altra ragione Struensee avrebbe fatto abrogare la legge che proibiva a una donna di contrarre matrimonio con il suo complice di adulterio?"

Il tempo era contato. Era importante agire in fretta, e il piano doveva essere tenuto segreto.

Il 15 gennaio si riunirono dalla regina madre; Guldberg aveva già preparato la serie di ordini di arresto che il re sarebbe stato costretto a firmare.

La mattina del 16 i piani furono di nuovo esaminati con cura, fu apportata qualche piccola modifica e fu deciso di realizzare il colpo la notte seguente.

Sarebbe stata una lunga notte. Prima la cena. Poi il tè. Quindi il ballo in maschera. E infine il colpo di stato.

5.

Reverdil, il piccolo professore svizzero, il piccolo ebreo che teneva nascosto il suo nome, colui che Cristiano VII aveva tanto amato, che era stato scacciato da corte e poi richiamato, il biografo, lo scrittore di memorie, il cauto illuminista, l'onesto riformatore, Reverdil si metteva ogni mattina per alcune ore alla sua scrivania per portare a termine il suo grande progetto di liberazione dei contadini danesi dalla servitù della gleba.

Aveva ricevuto l'incarico da Struensee. Sarebbe stato il punto culminante del progetto di riforma.

Molte delle leggi e delle direttive di Struensee, che ammontavano ormai a seicentotrentadue, erano importanti. La seicentotrentatreesima sarebbe stata la più importante. Sarebbe uscita dalla penna di Reverdil; il particolare non sarebbe stato riportato nei libri di storia, ma lui l'avrebbe saputo. E questo bastava.

Anche quella mattina, l'ultima del tempo di Struensee, Reverdil era alla sua scrivania e lavorava al grande testo sulla liberazione. Non lo terminò. Non l'avrebbe mai terminato. Scrive che quella mattina si sentiva perfettamente calmo, non aveva avuto alcun sospetto. Non scrive che era felice. Nelle sue memorie, Reverdil non usa mai il termine "felice", mai comunque riferito a se stesso.

Non è che un anonimo redattore, il cui grande testo, quello sulla liberazione, non è ancora completato.

Prima di rendersene conto, l'ultimo giorno prima del crollo, è tuttavia felice. Il progetto è talmente vasto, l'idea così giusta. Lavorare a quel progetto è così giusto, anche alla vigilia del crollo. Mentre lavora è felice.

Molti anni dopo, quando scrive le sue memorie, non

usa mai il termine "felice", mai comunque riferito a se stesso.

È senza dubbio timido.

È costantemente critico nei confronti di Struensee, che "procede troppo in fretta". Da parte sua, ritiene tuttavia possibile una cauta liberazione. È un uomo timido, prudente, nessuna tenebra di una nera fiaccola interiore oscura il suo sogno. Crede di sapere, a posteriori, come sarebbero dovute andare le cose.

Si sarebbe dovuta avere una grande moderazione.

6.

Quel mattino, egli non ha "alcun sospetto". Sembra aver raramente avuto sospetti, provava solo inquietudine per coloro che andavano troppo in fretta.

Alle quattro del pomeriggio cena con la cerchia degli intimi, della quale nonostante tutto fa parte. "Mai la regina aveva avuto un'espressione più allegra, né aveva partecipato con tanta amabilità alla conversazione."

È l'ultima cena.

La documentazione su questa cena è considerevole. Vi avevano partecipato undici persone: la coppia reale, la consorte del generale Gähler, le contesse Holstein e Fabritius, Struensee e Brandt, il gran maresciallo di corte Bjelke, lo scudiero Bülow, il conte Falkenskjold, e Reverdil. Si trovavano nella "sala bianca" della regina. Il locale aveva preso il nome dalle *boiseries* bianche, anche se alcune pareti erano tappezzate di velluto rosso. Le decorazioni intagliate nel legno erano dorate. Il piano del tavolo era in granito norvegese. Sopra il camino era appeso un dipinto largo quattro cubiti del pittore francese Pierre, intitolato *La perseveranza di Scipione*. Ventidue candele illuminavano la stanza. Contrariamente all'etichetta precedentemente in vigore, che voleva gli uomini seduti a destra del sovrano e le signore alla sua sinistra, c'era una disposizione alternata. Una scelta radicale. I posti erano stati stabiliti tirando a sorte. Il servizio si svolgeva secondo la nuova direttiva di Struensee del 1° aprile 1771, che riduceva alla metà il numero dei servitori. Ciononostante, erano ventiquattro. La cena reale si svolgeva comunque *en retrait*, ossia il personale di servizio stava in cucina o nel locale attiguo, e solo un servitore alla volta poteva entrare con un piatto. Il menu comprendeva nove portate, quattro insalate e due piatti alternativi a scelta.

Come scrive Reverdil, la regina era stata affascinante. A un certo momento la conversazione era scivolata sulla "dissoluta" principessa di Prussia, ripudiata dal consorte e ora tenuta prigioniera a Stettino. La regina aveva brevemente commentato che quella principessa in prigionia poteva comunque camminare a testa alta, "per aver ottenuto la sua libertà interiore".

Questo è tutto. Quando si erano seduti a tavola, era già calato il buio. Le candele riuscivano a illuminare solo parzialmente la stanza. Brandt e Struensee erano stati entrambi stranamente taciturni. Reverdil osserva che forse avevano sospettato qualcosa, o ricevuto qualche informazione.

Non se n'era comunque tratta alcuna conclusione. Nessuna azione, solo l'attesa, e una piacevole cena. Per il resto tutto era come al solito. Una piccola cerchia, molto ridotta. Candele, e intorno il buio. E la regina, molto affascinante, o disperata.

Quella stessa sera alle sette, dopo il banchetto, Reverdil, stranamente, aveva fatto visita alla regina madre.

Avevano conversato per un'ora. Reverdil non aveva notato nulla di allarmante nella regina madre benché solo qualche ora prima lei avesse dato ordine che il colpo di stato venisse effettuato quella stessa notte, colpo di stato che prevedeva anche l'arresto di Reverdil. Avevano conversato molto amabilmente, e preso un tè.

Fuori faceva freddo, c'era bufera. In silenzio avevano osservato i gabbiani continuamente respinti indietro dalla violenza del vento davanti alle loro finestre. La regina madre aveva detto di provare compassione per loro, perché non capivano l'inutilità della loro lotta contro la tempesta. Più tardi, Reverdil aveva interpretato quelle parole in senso metaforico. La regina madre cercava forse di dargli un avvertimento: la tempesta avrebbe spazzato anche lui, se non avesse ceduto finché era in tempo, volando nella direzione dell'irresistibile.

Non contro.

Lui non aveva capito. Aveva detto soltanto che ammirava i gabbiani nella loro situazione. Non cedevano, perseveravano, benché la bufera li respingesse indietro.

Forse a posteriori, nelle sue memorie, Reverdil ha dato anche alla propria risposta un senso metaforico. Era un uomo timido. Non era certo uno che contraddiceva. Era un uomo tranquillo, chino sulle sue carte, ora esiliato, ora richiamato, aveva visto il suo amato ragazzo sbranato dai lupi, e riteneva che l'Illuminismo dovesse sorgere come un'alba molto lenta e graduale.

Durante la cena Struensee e la regina erano seduti accanto, e senza vergogna si erano tenuti la mano. Il re non aveva obiettato. Sembrava paralizzato nelle sue riflessioni.

Reverdil, seduto di fronte al re, aveva avuto tutto il tempo di osservarlo. Ne aveva provato "un grande dolore". Se lo ricordava com'era all'epoca in cui gli era stato affidato: quel giovane ragazzo sensibile ed estremamente intelligente che aveva conosciuto. Quello che ora si vedeva davanti era un'ombra grigia e apatica, un uomo molto vecchio, apparentemente paralizzato da un terrore di cui nessuno conosceva la ragione.

Cristiano non aveva che ventidue anni.

Si erano poi alzati da tavola per prepararsi al ballo mascherato. Reverdil aveva lasciato la sala per ultimo. Brandt camminava davanti a lui. A un certo punto si era voltato verso Reverdil, per dirgli con uno strano sorriso:

"Credo che siamo molto vicini alla fine del nostro tempo. Non penso che ci rimanga molto".

Reverdil non aveva chiesto spiegazioni. Lì si erano separati.

7.

Il piano era molto semplice.

Guldberg era sempre stato del parere che nei piani complessi era proprio la semplicità ad assicurarne il successo. Ci si doveva impadronire della persona del sovrano. Ci si doveva impadronire anche della persona di Struensee. Quei due, si pensava, non avrebbero opposto resistenza, né creato difficoltà.

La terza persona di cui ci si doveva impadronire era la regina.

Questo lasciava un'inquietudine difficile da spiegare. Sopraffarla non doveva presentare alcuna difficoltà. Era però indispensabile impedirle a ogni costo di mettersi poi in contatto con il re. Il re non doveva essere soggetto ad alcuna specie di pressione. Bisognava fargli capire che era esposto a un tremendo pericolo, perché Struensee e la regina volevano assassinarlo. Ma se Cristiano avesse incontrato i begli occhi della piccola sgualdrina inglese, avrebbe forse potuto esitare.

Era la piccola sgualdrina inglese il rischio maggiore. Tutto cominciava e finiva con quella giovane donna. Guldberg, solo lui, l'aveva capito. Per questo l'avrebbe annientata; e mai più il contagio della lussuria l'avrebbe colpito, mai più l'avrebbe costretto in ginocchio, piangendo nel buio della notte, il corpo imbrattato dal seme della libidine.

Notte di freddo intenso.

La tempesta, che durante il giorno aveva soffiato da est, verso sera si era placata. L'umidità era congelata, e Copenaghen era coperta da una pellicola di ghiaccio.

Tutte le memorie e le biografie parlano di una grande calma, quella notte.

Niente tempeste. Nessun rumore di truppe che prendevano posizione. Niente uccelli respinti indietro dalla bufera.

Sono rimasti gli elenchi delle provviste ordinate per quell'ultima cena. Sei oche, trentaquattro anguille, trecentocinquanta lumache, quattordici lepri, dieci galline; il giorno precedente erano stati ordinati anche merluzzi, rombi e piccoli uccelli.

In tutta naturalezza fu consumato in quelle ore, in dovizia, l'ultimo banchetto della rivoluzione danese, con l'assistenza di soli ventiquattro servitori.

Ritornarono nelle loro stanze al castello. Si cambiarono per il ballo mascherato.

Cristiano, Struensee e la regina andarono al ballo sulla stessa carrozza. Struensee era molto taciturno, e la regina l'aveva notato.

"Non parli molto, stasera," aveva detto.

"Sto cercando una soluzione. Ma non la trovo."

"Vorrei allora," aveva detto lei, "che domani scrivessimo una lettera da parte mia all'imperatrice di Russia. A differenza di altri sovrani, è illuminata. Vuole il progresso. È una possibile amica. È al corrente di ciò che è stato fatto in Danimarca in quest'ultimo anno. E lo apprezza. Posso scriverle da donna illuminista a una sua pari. Forse potremmo creare un'alleanza. Abbiamo bisogno di grandi alleanze. Dobbiamo pensare in grande. Qui abbiamo solo nemici. Caterina può diventare una mia amica."

Struensee si era limitato a guardarla.

"Tu vedi lontano," aveva poi detto. "La questione è se abbiamo il tempo di guardare lontano."

"Dobbiamo alzare lo sguardo," aveva detto lei seccamente. "Altrimenti siamo perduti."

Quando le Altezze Reali, accompagnati da Struensee, arrivarono al Teatro di corte, il ballo era già cominciato.

Capitolo 15

La danza della morte

1.

All'improvviso, Struensee ricordò la rappresentazione di *Zaira*, con Cristiano nel ruolo del Sultano.

Era andata in scena al Teatro di corte. Non era stato subito dopo il ritorno a Copenaghen, dal lungo viaggio in Europa? Forse un mese dopo, non ricordava bene; ma all'improvviso rivide Cristiano in quel ruolo. Quella sottile e fragile figura di ragazzo che, con la sua dizione così chiara, le pause così singolarmente pregnanti e le sue frasi misteriose, si muoveva là, sulla scena stilizzata, tra gli attori francesi, come in una lenta danza rituale, con quei bizzarri movimenti delle braccia che apparivano del tutto naturali su quel palcoscenico, in quella rappresentazione, mentre sembravano così artefatti nella sua spaventosa esistenza reale.

Era stato assolutamente credibile. Anzi, il migliore degli attori. Stranamente calmo e plausibile, come se quella scena, quella commedia e quella professione fossero per lui la cosa più naturale, e l'unica possibile.

Cristiano non aveva mai distinto la realtà dalla rappresentazione. Non per mancanza di intelligenza, ma per colpa dei registi.

Lui stesso, Struensee, era diventato un regista per Cristiano? Era venuto a corte, aveva ottenuto un ruolo, e ne aveva assegnato un altro a Cristiano. Avrebbe potuto esserci un ruolo migliore per il povero ragazzo terrorizzato. Forse Struensee avrebbe dovuto ascoltare con più attenzione, quella volta. Forse Cristiano aveva un messaggio che voleva trasmettere, come attore, attraverso il teatro.

Era in un tempo così infinitamente lontano. Quasi tre anni.

Adesso, il 16 gennaio 1772, Cristiano danzava il minuetto. Era sempre stato un buon ballerino. Il suo corpo era leggero come quello di un ragazzo, nella danza sapeva muoversi secondo i passi previsti, e tuttavia con libertà. Perché non aveva potuto diventare un ballerino? Perché nessuno aveva visto che era un attore, o un ballerino, o qualsiasi altra cosa, tranne che un sovrano assoluto eletto da Dio?

Alla fine danzavano tutti. Indossavano i loro costumi, i loro travestimenti; anche la regina danzava. Era qui, al Teatro di corte, a un ballo in maschera, che aveva dato il primo segnale a Struensee.

Doveva essere primavera. Avevano danzato e lei non aveva smesso di guardarlo, con un'espressione molto intensa, come fosse sul punto di dire qualcosa. Forse perché Struensee le aveva parlato come a un essere umano, e gli era riconoscente. Forse c'era qualcos'altro. Sì, era così. Dopo l'aveva condotto via, e si erano improvvisamente ritrovati in un corridoio. Lei aveva dato un rapido sguardo attorno, poi l'aveva baciato.

Non una parola. Solo un bacio. E quel piccolo sorriso misterioso che lui all'inizio aveva scambiato per l'espressione di un'incantevole innocenza infantile, ma che poi, all'istante, aveva capito essere il sorriso di una donna adulta, che diceva: ti amo. E non mi devi sottovalutare.

C'erano tutti, tranne la regina madre e Rantzau.

Tutto era perfettamente normale. Dopo un po' il re aveva smesso di danzare per sedersi a giocare a *Loup* con il generale Gähler e altri. Abbandonata la danza che per un momento l'aveva reso vivo, il re sembrava essere bruscamente ricaduto nell'assenza e nella melanconia. Aveva giocato senza riflettere, come al solito non aveva denaro con sé, e aveva perso trecentotrentadue talleri; che il generale dovette sborsare per suo conto, e che dopo la catastrofe purtroppo non gli furono mai restituiti.

In un altro palco si trovava il colonnello Köller, responsabile della parte militare dell'imminente colpo di stato. Giocava a tarocchi con Berger, il sovrintendente di corte. Il volto di Köller era impassibile. Non vi si poteva leggere la minima emozione.

Tutti erano ai loro posti. Tranne la regina madre e Rantzau.

Le maschere erano le solite. Quella di Struensee era una mezza maschera che rappresentava un buffone in lacrime. In seguito si disse che portava una maschera che rappresentava un teschio.

Non è vero. Era un buffone in lacrime.

Il ballo terminò verso le due del mattino.

Dopo, tutti furono concordi nel giudicare quel ballo in maschera assolutamente privo di eventi. Considerando la celebrità che avrebbe conquistato quel ballo, e la sua importanza, è strano che tutti fossero concordi nel dire che niente era accaduto. Niente. Tutti si erano comportati normalmente, avevano danzato, senza aspettare niente.

Struensee e la regina avevano danzato insieme tre volte. Tutti avevano notato i loro volti tranquilli e sorridenti, la loro conversazione spensierata.

Di cosa avranno parlato? Più tardi, non se ne sarebbero ricordati.

Struensee provò per tutta la sera una curiosa sensazione di distacco, o di sogno a occhi aperti, come se avesse già vissuto tutto prima, e ora lo sognasse di nuovo, in brevi sequenze, ripetute. Nel suo sogno tutto si muoveva con estrema lentezza, con labbra che si aprivano e si chiudevano, ma senza un suono, come lenti movimenti sott'acqua. Come se fluttuassero nell'acqua, e la sola immagine che continuamente ritornava era il ricordo del re nel ruolo del Sultano in *Zaira*, e i suoi gesti così singolarmente espressivi che assomigliavano a quelli di un attore, ma più veri, come i gesti di uno che sta annegando, la bocca che si apriva e chiudeva, come se avesse voluto articolare un messaggio senza riuscirci. E l'altra parte di quel sogno a occhi aperti: la regina, il cui viso si era avvicinato al suo, che l'aveva baciato con infinita tenerezza, che si era poi allontanata di un passo, e quel piccolo sorriso che diceva che l'amava ma che non doveva sottovalutarla, perché quello era solo l'inizio di qualcosa di fantastico, che erano vicini a un confine, e che là, a quel confine, c'erano sia il più grande piacere sia la morte più seducente, e che mai, mai si sarebbero pentiti, se l'avessero superato.

Si sarebbe detto che quei due esseri, Cristiano l'attore e

Caroline Mathilde che aveva promesso piacere e morte, si confondessero in quella danza della morte al Teatro reale.

L'aveva riaccompagnata.

Erano con loro due dame di corte. Nel corridoio, davanti alla camera della regina, le aveva baciato la mano, senza una parola.

"Questa notte dormiamo?" chiese la regina.

"Sì, amore mio. Questa notte dormiamo. Questa notte dobbiamo dormire."

"Quando ci rivediamo?"

"Sempre," rispose. "Per tutta l'eternità."

Si erano guardati negli occhi, e lei aveva sollevato la mano e gli aveva sfiorato la guancia, con un accenno di sorriso.

Era l'ultima volta. Non la rivide mai più.

2.

Alle due e mezza, una mezz'ora dopo che la musica era cessata, furono distribuite le munizioni alla seconda compagnia di granatieri del reggimento di Falster, e i soldati furono sistemati nelle posizioni stabilite.

Tutte le uscite del castello presidiate.

Il capo operativo del colpo di stato, colonnello Köller, che un'ora prima aveva terminato la sua partita di tarocchi con l'intendente di corte Berger, consegnò a due luogotenenti un ordine scritto della regina madre, che disponeva l'arresto di un certo numero di persone che vi erano elencate. Nel documento si leggeva tra l'altro che "considerando che Sua Maestà il re desidera mettere al sicuro la Sua persona e lo stato, e punire certe persone che si trovano a Lui vicine, Sua Maestà ci ha assegnato questo compito. Ordiniamo quindi a voi, colonnello Köller, di eseguire in nome del re la Sua volontà questa notte stessa. È inoltre volontà del re che siano sorvegliate tutte le uscite degli appartamenti della regina". La lettera era firmata dalla regina madre e dal principe ereditario, ed era stata redatta da Guldberg.

La chiave dell'operazione stava nell'impadronirsi rapidamente delle persone del re e della regina, e tenerli separati. In questo Rantzau giocava un ruolo decisivo. Ma adesso era sparito.

Il conte Rantzau era stato preso dal nervosismo.

Rantzau abitava nel palazzo reale, che era separato da un canale dal castello di Christiansborg – palazzo che oggi è chiamato *Prinsens Palæ* – e per tutta la giornata non si era fatto vedere. Tuttavia mentre il ballo in maschera era in pieno corso, un messaggero era stato fermato all'ingresso del Teatro di corte. L'uomo, estremamente nervoso, aveva fatto una strana impressione. Diceva di avere un messaggio importante per Struensee da parte del conte Rantzau.

Il messaggero era stato trattenuto dalle guardie dei congiurati, e Guldberg era stato mandato a chiamare.

Senza chiedere alcun permesso, e nonostante le proteste del messaggero, Guldberg gli aveva strappato di mano la lettera, l'aveva aperta e l'aveva letta. C'era scritto che Rantzau desiderava conferire con Struensee prima di mezzanotte, "e badate bene che se non organizzerete questo incontro, ve ne pentirete amaramente".

Era tutto. Era fin troppo chiaro. Il conte Rantzau voleva trovare una soluzione al dilemma, un'altra uscita dalla tana della volpe.

Guldberg aveva letto, e si era aperto in uno dei suoi rari sorrisi.

"Un piccolo Giuda che vorrebbe diventare proprietario terriero sull'isola di Lolland, come ricompensa. Non lo diventerà."

Si era infilato la lettera in tasca, e aveva ordinato che il messaggero fosse allontanato e tenuto sotto sorveglianza.

Tre ore dopo tutti i congiurati erano ai loro posti, le truppe erano pronte, ma Rantzau era scomparso. Guldberg allora, accompagnato da sei soldati, aveva rapidamente raggiunto la sua residenza. L'aveva trovato vestito di tutto punto, seduto in poltrona, con la pipa in mano davanti a una tazza di tè.

"Mancate solo voi," disse Guldberg.

Rantzau aveva appoggiato una gamba su uno sgabello e, con un'espressione nervosa e infelice aveva indicato il suo piede. Disse di avere avuto un attacco di gotta, il piede era molto gonfio, e riusciva appena a posarlo a terra. Si doleva moltissimo di questo fatto, era davvero sconsolato, ma a causa di quell'infermità non poteva portare a termine il suo compito.

"Misero codardo," disse Guldberg con voce tranquilla, senza cercare di attenuare questo modo sgarbato nel rivolgersi a un conte. "Stai cercando di defilarti."

Guldberg era coerentemente passato al tu.

"No, no!" protestò disperatamente Rantzau, "io sto ai patti, ma la mia gotta, sono desolato..."

Guldberg aveva ordinato ai soldati di uscire dalla stanza. Rimasti soli, aveva tirato fuori la lettera e tenendola tra il pollice e l'indice come se fosse infetta, disse soltanto:

"Ho letto il tuo messaggio, piccolo verme. Per l'ultima volta. Sei con noi, o contro di noi?".

Rantzau aveva fissato la lettera, pallido come un morto, e aveva capito che c'erano ormai poche alternative.

"Certo che sono con voi," disse, "forse potrei essere trasportato a eseguire il mio compito... in portantina..."

"Bene," disse Guldberg. "Questa lettera la tengo io. Non è necessario che qualcun altro oltre a me ne venga a conoscenza. A una condizione, però. Che tu, terminata quest'opera di pulizia e salvata la Danimarca, non mi faccia irritare. Non pensi di volermi far irritare in futuro, non è vero? Costringendomi a mostrare questa lettera ad altri?"

Era seguito un momento di silenzio, poi Rantzau disse a voce bassa:

"Certo che no. Certo che no".

"Mai?"

"Mai, mai."

"Bene," concluse Guldberg. "Allora per il futuro sappiamo quali sono i nostri rapporti. È buona cosa avere degli alleati affidabili."

Guldberg aveva quindi chiamato i soldati e aveva ordinato a due di loro di trasportare il conte Rantzau alla sua postazione nel porticato settentrionale. I soldati l'avevano portato a braccia attraverso il ponte, ma poi Rantzau aveva dichiarato di voler provare a camminare da solo, nonostante i dolori insopportabili, e zoppicando aveva raggiunto il suo posto di comando al portico nord.

3.

Alle quattro e trenta del mattino del 17 gennaio 1772 si passò all'azione.

Due gruppi di granatieri, il primo guidato da Köller e l'altro da Beringskjold, irruppero contemporaneamente negli alloggi di Struensee e di Brandt. Struensee era stato sorpreso nel sonno; si era seduto sul letto, aveva guardato i soldati stupito, e quando il colonnello Köller lo dichiarò in arresto chiese di vedere il mandato.

Non gli fu mostrato, perché non esisteva.

Li aveva allora fissati con sguardo apatico, aveva lentamente indossato lo stretto necessario e li aveva seguiti senza una parola. Fu fatto salire su una carrozza e condotto agli arresti alla cittadella.

Brandt non aveva nemmeno domandato di vedere l'ordine d'arresto. Aveva solo chiesto il permesso di prendere il suo flauto.

Anche lui era stato caricato su una carrozza.

Il comandante della cittadella, che non era stato preavvertito, fu svegliato e disse di essere felice di accogliere quelle due persone. Tutti parevano stupiti che Struensee si fosse arreso così facilmente. Si era semplicemente seduto in carrozza senza alzare gli occhi dalle proprie mani.

Come se fosse preparato.

Uno dei molti disegni che furono fatti più tardi, per rappresentare l'arresto di Struensee, descrive una scena molto più violenta.

Un cortigiano illumina la stanza con un candelabro a tre bracci. I soldati irrompono attraverso la porta sfondata, imbracciando i fucili muniti di baionette puntati minacciosamente contro Struensee. Il colonnello Köller, ritto accanto al letto, tende con gesto autoritario l'ordine di arresto nella mano sinistra. A terra giace la maschera indossata da Struensee al ballo, una maschera da teschio. Abiti sparsi dappertutto. Un orologio che segna le quattro. Scaffali carichi di libri. Una scrivania con vari strumenti. E Struensee a letto, seduto, con indosso solo la camicia da notte, e le mani disperatamente protese, come in segno di resa, o di preghiera a quel Dio onnipotente che aveva sempre rinnegato, perché nell'ora del bisogno avesse pietà di un povero peccatore in pericolo.

Ma quell'immagine non dice il vero. Si era lasciato condurre via docilmente, come un agnello al mattatoio.

Il re ovviamente non doveva essere arrestato.

Al contrario, re Cristiano VII doveva essere salvato da un tentativo di assassinio, doveva perciò solo firmare i documenti che avrebbero legalmente autorizzato altri arresti.

Si dimentica facilmente che era un sovrano assoluto designato da Dio.

Entrarono numerosi nella sua camera immersa nel buio. C'erano la regina madre, suo figlio Federico, Rantzau, Eichstedt, Köller e Guldberg, oltre a sette granatieri della Guardia reale che tuttavia, data la reazione isterica del re e il suo terrore incontrollato alla vista dei soldati e delle armi, ricevettero l'ordine di attendere fuori dalla porta.

Cristiano credeva che lo volessero uccidere, e cominciò a strillare e a piangere come un bambino. Il cane, il suo schnauzer, che anche quella notte stava dormendo nel suo letto, si era messo ad abbaiare furioso. Alla fine riuscirono a cacciarlo fuori. Il paggio nero Moranti, che dormiva rannicchiato ai piedi del letto, si era nascosto terrorizzato in un angolo.

Le implorazioni del re di potersi tenere il cane accanto non furono ascoltate.

Alla fine riuscirono a calmare il monarca. La sua vita non era in pericolo. Non avevano intenzione di ucciderlo.

Quello che gli raccontarono rinnovò comunque i suoi attacchi di pianto. La ragione di quella visita notturna, gli spiegarono, era una cospirazione contro la persona del re. Struensee e la regina attentavano alla sua vita. Si era lì per salvarlo. Per questo doveva firmare alcuni documenti.

Guldberg ne aveva redatto il contenuto. Accompagnarono Cristiano a una scrivania, in vestaglia. Lì dovette firmare diciassette documenti.

Non smetteva di singhiozzare, il corpo e la mano tremavano. Solo davanti a un documento parve illuminarsi. Era l'ordine di arresto per Brandt.

"Ecco la punizione," mormorò, "per aver voluto oltraggiare la Sovrana dell'Universo. La punizione."

Nessuno, tranne forse Guldberg, può aver capito cosa intendesse.

L'arresto di Struensee il 17 gennaio 1772.

4.

Era Rantzau che aveva l'incarico di arrestare la regina. Lo accompagnavano cinque soldati e un sotto-luogotenente; entrò nella camera della regina con in mano l'ordine di arresto firmato dal re. Una delle dame di corte era stata mandata a svegliare la sovrana, perché, come scrive nel suo rapporto, "il rispetto mi proibiva di presentarmi accanto al letto di Sua Maestà"; il sotto-luogotenente Beck, da parte sua, riporta una descrizione più animata di ciò che accadde. La regina, svegliata dalla dama di corte, era uscita come una furia, con indosso la sola camicia da notte, e aveva chiesto fuori di sé a Rantzau che cosa accadesse. Questi si era limitato a presentarle l'ordine del re.

C'era scritto: "Ho stimato necessario inviarVi a Kronborg, considerando che il Vostro comportamento mi costringe a farlo. Deploro profondamente questa decisione, alla quale sono obbligato, e mi auguro che Voi vogliate sinceramente ravvederVi".

Firmato: Cristiano.

Lei allora aveva accartocciato il mandato, aveva urlato a Rantzau che si sarebbe pentito di quel gesto, e domandato chi altro fosse stato arrestato. Non aveva ricevuto risposta. Si era poi precipitata nella sua stanza, seguita da Rantzau e dal sottotenente Beck con un paio di soldati. Continuando a inveire con furore contro Rantzau, si era strappata la camicia da notte e nuda era corsa in giro per la stanza, cercando i suoi vestiti; allora Rantzau, inchinandosi, aveva detto con l'eleganza che gli era caratteristica:

"Vostra Maestà dovrebbe risparmiarmi, e non espormi al magico potere della Sua opulenza".

"Non startene lì a guardare, maledetto rospo adulatore," era allora esplosa la regina, questa volta nella sua madrelingua inglese; ma in quel momento la damigella von Arensbach era arrivata di corsa con sottoveste, vestito e un paio di scarpe, e la regina si era vestita in tutta fretta.

Nel frattempo non aveva smesso di scatenare la sua ira contro Rantzau che, a un certo punto, era stato costretto ad alzare il bastone per difendersi dai colpi della regina. Solo per difendersi, con quel bastone che aveva portato per sostenere il suo povero piede che proprio quella notte soffriva di un attacco di gotta, circostanza che la regina nella sua collera aveva del tutto ignorato.

Nel suo rapporto Rantzau afferma che, per discrezione e per non sporcare Sua Altezza Reale con il suo sguardo, aveva tenuto il cappello davanti agli occhi finché la regina non era completamente vestita. Il sotto-luogotenente Beck sostiene invece che lui stesso, Rantzau e i quattro soldati avevano per tutto il tempo contemplato accuratamente la regina nella sua nudità causata dalla confusione e dalla rabbia, e guardato dall'inizio alla fine la sua vestizione. Elenca anche in dettaglio i capi d'abbigliamento che erano stati messi alla regina.

Caroline Mathilde non aveva pianto, ma aveva continuato a insultare Rantzau, e – fatto che sottolinea in particolar modo nel suo rapporto alla Commissione di inquisizione – egli era rimasto turbato dal suo "modo sprezzante di menzionare il re".

Quando era stata pronta – aveva infilato i piedi nudi nelle scarpe senza mettere le calze, cosa che aveva scioccato tutti – si era precipitata fuori della stanza, e nessuno era riuscito a fermarla. Era corsa al piano inferiore, dove aveva cercato di entrare nella stanza di Struensee. Là c'era un soldato di guardia, che l'aveva informata che il conte Struensee era stato arrestato e condotto via. Continuando a cercare aiuto, aveva raggiunto correndo l'appartamento del re.

Rantzau e i soldati non glielavevano impedito.

Sembrava in possesso di una forza inaudita, e la sua mancanza di pudore, il suo corpo nudo e la sua rabbia li avevano anche spaventati.

Lei aveva immediatamente capito ciò che era successo. Avevano terrorizzato Cristiano fino a fargli perdere la ragione. Ma Cristiano era la sua sola possibilità.

Aveva spalancato la porta della sua camera, aveva visto la figura minuta rannicchiata in fondo al letto, e aveva capito. Era avvolto nel lenzuolo, vi si era nascosto completamente, viso e corpo e gambe, e non fosse stato per gli incerti movimenti si sarebbe potuto credere che ci fosse solo una statua imballata, bianca e avvolta in un lenzuolo spiegazzato.

Una mummia candida che ondeggiava incerta e nervosa, tremante, nascosta e tuttavia esposta alla sua vista.

Rantzau si era fermato sulla soglia, e aveva fatto segno ai soldati di rimanere fuori.

Lei si era avvicinata alla piccola mummia bianca e tremante sul letto.

"Cristiano," gridò. "Voglio parlarti! Adesso!"

Nessuna risposta, solo un fremito incerto sotto il lenzuolo bianco.

Lei si sedette sul bordo del letto, e tentò di parlare con calma, di controllare il suo affanno e la sua voce.

"Cristiano," disse a voce bassa perché Rantzau, fermo sulla soglia, non potesse sentire, "non mi importa di quello che hai firmato, non fa niente, ti hanno ingannato, ma tu devi salvare i bambini! Devi salvare i bambini, Dio buono. Che hai pensato? Lo so che mi senti, devi sentire quello che ti sto dicendo, io ti perdono per quello che hai firmato, *ma tu devi salvare i bambini! altrimenti ce li portano via e tu sai cosa succede, tu sai come va a finire, tu devi salvare i bambini!*"

Si voltò improvvisamente verso Rantzau sempre in piedi vicino alla porta, e urlò SPARISCI MALEDETTO TOPO DI FOGNA, È LA REGINA CHE TI PARLA!!! poi continuò a rivolgersi a Cristiano con voce bassa e implorante, ohhhh Cristiano, aveva sussurrato, credi che io ti odio, ma non è vero, in realtà io ti ho sempre amato, *è la verità, è la verità, ascoltami, lo so che mi stai ascoltando*! io avrei potuto amarti se ce ne avessero data la possibilità, ma non era possibile in questo dannato manicomio, IN QUESTO FOLLE MANICOMIO!!! gridò rivolta a Rantzau, e poi, di nuovo sottovoce; noi avremmo potuto stare così bene, da qualche altra parte, solo noi, poteva funzionare, Cristiano, se solo non ti avessero costretto a coprirmi come una scrofa, non è stata colpa tua, non è stata colpa tua, ma ora *devi pensare ai bambini Cristiano e non nasconderti lo so che stai ascoltando*! SMETTILA DI NASCONDERTI, io sono un essere umano, non una scrofa, e tu devi salvare la piccola, loro la vogliono uccidere, lo so, solo perché è figlia di Struensee, e lo sai anche tu LO SAI ANCHE TU e mai hai obiettato, sei stato anche tu a volerlo, lo volevi anche tu, io volevo solo che ti facesse un po' male perché ti accorgessi che esistevo, che vedessi, soltanto un po', allora avremmo potuto Cristiano, avremmo potuto, ma *tu devi salvare i bambini*, è vero, io ti ho sempre amato, avremmo potuto stare così bene Cristiano, senti quello che ti sto dicendo Cristiano, RISPONDIMI CRISTIANO tu devi rispondermi CRISTIANO tu ti sei sempre nascosto ma non puoi nasconderti a me RISPONDI ALLORA CRISTIANO!!!

Aveva poi strappato il lenzuolo che copriva il suo corpo.

Ma non era Cristiano. Era il piccolo paggio nero Moranti, che la fissava con i suoi grandi occhi sbarrati per il terrore.

Lei l'aveva a sua volta fissato come paralizzata.

"Andate a prenderla," disse Rantzau ai soldati.

Passando davanti a Rantzau, sulla porta si era fermata, l'aveva guardato a lungo negli occhi, e aveva detto con calma:

"Nella cerchia più profonda dell'inferno, dove stanno i traditori, là patirai in eterno. E questo mi rende felice. È la sola cosa che in questo momento mi rende veramente felice".

E a queste parole lui non seppe rispondere.

Le fu concesso di portare la bambina nella carrozza che la conduceva a Kronborg. Erano le nove del mattino quando uscirono attraverso la Porta settentrionale. Seguirono la Via reale, e così passarono davanti a Hirschholm, ma proseguirono.

Nella carrozza, per sorvegliarla, avevano messo la dama di corte che più detestava.

Caroline Mathilde aveva porto il seno alla sua piccola. Solo allora aveva potuto abbandonarsi al pianto.

La voce si sparse in fretta, e per dare ufficialità alla notizia che il re era sfuggito al complotto ordito da Struensee per assassinarlo, Guldberg diede ordine che il re si mostrasse al popolo.

Fu fatta venire una carrozza di vetro, trainata da sei cavalli bianchi e scortata da dodici cortigiani a cavallo. Girarono per le strade di Copenaghen per due ore e mezza. Nella carrozza sedevano soltanto Cristiano e il principe ereditario Federico.

Il principe appariva felice, sbavava e teneva la bocca aperta come d'abitudine, e agitava la mano verso la folla in delirio. Cristiano era rimasto rannicchiato in un angolo della carrozza, livido di terrore, lo sguardo fisso sulle proprie mani.

Un'enorme esultanza.

5.

Quella notte Copenaghen esplose.

Fu il corteo trionfale con i sei cavalli bianchi e il re terrorizzato, salvato e umiliato fino all'eccesso, a dare l'avvio. All'improvviso fu tutto chiaro: c'era stata una rivoluzione ed era stata schiacciata, la breve visita del medico di corte nel vuoto di potere si era conclusa, la rivoluzione danese era finita, il tedesco era in prigione, il tedesco era stato messo ai ferri, il vecchio regime, o forse quello nuovo, era stato rovesciato, ci si rendeva conto di essere esattamente al punto di rottura della storia; e la pazzia si era scatenata.

Cominciò con dei semplici tumulti di plebaglia; i marinai norvegesi, che qualche mese prima erano rientrati pacificamente da Hirschholm dopo l'incontro con la piccola affascinante regina, scoprirono che non c'era più alcuna regola né alcuna legge. Polizia ed esercito sembravano essere scomparsi dalle strade, la via per i bordelli e le taverne era libera. Cominciarono con i bordelli. Perché quei Malvagi Esseri, guidati da Struensee, che erano stati così vicini a togliere la vita al Piccolo Padre, erano stati i Protettori dei Bordelli.

Il regime dei bordelli era finito. Adesso era l'ora della vendetta.

Perché il Piccolo Padre, il re, il buon sovrano che sempre avevano invocato come loro protettore lassù in Norvegia, il Piccolo Padre era stato salvato. Adesso il Piccolo Padre era lì, aveva aperto gli occhi e ripudiato i suoi cattivi amici, era dunque giunta l'ora di ripulire i bordelli. Questi cinquecento marinai norvegesi erano alla testa dei tumulti, e nessuno li fermò. Poi l'incendio si sparse dappertutto, le masse sciamarono fuori, e i poveri che mai avevano sognato una rivoluzione si vedevano ora offrire il piacevole tempo della violenza, senza ordine, senza punizione. Era accordato il diritto alla rivolta, senza uno scopo, se non quello vago della purezza. Per restaurare la purezza doveva essere violentato il peccato. Le finestre dei bordelli furono sfasciate e le porte divelte, i mobili gettati in strada, le ragazze erano violentate gratis e correvano urlando seminude per le vie. In una sola giornata furono attaccati, distrutti, bruciati oltre sessanta bordelli, e nello slancio ci andarono di mezzo per errore anche alcune case e alcune donne del tutto rispettabili, in quella fiumana di follia che invase Copenaghen quei giorni e quelle notti.

Quasi che il moralismo pietistico avesse trovato lì il suo orgasmo collettivo, e cosparso il suo seme di vendetta sulla Copenaghen decadente di Struensee. Si cominciò, caso tipico, con il tedesco Gabel, che era stato responsabile dello spaccio di bevande alcoliche nei giardini di Rosenborg, in quel parco che era stato aperto al pubblico dal decreto di Struensee, che nella lunga estate e nel tiepido autunno del 1771 era stato il centro della depravazione popolare. La casa di Gabel fu ritenuta essere il focolaio della lussuria, il luogo da cui proveniva il contagio del peccato. Struensee e la sua cricca vi avevano certamente fornicato, bisognava far pulizia. Gabel riuscì a salvare la vita, ma il tempio fu veramente ripulito dei mercanti. Il castello stesso ovviamente era sacro, non poteva essere toccato, ma furono portati attacchi sugli intermediari tra il castello e la corte. La residenza delle attrici italiane fu il bersaglio successivo, e fu anch'essa ripulita. Alcune delle attrici non furono violentate, perché correva voce che il Piccolo Padre le avesse usate; erano quindi divenute in qualche misura oggetti sacri. Altre invece furono violentate in modo particolare, in una sorta di omaggio al Piccolo Padre; a ogni modo i motivi di quella violenza non seguivano alcuna logica, niente più aveva una logica. Era come se l'odio verso la corte, così come il rispetto verso la corte, avesse scatenato un grande, furibondo e confuso stupro di Copenaghen; qualcosa era accaduto lassù tra i potenti, qualcosa di vergognoso e indecente, e adesso era consentita la pulizia, e allora la gente puliva, si poteva violentare e pulire, e l'alcol era libero, e consumato, e si esigeva una vendetta, verso qualcosa, forse verso un'ingiustizia millenaria, o verso l'affronto commesso da Struensee, che era diventato il simbolo di tutte le ingiustizie. Il palazzo di Schimmelman fu ripulito, per motivi poco chiari, apparentemente legati a Struensee e al peccato. E all'improvviso l'intera Copenaghen divenne un inferno che beveva, sfasciava e violentava. Dappertutto incendi, strade disseminate di vetri rotti. Non una sola delle centinaia di taverne non aveva subito danni. La polizia era scomparsa. Lo stesso i soldati. Come se i congiurati, la regina madre e il suo clan vittorioso avessero voluto dire: in una grande festa passionale e vendicativa il peccato sarà cancellato dal fuoco in questa capitale danese.

Dio lo permetteva. Dio usava quella sfrenata libertà popolare come strumento per ripulire i bordelli, le taverne e tutti i nidi di depravazione che erano stati usati da coloro che avevano soppresso la moralità e l'onestà.

Durò due giorni. Poi i tumulti lentamente si esaurirono, come per sfinimento, o per dolore. Qualcosa era finito. Ci si era vendicati di ciò che era stato. Il regno dei criminali illuministi era finito. Ma questo sfinimento racchiudeva anche un grande dolore, non ci sarebbero più stati parchi aperti e illuminati, i teatri e i divertimenti sarebbero stati proibiti, avrebbero regnato la purezza e il timore di Dio; così doveva essere. Non sarebbe più stato piacevole. Ma era necessario.

Una sorta di dolore. Ecco la parola. Una sorta di giusto dolore da accettare come punizione. E il nuovo regime, quello della decenza, non avrebbe punito il popolo per quel dolore vendicativo, e straordinariamente disperato.

Il terzo giorno i gendarmi ritornarono nelle strade, e tutto finì.

La regina era stata condotta a Kronborg sotto la stretta sorveglianza di otto dragoni a cavallo. Nella carrozza, solo la regina, la figlioletta, e l'unica dama di corte che ormai costituiva il suo seguito.

Un ufficiale era seduto a cassetta accanto al cocchiere, con la spada sguainata.

Il comandante von Hauch dovette riscaldare in tutta fretta alcune stanze del vecchio castello di Amleto. Era stato un inverno glaciale, con una serie di tempeste provenienti dall'Øresund, e il comandante era stato preso alla sprovvista. La regina non aveva aperto bocca, e aveva sempre tenuto la bambina stretta contro di sé, avvolgendo entrambe nella pelliccia che non si era mai tolta.

La sera era rimasta a lungo in piedi, accanto alla finestra rivolta a sud, lo sguardo verso Copenaghen. Solo una volta aveva rivolto la parola alla sua dama di compagnia. Le aveva chiesto da dove venisse quello strano bagliore che vacillava debolmente nel cielo in direzione sud.

"È Copenaghen tutta illuminata," aveva risposto la da-

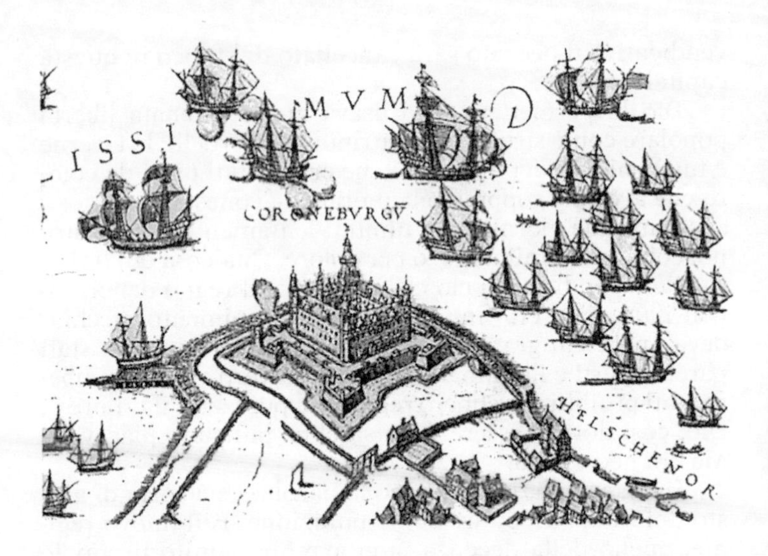

Il castello di Kronborg in una carta geografica dell'epoca.

ma d'onore, "perché il popolo festeggia la fine dell'oppressione di Struensee e della sua banda."

La regina si era voltata all'istante e le aveva dato uno schiaffo. Poi era scoppiata in lacrime, aveva chiesto perdono, ed era tornata alla finestra, la bambina addormentata stretta al petto, e aveva continuato a fissare il buio, e il debole chiarore di Copenaghen illuminata.

Capitolo 16

Il convento

1.

Se piegava le gambe e le abbassava con cautela, le catene non si sentivano quasi; erano lunghe circa tre cubiti, e gli consentivano di muoversi. In realtà erano inutili, perché come avrebbe potuto fuggire, *come possiamo fuggire dal tuo sguardo, e dove posso trovare rifugio o Mio Dolce Signore in quest'ora disperata* – le lunghe ore di lettura ad alta voce della Bibbia con suo padre, Adam Struensee, riaffioravano del tutto assurdamente, come poteva ricordarle? Era passato tanto tempo, ma il tormento delle catene agiva soprattutto nella mente, si era abituato rapidamente al dolore fisico. Si era sforzato di restare tranquillo. Era importante restare calmo, non mostrare disperazione, o risentimento. Lo ripeteva per convincersi: erano stati rispettosamente obiettivi, e l'avevano trattato bene, doveva riconoscerlo; ma di notte, quando il gelo si insinuava all'interno, come se il terrore si congelasse in lui in un blocco di ghiaccio, di notte non aveva più la forza di essere positivo e benevolo. Allora non riusciva più a fingere. Gli capitava anche di giorno, quando alzava gli occhi al soffitto dove le gocce di umidità si raccoglievano per l'assalto e infine si staccavano e passavano all'attacco, allora le mani gli tremavano senza che potesse controllarle, allora arrivava una tortura ancora peggiore del fatto di non sapere. Cos'era successo a Caroline Mathilde e alla bambina? Lei avrebbe potuto salvarlo? *O Tu, Dio che non esisti, che non esisti, ti chiedo: mi infliggeranno la tortura e mi infileranno degli aghi nello scroto e riuscirò mai a sopportarlo?* Ma a parte questo tutto era molto soddisfacente, il cibo era buono, anche saporito, il personale del carcere molto benevolo e non si sentiva in alcun modo motivato a criticare o a lamentarsi per come lo trattavano, e avrebbe anzi espresso alla direzione il suo stupore per quel trattamento umano che gli era accordato, ma *perché non ho fatto quel viaggio nelle lontane Indie orientali che tanto hanno bisogno di medici, e se solo li avessi abbandonati ad Altona*, quel continuo rimuginare, e lo stesso di notte, avevano preso a comparire incubi sul sergente Mörl, come a Cristiano, aveva cominciato a capire ciò che Cristiano sognava, gli incubi su Mörl, gli incubi, *in fin dei conti non era stato come riposare nella ferita dell'Agnello, no, gli avevano infilzato degli aghi ed egli aveva gridato, fuori di sé dalla disperazione, aveva detto Cristiano*. Si era tuttavia sempre mantenuto molto calmo e gentile, e di tanto in tanto aveva anche scherzato con le guardie, cosa che riteneva fosse stata apprezzata.

Il terzo giorno aveva ricevuto la visita di Guldberg.

Guldberg gli chiese se tutto era di suo gradimento, e rispose affermativamente. Guldberg gli presentò la lista dei beni che gli erano stati confiscati e lo pregò di controllare che fosse tutto esatto. Era una lista in tedesco che cominciava con "35 stk dänische Dukaten" (35 ducati danesi), continuava con "un tubo di pasta dentifricia" (in danese!) e terminava con "Ein Haar Kam" (un pettine per capelli), con il curioso commento "Struensee porta spesso i capelli raccolti in una treccia fissata alla nuca, come una donna"; aveva finto di non notare l'osservazione, si era limitato a spuntare la lista scotendo il capo.

Non aveva potuto prendere granché al momento dell'arresto. Erano comparsi all'improvviso nella luce tremolante e si era soltanto detto: era inevitabile. Doveva finire così. Non ricordava nemmeno come si fossero svolte le cose. Era stordito dal terrore.

Guldberg aveva chiesto come si fosse fatto la ferita che aveva alla testa. Non aveva risposto. Guldberg aveva ripetuto la domanda. In seguito Guldberg aveva riferito che, secondo i guardiani, Struensee aveva cercato di togliersi la vita gettandosi a testa bassa contro il muro di pietra.

"Conosco un modo," aveva aggiunto Guldberg, "per accrescere la vostra voglia di vivere in questa nuova situazione."

Gli aveva consegnato un libro. Si trattava della *Biografia di un libero pensatore convertito*, scritto da Ove Guldberg e pubblicato nel 1760.

Struensee aveva ringraziato.
"Perché?" aveva chiesto dopo un lungo silenzio.
E aveva poi aggiunto:
"Io devo comunque morire. Lo sappiamo entrambi".
"Lo sappiamo," aveva detto Guldberg.
"Perché siete venuto, allora?"

Era stato un incontro molto strano.
Guldberg sembrava ansioso che Struensee avesse un atteggiamento positivo, era preoccupato dell'apatia mostrata dal prigioniero. Aveva continuato a girare per la cella, come cercando qualcosa, come un cane, inquieto, preoccupato, sì, come se un cane molto amato avesse ricevuto una nuova cuccia e il padrone la ispezionasse con cura. Guldberg si era fatto portare una sedia, e si era seduto. Si osservavano.
Impudentemente, aveva pensato Struensee. Mi scruta "impudentemente".
"Un'opera modesta," disse Guldberg in tono gentile, "che ho scritto al tempo in cui insegnavo all'Accademia di Sorø. Ma contiene un'interessante storia di conversione."
"Io non ho paura di morire," disse Struensee. "E sono molto difficile da convertire."
"Non dite questo," rispose Guldberg.
Proprio prima di andarsene, aveva consegnato a Struensee un disegno. Era un'incisione su rame, raffigurava la figlia di Caroline Mathilde e di Struensee all'età di circa quattro mesi.
"Cosa volete?" chiese allora Struensee.
"Rifletteteci," disse Guldberg.
"Cosa volete?" ripeté Struensee.

Due giorni dopo Guldberg era tornato.
"Le giornate sono corte e l'illuminazione è scarsa," aveva detto Struensee. "Non ho avuto il tempo di leggere il libro. Non l'ho nemmeno incominciato."
"Capisco," aveva replicato Guldberg. "Avete l'intenzione di farlo?"
"Vi ripeto che sono difficile da convertire," aveva detto Struensee.
Era pomeriggio, la cella era molto fredda, entrambi esalavano vapore dalla bocca.
"Vorrei," aveva detto Guldberg, "che voi guardiate mol-

to a lungo l'immagine della bambina. Una figlia del peccato. Ma molto graziosa, e attraente."

Poi se ne era andato.

Dove voleva arrivare?

Quelle brevi visite ripetute a intervalli regolari. Per il resto, solo silenzio. Le guardie non aprivano bocca, la finestra della cella era collocata in alto, il libro che aveva ricevuto era l'unica cosa, a parte la Bibbia, che avesse a disposizione. Alla fine, quasi spinto dall'ira, si era messo a leggere il trattato di Guldberg. Una storia commovente, quasi insopportabile nella sua grigia mediocrità, la prosa degna di un prete, l'azione priva di tensione. Raccontava di un uomo profondamente buono, intelligente, giusto, popolare e amato da tutti, e del modo in cui era stato indotto al libero pensiero. Poi aveva capito il proprio errore.

Era tutto.

Aveva percorso a fatica le centottantasei pagine, scritte in quel danese che leggeva a fatica, e non aveva capito niente.

Cosa voleva Guldberg?

Quattro giorni più tardi era tornato, si era fatto portare la piccola sedia, si era seduto e aveva fissato il prigioniero sulla sua branda.

"Ho letto," disse Struensee.

Guldberg non rispose. Rimase completamente immobile, poi, dopo un lungo silenzio, e a voce molto bassa ma chiara, disse:

"Il vostro peccato è immenso. Il vostro membro ha insudiciato il trono del paese, dovreste tagliarlo e gettarlo con disgusto lontano, ma avete anche altri peccati sulla coscienza. Il paese è stato abbandonato al disordine, soltanto Iddio e la Sua Grazia Onnipotente hanno potuto salvarci. La Danimarca adesso è salva. Tutti i vostri decreti sono stati ritirati. Un governo forte guida il paese. Ora voi dovete, per iscritto, ammettere l'infame e peccaminosa intimità che avete intrattenuto con la regina, e riconoscere le vostre colpe. Poi, sotto la guida del pastore Balthasar Münter, tedesco come voi, dovrete redigere una dichiarazione scritta in cui descriverete la vostra conversione, specificando di aver preso posizione contro tutte le eretiche idee dell'Illuminismo, e riconoscerete il vostro amore per il nostro Salvatore Gesù Cristo".

"È tutto?" chiese Struensee con quella che riteneva essere trattenuta ironia.
"È tutto."
"E se mi rifiuto?"
Guldberg era rimasto seduto, piccolo e grigio, fissandolo ininterrottamente, come sempre senza battere ciglio.
"Non vi rifiuterete. E, dal momento che siete pronto per questa conversione, offrendo con questo un buon esempio, come quello che ho descritto nella mia modesta opera, io provvederò personalmente affinché la vostra piccola bastarda non abbia a soffrire. Non venga uccisa. Perché i molti, e sono molti!!! che vogliono impedirle di pretendere al trono di Danimarca non raggiungano il loro scopo."
Allora Struensee aveva finalmente capito.
"Vostra figlia," aggiunse Guldberg in tono gentile, "rappresenta la vostra fede nell'eternità, non è vero? Non è forse questa la concezione che i liberi pensatori hanno dell'eternità? Che esiste soltanto attraverso i figli? Che la vostra vita eterna non esiste che attraverso quella bambina?"
"Non oseranno uccidere una bambina innocente."
"Il coraggio non manca loro di sicuro."
Erano rimasti a lungo in silenzio. Poi con una violenza che aveva stupito anche se stesso, Struensee aveva esclamato:
"E in che cosa credete, voi? Che Dio ha eletto Cristiano! o il bavoso principe ereditario???".
Con assoluta calma, Guldberg aveva risposto:
"Poiché dovete morire, sappiate che non condivido la vostra opinione, secondo la quale queste 'povere Altezze miserabili' – perché è questo che intendete, non è vero? – non sarebbero incluse nella grazia di Dio. Sappiate che io credo che anche queste piccole creature abbiano un compito che è stato affidato esclusivamente a loro. Non esseri belli, ammirati, passionali e orgogliosi come voi, che le considerate miserabili".
"Non è affatto vero!!!" aveva esclamato con veemenza Struensee.
"Dio mi ha dato il compito di difenderle dai rappresentanti del Male, di cui voi fate parte. E il mio compito, il mio compito storico, è salvare la Danimarca."
Sulla porta aveva detto:
"Rifletteteci. Domani vi mostreremo le macchine".

L'avevano condotto nei locali dove erano conservate le macchine, quelle impiegate nei "severi interrogatori".

Un capitano delle guardie aveva fatto da guida, e aveva minuziosamente spiegato l'uso dei vari strumenti. Aveva menzionato alcuni casi in cui il delinquente, dopo solo qualche minuto di trattamento, era stato disposto a collaborare, ma aveva precisato che il regolamento prevedeva che il severo interrogatorio dovesse continuare per l'intero tempo previsto. Erano le regole, ed era importante che entrambe le parti ne fossero a conoscenza; altrimenti si correva il rischio che l'interrogato credesse di poter interrompere all'istante la tortura, a suo piacimento. Ma non era l'interrogato a decidere la durata dell'interrogatorio severo. Una volta iniziato, non poteva essere abbreviato, neppure da una confessione completa. La durata era decisa dalla commissione inquirente, ed era fissata prima.

Dopo la visita agli strumenti di tortura, Struensee era stato ricondotto alla sua cella.

La notte era rimasto sveglio, e a tratti aveva pianto disperatamente.

La lunghezza delle catene gli impediva di scagliarsi a testa bassa contro il muro.

Era completamente preso in trappola, e lo sapeva.

Il giorno successivo gli era stato chiesto se voleva ricevere la visita di un certo pastore Münter, un padre spirituale che si era detto disposto a servirgli da guida e a registrare la sua conversione.

Struensee aveva risposto di sì.

2.

Brandt, nella sua cella, fu affidato al pastore Hee. Si disse subito disposto a collaborare pienamente alla stesura di una lettera di conversione, così come a una dichiarazione pubblica di totale conversione, in cui avrebbe riconosciuto i propri peccati e si sarebbe gettato ai piedi di Gesù Cristo nostro Salvatore.

Senza che gli venisse richiesto, si dichiarò anche desideroso di prendere posizione contro tutte le idee illuministe e in particolare contro i pensieri elaborati da un certo signor Voltaire. Per quanto riguardava costui, poteva parlarne con cognizione di causa, avendo avuto l'opportunità, prima del viaggio in Europa del re, di rendergli visita e di essere suo ospite per ben quattro giorni. In quell'occasione non avevano abbordato le idee illuministe, avevano piuttosto discusso dell'estetica teatrale, argomento che interessava Brandt ben più della politica. Il pastore Hee non aveva richiesto ulteriori informazioni su questi colloqui a proposito del teatro, dichiarandosi più interessato all'anima di Brandt.

Brandt, del resto, era convinto che difficilmente lo potevano condannare.

In una lettera alla madre assicurava che "nessuno può volermene a lungo. Io ho perdonato a tutti, come Dio ha perdonato me".

Nelle prime settimane, trascorse il tempo fischiettando e cantando arie d'opera, attività che considerava naturale dato il suo titolo di "*maître de plaisir*" o, secondo la successiva definizione, "ministro della Cultura". Dopo il 7 marzo gli fu restituito il suo flauto traverso, e deliziò tutti con la sua abilità di suonatore.

Era convinto che la sua liberazione fosse solo una questione di tempo, e in una lettera, scritta dal carcere a re Cristiano VII, aveva richiesto un posto "sia pur modesto" nell'Amministrazione prefettizia.

Solo quando il suo avvocato gli comunicò che la principale, forse unica, imputazione contro di lui era di aver fisicamente ferito il re, ossia di oltraggio al potere reale, cominciò seriamente a preoccuparsi.

Era la storia del dito.

Un episodio così insignificante che se ne era praticamente dimenticato; ma effettivamente aveva morsicato l'indice di Cristiano causando una fuoriuscita di sangue. Adesso era tornata a galla. Si dedicò di conseguenza con ancora maggior energia a dar forma, con l'aiuto del pastore Hee, alla propria abiura del libero pensiero e alla propria riprovazione verso i filosofi francesi, e questa dichiarazione di conversione fu ben presto pubblicata anche in Germania.

In un giornale tedesco apparve una critica di questa confessione di Brandt firmata da un giovane studente di Francoforte, di nome Wolfgang Goethe, allora ventiduenne, che espresse tutta la sua indignazione verso ciò che definiva ipocrisia religiosa, dando per scontato che la conversione fosse il risultato di torture o altre forme di pressione. Nel caso di Brandt in realtà non era vero; ma, per illustrare il suo articolo, il giovane Goethe, che più tardi si sarebbe indignato anche per il destino di Struensee, aveva aggiunto un disegno a china raffigurante Brandt incatenato nella sua cella, davanti al prevosto Hee che con grandi gesti gli spiegava la necessità della conversione.

La didascalia dell'illustrazione era una breve poesia satirica, forse i primissimi versi pubblicati da Goethe, che così dicevano:

Popst Hee:
– Bald leuchtest du O Graf im engelheitern Schimmer.
Graf Brandt:
*– Mein Lieber Pastor, desto schlimmer.**

In ogni caso tutto era sotto controllo.

Il controllo fisico dei prigionieri era efficace: il piede sinistro era incatenato al braccio destro con una catena lunga circa un cubito e mezzo, fissata a sua volta al muro con un'altra catena molto pesante. Anche il controllo giuridico si era rapidamente concretato. Un tribunale d'inquisizione era stato costituito il 20 gennaio, seguito poi da un organo decisionale della Commissione di inquisizione, che arrivò infine a comprendere quarantadue membri.

Restava tuttavia un problema. Che Struensee dovesse essere, e sarebbe stato, condannato a morte, era evidente. Ma un dilemma costituzionale perturbava il tutto.

Il dilemma era la piccola sgualdrina inglese.

Era rinchiusa a Kronborg, il suo figlioletto di quattro anni, il principe ereditario, le era stato tolto, mentre le era stato concesso di tenere con sé la piccola figlia, "dal momento che allattava ancora". La regina era tuttavia di ben altra tempra rispetto agli altri prigionieri. Lei non voleva riconoscere alcunché. Ed era pur sempre la sorella del re d'Inghilterra.

Si era cercato di avviare alcuni interrogatori preliminari. Non erano stati incoraggianti.

* Prevosto Hee: / – Presto rifulgerai, o conte, in angelico splendore. / Conte Brandt: / – Di male in peggio, mio buon Pastore.

La regina era il vero problema.

Guldberg, accompagnato da una delegazione di sostegno di tre membri della commissione, era stato inviato al castello di Amleto per vedere cosa si potesse fare.

Il primo incontro era stato molto breve e formale. La regina aveva categoricamente negato di aver avuto una relazione intima con Struensee, e che la bambina fosse sua figlia. Furibonda, ma perfettamente formale, aveva preteso di poter conferire con l'ambasciatore inglese a Copenaghen.

Sulla porta, Guldberg si era voltato per chiedere:

"Ve lo domando ancora una volta: la bambina è figlia di Struensee?".

"No," aveva risposto lei, un *no* secco come una frustata.

Ma all'improvviso nei suoi occhi era comparsa la paura. Che Guldberg aveva notato.

Così era terminato il primo incontro.

Capitolo 17

Il pigiatore

1.

I primi interrogatori di Struensee iniziarono il 20 febbraio. Durarono dalle dieci alle due, e non diedero risultati.

Il 21 febbraio gli interrogatori continuarono, e questa volta Struensee fu informato che esisteva una prova della sua relazione intima e immorale con la regina. Le testimonianze erano incontestabili, si precisò. Anche i servitori più fedeli avevano testimoniato; se aveva creduto di essere circondato da una cerchia di persone amiche pronte a parteggiare per lui, doveva ora rendersi conto che quella cerchia non esisteva. Verso la fine dei lunghi interrogatori del terzo giorno, quando Struensee aveva domandato se la regina non avrebbe presto ordinato di interrompere quell'ignobile farsa, gli fu comunicato che la regina era stata arrestata e rinchiusa a Kronborg, che il re desiderava dare avvio alle pratiche di divorzio, e che comunque Struensee non avrebbe potuto far conto su alcun aiuto da parte sua.

Struensee li aveva guardati come paralizzato, e aveva capito. All'improvviso era scoppiato in un pianto incontrollato, e aveva chiesto di essere ricondotto in cella per riflettere sulla situazione.

La Commissione di inquisizione naturalmente non acconsentì, ritenendo che al momento Struensee fosse in uno stato di instabilità quindi prossimo alla confessione, e si decise di prolungare l'interrogatorio. Il pianto di Struensee non si arrestava, era alla disperazione, e improvvisamente, "con la più grande prostrazione e la più grande rassegnazione", aveva confessato di aver effettivamente intrattenuto una relazione intima con la regina, e che dei rapporti sessuali (“*Beiwohnung*”) erano stati consumati.

Il 25 febbraio firmò la confessione completa.

La notizia si diffuse rapidamente nell'intera Europa.

I commenti erano caratterizzati da indignazione e disprezzo. Si condannò il comportamento di Struensee, non per la relazione intima con la regina, ma per la sua confessione. Un critico francese scrisse in proposito che “un francese l'avrebbe raccontato al mondo intero, ma non avrebbe mai confessato”.

Era anche evidente che Struensee aveva ormai firmato la propria condanna a morte.

Una delegazione di quattro uomini fu inviata a Kronborg per informare la regina della confessione scritta di Struensee. Secondo le istruzioni, la regina avrebbe potuto leggere solo una copia certificata. Le avrebbero mostrato l'originale, per consentirle di verificare l'autenticità della copia, ma in nessun caso avrebbe potuto toccare l'originale; le sarebbe stato mostrato, ma mai consegnato in mano.

Si conosceva la sua determinazione, e si temeva la sua ira.

2.

Seduta accanto alla finestra, guardava lo stretto di Øresund, che per la prima volta da quando viveva in Danimarca era ghiacciato e coperto di neve.

Spesso la neve vorticava in banchi sottili sopra il ghiaccio, ed era molto bello. Aveva deciso che il turbinare della neve sul ghiaccio era bello.

Non c'era più molto che le apparisse bello, in quel paese. In realtà, tutto era brutto, di un grigio glaciale e ostile, ma si aggrappava a ciò che poteva essere bello. Il turbinare della neve sul ghiaccio era bello. Almeno ogni tanto, come in quell'unico pomeriggio in cui il sole era comparso per qualche istante e aveva reso tutto, sì, bello.

Ma le mancavano gli uccelli. Aveva imparato ad amarli ancora prima di conoscere Struensee, quando rimaneva sulla spiaggia e li vedeva “avvolti nei loro sogni” – era quella l'espressione che aveva usato più tardi raccontandolo a Struensee – e li vedeva ogni tanto alzarsi in volo e scomparire nella nebbia stagnante sull'acqua. Immaginare che gli uccelli sognassero era diventato molto importante: avevano segreti e sognavano e potevano amare, come anche gli alberi potevano amare, e gli uccelli "nutrivano aspettative" e speranze, poi all'improvviso si alzavano in volo e frustavano con la punta delle ali la superficie grigia di mercurio, e scomparivano verso qualcosa. Qualcosa, un'altra vita. Era bello poter pensare così.

Ma adesso non c'erano uccelli.

Questo era il castello di Amleto, e lei aveva visto una rappresentazione dell'*Amleto* a Londra. Un re malato di mente che costringeva la sua amata al suicidio; lei aveva pianto, allora. La prima volta che aveva visitato Kronborg, il castello le era parso immenso. Ora non le sembrava più immenso. Era solo una storia spaventosa in cui lei stessa era imprigionata. Odiava Amleto. Non voleva che la sua vita fosse scritta in un dramma. Voleva scriverla da sé, la propria vita. Ofelia era morta, prigioniera dell'amore; e di cosa era prigioniera lei stessa, ora? Di un amore, come Ofelia? Sì, di un amore. Ma non aveva nessuna intenzione di diventare pazza e di morire. Mai, per nessuna ragione, intendeva diventare una Ofelia.

Non voleva diventare teatro.

Odiava Ofelia e i suoi fiori nei capelli e il suo sacrificio, e il suo canto demente che era solo ridicolo. Io ho soltanto vent'anni; se lo ripeteva di continuo, aveva vent'anni e non era prigioniera in un dramma danese scritto da un inglese, non era prigioniera della pazzia di un altro, ed era ancora giovane.

O, keep me innocent, make others great. Il lamento di Ofelia in *Amleto*. Ridicolo.

Ma gli uccelli l'avevano abbandonata. Era un segno?

Odiava anche tutto ciò che somigliava a un convento.

La corte era un convento, sua madre era un convento, la regina madre era un convento, Kronborg era un convento. In un convento si era privi di qualità. Holberg non era un convento, gli uccelli non erano un convento, cavalcare in abiti maschili non era un convento, Struensee non era un convento. Per quindici anni era vissuta nel convento di sua madre ed era stata priva di qualità, ora era di nuovo in una sorta di convento, e in mezzo c'era stato il tempo di

Struensee. Seduta alla finestra, fissava il turbinare della neve e cercava di capire cos'era stato il tempo di Struensee.

Era stato crescere, da essere una bambina che credeva di avere quindici anni ad averne cento, e avere imparato.

In quattro anni era successo tutto.

All'inizio l'orrore, con quel piccolo re pazzo che l'aveva assalita, poi la corte, che era malata di mente come il suo re, quel re che lei tuttavia ogni tanto aveva amato; no, non era la parola giusta. Non amato. Lo scartò. Prima il convento, poi i quattro anni. Era successo tutto così in fretta; aveva capito di non essere priva di qualità e, la cosa più fantastica, aveva mostrato loro – a loro!!! – che non era priva di qualità, e aveva insegnato loro ad avere paura.

La ragazza che era arrivata a insegnare a loro a conoscere la paura.

Un giorno Struensee le aveva raccontato una vecchia fiaba tedesca. La storia di un ragazzo che non conosceva la paura; aveva percorso il vasto mondo "per imparare la paura a conoscere". Proprio così, rigidamente tedesca, e misteriosa, era stata l'espressione. Le era sembrata strana, quella fiaba, e l'aveva quasi dimenticata.

Ma si ricordava del "ragazzo che se ne era andato per imparare la paura a conoscere".

Struensee l'aveva raccontata in tedesco. Il ragazzo che se ne era andato per imparare la paura a conoscere. Con la sua voce, e in tedesco, la frase era bella, quasi magica. Perché l'aveva voluta raccontare? Aveva voluto trasmetterle qualcosa che lo riguardava? Un segno segreto? Lei aveva più tardi pensato che fosse di sé che voleva parlare. Perché c'era anche un altro ragazzo, nella fiaba. Era quello saggio, intelligente, buono e amato; ma costantemente paralizzato dalla paura. La paura di tutto, di tutti. Tutto lo terrorizzava. Era pieno di eccellenti qualità, ma la paura le aveva congelate. Il ragazzo pieno di talento era paralizzato dalla paura.

Ma il fratello sciocco, lui non sapeva cosa fosse, la paura.

Era lo sciocco il vincitore.

Quale storia Struensee aveva davvero voluto raccontare? La sua? O voleva parlare di lei? O dei loro nemici, e di cosa significava vivere; le condizioni, le condizioni che c'erano, ma alle quali loro non si volevano adeguare? Perché quella ridicola bontà al servizio della bontà? Perché non aveva eliminato i suoi nemici, non li aveva esiliati, corrotti, perché non si era adeguato al grande gioco?

Era perché aveva paura del male, tanta paura che non aveva voluto neanche sporcarsi le dita, e per questo adesso aveva perduto tutto?

Era arrivata una delegazione di quattro uomini, l'avevano informata che Struensee era stato gettato in prigione, e aveva confessato.

L'avevano certamente torturato. Ne era quasi sicura. Allora ovviamente aveva confessato tutto. Struensee non aveva avuto bisogno di percorrere il vasto mondo per imparare la paura a conoscere. Nel fondo di se stesso, aveva sempre avuto paura. Lei l'aveva visto. E neppure amava esercitare il potere. Questo lei non lo capiva. Da parte sua, non aveva in realtà provato gioia quando per la prima volta aveva capito di poter infondere paura?

Ma lui no. C'era qualcosa di fondamentalmente sbagliato, in lui. Perché venivano sempre scelte le persone sbagliate per fare il bene? Dio non poteva essere il responsabile. Doveva essere il Diavolo a scegliere gli strumenti del bene. E sceglieva i nobili d'animo, che sapevano provare paura. E se questi buoni non erano in grado di uccidere e distruggere, allora il bene restava senza difesa.

Che orrore. Era davvero necessario che fosse così? Era forse lei stessa, che non conosceva la paura, che amava esercitare il potere, che gioiva nel vedere che avevano paura di lei, erano forse persone come lei che avrebbero dovuto realizzare la rivoluzione danese?

Niente uccelli, fuori. Perché non c'erano uccelli, adesso che aveva bisogno di loro?

Le aveva raccontato la storia del ragazzo che aveva tutto, ma provava paura. Ma era l'altro ragazzo, l'eroe della storia. Era il malvagio, lo sciocco, quello che non aveva paura, il vincitore.

Come si poteva vincere il mondo se si era soltanto buoni, se non si aveva il coraggio di essere cattivi? Come si poteva allora mettere una leva sotto la casa del mondo?

Un inverno interminabile. Turbinare di neve sull'Øresund.

Quando sarebbe finita?

Aveva vissuto quattro anni. Anche meno, in realtà. Tutto era cominciato al Teatro di corte, quando si era decisa, e l'aveva baciato. Non era la primavera del 1770? Voleva dire che aveva vissuto solo due anni.

Come si faceva in fretta a crescere. Come si faceva in fretta a morire.

Perché doveva amare proprio Johann Friedrich Struensee, quando i buoni erano condannati a soccombere, e quelli che non provavano paura dovevano vincere?

O, keep me innocent, make others great.

Era un tempo così infinitamente lontano.

3.

La delegazione dei quattro non aveva ottenuto nulla.

Quattro giorni dopo Guldberg era tornato.

Questa volta era solo, aveva fatto segno alle guardie di rimanere fuori. Si era seduto su una sedia e l'aveva guardata ininterrottamente dritto negli occhi. No, quel piccolo uomo non era un Rantzau, né un codardo né un traditore, non bisognava sottovalutarlo, con lui non si poteva giocare. Un tempo l'aveva trovato quasi grottesco, nella sua grigia piccolezza; ma ora era come se fosse cambiato, in cosa era cambiato? Non era più insignificante. Quest'uomo era un avversario mortale, e lei l'aveva sottovalutato. Adesso era lì, seduto sulla sua sedia, e non smetteva di guardarla. C'era qualcosa di strano nei suoi occhi. Si diceva che non battesse mai le ciglia, ma non c'era forse anche dell'altro? Le aveva parlato a voce bassa, tranquilla, le aveva annunciato freddamente che Struensee aveva confessato, come già le era stato comunicato, e che il re desiderava divorziare, e che era necessario che anche lei confessasse.

"No," gli rispose con altrettanta calma.

"In questo caso," lui disse, "Struensee ha rivolto false accuse alla regina di Danimarca. Pertanto la sua pena deve essere inasprita. Saremo allora costretti a condannarlo a morte dopo un lungo supplizio."

L'aveva guardata impassibile.

"Siete un porco," lei disse. "E la bambina?"

"C'è sempre un prezzo da pagare," disse. "Pagate!"

"Che vuol dire?"

"Che la bastarda deve esservi tolta."

Lei sapeva di dover mantenere la calma. C'era in gioco la bambina, lei doveva restare calma e pensare con lucidità.

"C'è solo una cosa che non capisco," disse controllando la voce, che tuttavia le era apparsa fragile e tremante, "non capisco questa sete di vendetta. Da chi è stato creato un essere come voi? Da Dio? O dal demonio?"

Lui l'aveva osservata a lungo.

"La depravazione ha il suo prezzo. E il mio compito è convincervi a firmare una confessione."

"Ma non avete risposto," disse lei.

"Devo veramente rispondere?"

"Sì. Lo dovete."

Guldberg aveva estratto con calma un libro dalla tasca, aveva sfogliato pensieroso alla ricerca del punto giusto, e aveva cominciato a leggere. Era la Bibbia. In realtà aveva una bella voce, pensò lei all'improvviso, ma c'era qualcosa di terribile in quella tranquillità, in quella calma, e in quel testo che leggeva. Si tratta, aveva detto, di Isaia, trentaquattresimo capitolo, permettetemi di leggerne un brano, aveva detto. E senza aspettare risposta aveva cominciato: *Perché il Signore è sdegnato contro tutte le nazioni, ed è in furore contro tutti i loro eserciti; li ha condannati a morte, li ha votati alla strage. Le loro vittime saranno gettate sulla via, dai loro cadaveri salirà il fetore; dalle montagne scenderanno fiumi di sangue. Si muoverà l'intera armata dei cieli. I cieli si ripiegheranno come un libro, tutte le loro armate cadranno come cadono le foglie della vite, come cadono le foglie del fico*, e a quel punto aveva voltato pagina con lentezza, con aria pensierosa, come se stesse apprezzando la musicalità di quelle parole, o mio Dio, aveva pensato lei, come ho mai potuto pensare che quest'uomo fosse insignificante, *quando la sua spada si sarà inebriata di sangue nel cielo, ecco che scenderà sopra Edom, sul popolo da Dio destinato al giudizio. La spada del Signore è ricoperta di sangue, è unta di grasso, del sangue degli agnelli e dei capri, del grasso dei reni dei montoni*, sì, e la sua voce prendeva gradualmente forza e lei non poteva impedirsi di fissarlo quasi affascinata, o terrorizzata, o entrambe le cose, *la loro terra è ebbra di sangue, e il loro suolo è ricoperto di grasso, perché questo è un giorno di vendetta per il Signore, è l'anno della rivincita per la causa di Sion. I suoi torrenti si cange-*

ranno in pece, la sua polvere in zolfo, la sua terra diventerà pece ardente, che brucerà giorno e notte; di età in età salirà il fumo; e sarà eternamente deserta, e nessuno più vi penetrerà. [...] Non vi saranno più nobili in essa, che possano reclamare la dignità reale, tutti i suoi principi spariranno. Le spine cresceranno nei suoi palazzi, le ortiche e i rovi nelle sue fortezze; sarà dimora degli sciacalli e soggiorno degli struzzi. Cani e gatti selvaggi vi si incontreranno, i satiri vi si aduneranno. Anche Lilith frequenterà questi luoghi e vi troverà il suo luogo di riposo, sì, lui continuava con la stessa voce intensa e tranquilla. Queste sono le parole del profeta, io leggo questo solo per dare uno sfondo alla parola del Signore sulla punizione che colpisce coloro che cercano l'impurità e la corruzione, l'impurità e la corruzione, aveva ripetuto guardandola con fermezza, e all'improvviso lei vide i suoi occhi, no, non era perché non battevano mai le ciglia, ma erano chiari, del colore del ghiaccio, come quelli di un lupo, erano bianchi e pericolosi ed era questo che aveva fatto paura a tutti, non il fatto che non battesse ciglio, ma il fatto che erano così insopportabilmente chiari e di ghiaccio, come gli occhi di un lupo, e lui aveva proseguito con la stessa voce tranquilla: adesso arriviamo al brano che la regina madre, su mio suggerimento, ha ordinato venga letto in tutte le chiese del regno la prossima domenica, come ringraziamento perché il paese non ha dovuto subire lo stesso destino di Edom, e adesso leggerò il capitolo sessantatreesimo del profeta Isaia; si schiarì la voce, riportò lo sguardo alla Bibbia aperta e lesse il testo che il popolo danese avrebbe ascoltato la domenica successiva. *Chi è costui che arriva da Edom, da Bosra con abiti splendenti, maestosamente avvolto nel suo mantello, che si avanza nella pienezza della sua forza? "Sono io che professo la giustizia, e ho la forza per poter salvare." "Perché così rosso è il tuo vestito e i tuoi panni son simili a quelli di chi pigia nel tino?" "Da solo ho pigiato nel tino e nessuno del popolo era con me. Allora li ho pigiati nella mia collera e li ho calpestati nel mio furore; il loro sangue è schizzato sui miei abiti, e ho macchiato tutte le mie vesti. Perché il giorno della vendetta è nel mio cuore, ed è giunto l'anno della redenzione. Ho guardato attorno, e nessuno mi ha aiutato; ho mostrato la mia angoscia e nessuno mi ha sostenuto. Ma il mio braccio è venuto in mio soccorso, e il furore mi ha sostenuto. Ho schiacciato i popoli nella mia collera, li ho inebriati con la mia ira, e ho sparso sulla terra il loro sangue."*

Smise di leggere, e la fissò.

"Il pigiatore," disse lei, come tra sé.

"Mi avete fatto una domanda," disse Guldberg. "E non volevo evitare di rispondere. Ora ho risposto."

"Sì?" mormorò lei.

"Per questo."

Per un istante aveva pensato, mentre osservava il pigiatore procedere nella sua lenta e metodica lettura, che forse era un pigiatore che Struensee avrebbe dovuto avere al suo fianco.

Calmo, tranquillo, con chiari occhi da lupo, un mantello macchiato di sangue e il senso del grande gioco.

Le aveva quasi dato la nausea, l'averlo pensato. Struensee non sarebbe mai stato tentato da quel pensiero. Era il fatto di sentirsene lei stessa tentata, che le dava la nausea. Era una Lilith?

C'era un pigiatore, in lei?

Poi si convinse che no, mai. Dove si sarebbe andati a finire, altrimenti? E dove si stava andando a finire.

Alla fine firmò.

Nessun accenno all'origine della bambina. Solo sull'adulterio; e lei scrisse con mano ferma, rabbiosa, e senza dettagli; riconobbe, a proposito di quella specifica questione, "lo stesso che ha confessato il conte Struensee".

Scrisse con mano ferma, perché lui non venisse torturato lentamente fino alla morte per essere stato accusato di menzogna, e aver in tal modo oltraggiato il potere reale, e perché sapeva che il suo terrore davanti a quella prospettiva doveva essere immenso; la sola cosa che era tuttavia in grado di pensare era *ma i bambini, i bambini, il maschio è ormai grande ma la bambina, che devo ancora allattare, me la porteranno via, e i miei piccoli saranno accerchiati dai lupi, e come andrà a finire, e la mia piccola Louise, vogliono prendermela, chi la allatterà, chi la avvolgerà nel suo amore in mezzo a tutti questi pigiatori.*

Firmò. E capì di non essere più la coraggiosa ragazza che non conosceva la paura. La paura aveva finito per cercarla, la paura l'aveva trovata, e lei sapeva finalmente cos'era la paura.

4.

Keith, l'ambasciatore inglese, fu infine autorizzato a rendere visita alla regina imprigionata.

Il problema era salito a un livello più alto. Il grande gioco era iniziato, il grande gioco che non riguardava soltanto i due conti incarcerati, né i peccatori di second'ordine che erano stati arrestati insieme a loro. Questi ultimi furono rilasciati ed esiliati, caddero in disgrazia o furono gratificati con piccoli feudi, perdonati e dotati di pensioni.

I peccatori minori scomparvero in silenzio.

Reverdil, il cauto riformatore, il precettore di Cristiano, l'adorato consigliere del ragazzo finché era stato possibile dare consigli, fu anch'egli espulso dal paese. Rimase una settimana agli arresti domiciliari, e attese con calma il suo destino. Erano giunti dispacci contraddittori, alla fine una lettera di espulsione cortese e ampollosa lo invitò a tornare al suo paese al più presto, per trovarvi pace.

Lui aveva capito. Si allontanò lentamente dall'occhio della tempesta perché, come scrisse più tardi, non voleva dare l'impressione di scappare. Scomparve così dalla storia, passo a passo, misurato nella sua fuga, ancora una volta cacciato, magro e ingobbito, lucido e triste, la sua testarda speranza ancora viva, sparì come un lentissimo tramonto. Non è una bella immagine, ma si addice a Elie Salomon François Reverdil. Forse lui l'avrebbe utilizzata, se fosse ancora una volta ricorso a una di quelle immagini della lentezza come virtù cui era affezionato: quelle delle rivoluzioni prudenti, delle lente ritirate, dell'alba e del crepuscolo dell'Illuminismo.

Il grande gioco non riguardava le figure secondarie.

Il grande gioco riguardava la piccola sgualdrina inglese, la piccola principessa, la regina incoronata di Danimarca, la sorella di Giorgio III, la donna illuminista sul trono danese, tanto apprezzata da Caterina di Russia; cioè la piccola prigioniera in lacrime, in preda al dubbio e all'ira, Caroline Mathilde.

Quella Lilith. Quell'angelo del demonio. Che però era madre dei due infanti reali, cosa che le dava un certo potere.

L'analisi di Guldberg era stata cristallina. Avevano ottenuto la sua confessione di infedeltà. Un divorzio era necessario per impedire che lei, e i suoi figli, avanzassero pretese sul trono. Il gruppo dominante intorno a Guldberg si trovava ora, lo ammetteva, nell'esatta situazione in cui si era trovato Struensee, del tutto dipendente dalla legittimazione del re malato di mente. Dio aveva dato il potere. Ma Cristiano era ancora quel dito di Dio che dava la scintilla della vita, della grazia e della sovranità a chi aveva la forza di conquistare l'oscuro vuoto di potere creato dalla malattia del re.

Il medico di corte aveva visitato quel vuoto, e l'aveva riempito. Ora non c'era più. Altri, quindi, venivano a visitare quel vuoto.

In fondo la situazione era rimasta immutata, anche se capovolta.

Il grande gioco riguardava adesso la regina.

Cristiano aveva riconosciuto la bambina come propria figlia. Dichiararla illegittima sarebbe stato un oltraggio al re, e avrebbe ostacolato la legittimazione del nuovo regime. Se era illegittima, si poteva consentire alla madre di tenerla con sé, e non c'era motivo di trattenere la piccola in Danimarca. Ma ciò non doveva succedere. Nemmeno si poteva dichiarare Cristiano malato di mente, per la stessa ragione: il potere sarebbe passato al suo figlio legittimo, e dunque indirettamente a Caroline Mathilde.

Quindi era necessario ufficializzare l'adulterio, e arrivare al divorzio.

Il problema era sapere come avrebbe reagito il sovrano inglese a questo oltraggio verso la sorella.

Ci fu un periodo di incertezza: guerra o no? Giorgio III fece allestire una grande flotta di navi da guerra per attaccare la Danimarca, se i diritti di Caroline Mathilde fossero stati violati. Ma nello stesso tempo giornali e pamphlet inglesi cominciarono a pubblicare estratti della confessione di Struensee. La libertà di stampa inglese era ammirevole e notoria, e la fantastica storia del medico tedesco e della piccola regina inglese era davvero irresistibile.

Ma una guerra, per questo?

Con il passare delle settimane, l'idea di lanciarsi in una grande guerra per leso onore nazionale pareva sempre più improbabile. L'infedeltà di Caroline Mathilde rendeva incerta l'opinione pubblica. Molte guerre erano state intraprese su premesse ancora meno rilevanti e più stravaganti, ma questa volta l'Inghilterra esitava.

Si arrivò a un compromesso. La regina avrebbe evitato il previsto internamento a vita a Aalborghus. Il divorzio sarebbe stato decretato. I bambini le sarebbero stati tolti. Lei sarebbe stata esiliata a vita dalla Danimarca e costretta a risiedere sotto sorveglianza in uno dei castelli che la Corona inglese possedeva in Germania. A Celle, nell'Hannover.

Avrebbe mantenuto il titolo di regina.

Il 27 maggio 1772 fece il suo ingresso nel porto di Helsingör una piccola squadriglia inglese, composta da due fregate e un piccolo sloop.

Quello stesso giorno le portarono via la bambina.

La vigilia le avevano comunicato che la consegna della piccola sarebbe avvenuta il giorno seguente; lei l'aveva capito da tempo, era solo il momento preciso che era rimasto, angosciosamente incerto. Non aveva lasciato tranquilla la bambina, l'aveva tenuta sempre in braccio; la piccola aveva dieci mesi e riusciva a camminare se la si teneva per mano. Era sempre allegra, e in quegli ultimi giorni la regina non aveva permesso a nessuna delle dame di corte di occuparsi di lei. Quando la piccola si stancava dei semplici giochi con cui la regina la teneva occupata, e teneva soprattutto occupata se stessa, la sua vestizione veniva ad assumere un ruolo rilevante. Un ruolo quasi maniacale, *io ho confessato tutto ciò che ho fatto di male se solo avessi potuto tenere la bambina e Dio tu che sei un pigiatore e li vedo arrivare con le vesti macchiate di sangue e quei lupi adesso se ne prenderanno cura*, e il suo modo di vestire e svestire la bambina, talora per necessità, spesso del tutto inutilmente, pareva una specie di cerimonia, o di esorcismo, come per conquistare per sempre il suo favore; il mattino del 27 maggio, quando aveva visto i tre vascelli gettare l'ancora nella rada, la regina aveva cambiato i vestiti della piccola una decina di volte, senza alcun motivo, e alle proteste delle dame di compagnia aveva soltanto opposto violenti accessi di collera e di pianto.

All'arrivo della delegazione inviata dal nuovo governo danese, la regina perse la testa. Si mise a urlare disperatamente, rifiutò di consegnare la bambina, e solo le ferme esortazioni della delegazione a non terrorizzare la piccola innocente, a osservare un comportamento più dignitoso e composto la indussero a interrompere il suo pianto sconsolato, *ma questa umiliazione oh se potessi essere in questo momento un pigiatore ma la bambina.*

Alla fine riuscirono a strappargliela dalle braccia, senza fare del male né alla piccola né alla regina stessa.

Dopo era rimasta come al solito alla finestra, apparentemente calma e senza alcuna espressione in volto, a guardare verso sud, verso Copenaghen.

Solo vuoto. Nessun pensiero. La piccola Louise era stata consegnata al branco di lupi danesi.

5.

Il 30 maggio, alle sei del pomeriggio, ebbe luogo l'estradizione. Gli ufficiali inglesi, scortati da un gruppo di cinquanta marinai armati, scesero a terra per andare a prendere Caroline Mathilde.

L'incontro con le truppe danesi di guardia a Kronborg era stato stupefacente. Gli ufficiali inglesi non avevano salutato la guardia danese secondo la forma d'uso, non avevano scambiato una sola parola con i cortigiani e gli ufficiali danesi, li avevano anzi trattati con freddezza e con il più totale disprezzo. Avevano schierato un picchetto d'onore attorno alla regina, l'avevano salutata con i segni del più grande rispetto, e dalle navi erano state esplose salve di cannone.

Lei aveva attraversato il porto tra i ranghi di soldati inglesi che presentavano le armi.

Era poi salita a bordo dello sloop inglese che l'aveva condotta alla fregata.

La regina era apparsa molto composta e tranquilla. Aveva parlato cordialmente con i suoi compatrioti, che con il loro disprezzo verso le guardie danesi avevano voluto dimostrare la loro disapprovazione per il modo in cui era stata trattata. L'avevano circondata di qualcosa che non si può descrivere in termini militari, che poteva essere affetto.

Avevano deciso che, dopo tutto, era la loro ragazzina. O qualcosa del genere. Tutte le descrizioni di quella partenza danno questa impressione.

Le avevano fatto del male. Volevano dimostrare ai danesi il loro disprezzo.

Calma e determinata, lei camminava tra i ranghi dei

marinai inglesi che presentavano le armi. Nessun sorriso, ma neanche lacrime. La sua partenza dalla Danimarca fu quindi diversa dal suo arrivo. Allora aveva pianto, senza saperne il perché. Adesso non piangeva, pur avendone tutte le ragioni; ma così aveva deciso.

Erano venuti a prenderla, con gli onori militari, con disprezzo per coloro che lasciava, e con affetto. Ecco come andarono le cose quando la piccola inglese fu riportata via dalla sua visita in Danimarca.

Capitolo 18

Il fiume

1.

Sarebbe giunto il giorno della Vendetta e del Pigiatore.

Eppure c'era qualcosa, in quella prospettiva allettante, che suonava stonato. Guldberg non capiva cosa. Era stato letto il testo del sermone nelle chiese, ma aveva provocato delle interpretazioni una più spaventosa dell'altra; Guldberg lo riteneva giusto, lui stesso aveva scelto il testo, un testo giusto, e la regina madre si era trovata del tutto d'accordo, il giorno del giudizio e della vendetta era arrivato, *ho pigiato i popoli nella mia collera, li ho calpestati nel mio furore e ho sparso sulla terra il loro sangue*, erano proprio le parole adatte, sarebbe stata fatta giustizia. Ma quando aveva letto il testo alla piccola sgualdrina inglese era stato terribile. Perché lei l'aveva guardato in quel modo? Lei aveva introdotto il contagio del peccato nel regno di Danimarca, di questo era sicuro, lei era Lilith, *cani e gatti selvaggi vi s'incontreranno, i satiri vi si aduneranno. Anche Lilith frequenterà questi luoghi e vi troverà il suo luogo di riposo*, lei se lo meritava, lui sapeva bene che lei era Lilith, e che l'aveva costretto a inginocchiarsi accanto al letto e che il suo potere era grande, *e, Signore, come ci proteggeremo da questo contagio del peccato*.

Ma aveva visto il suo volto. Quando aveva alzato gli occhi dal testo biblico, così vero e così giusto, aveva visto solo il suo volto, e quel volto aveva oscurato tutto, e non aveva più visto Lilith, ma solo una bambina.

Quell'improvvisa innocenza completamente nuda. E la bambina.

Due settimane dopo il primo incontro con la regina Caroline Mathilde, prima che fosse pronunciata la sentenza, Guldberg era stato improvvisamente preso dalla disperazione. Era la prima volta in vita sua, ma l'aveva interpretata come disperazione. Non aveva trovato altri termini.

Ecco ciò che era accaduto.

Gli interrogatori di Struensee e di Brandt erano prossimi a concludersi, la colpevolezza di Struensee era accertata, la sentenza non poteva essere che la morte. Guldberg aveva allora fatto visita alla regina madre.

Voleva farle presente ciò che sarebbe stata la cosa più saggia.

"La cosa più saggia," aveva cominciato, "la cosa più saggia da un punto di vista politico non sarebbe la pena capitale ma un verdetto un po' più mite..."

"L'imperatrice russa," l'aveva interrotto la regina madre, "si augura una grazia, non c'è bisogno di informarmi. Lo stesso il re d'Inghilterra. Lo stesso altri monarchi colpiti dal contagio dell'Illuminismo. Io però ho una risposta."

"Che è?"

"No."

Era stata irremovibile. Si era messa a parlare del grande incendio purificatore che sarebbe dilagato in tutto il mondo distruggendo ogni cosa, ogni cosa appartenuta al tempo di Struensee. Non c'era nessuno spazio per la pietà. E così aveva continuato, e lui aveva ascoltato, e sembrava un'eco di ciò che lui stesso aveva detto ma *oh Dio mio, non c'è veramente posto per l'amore oppure è anch'esso solo sporcizia e depravazione* e non poté che convenire. Avevano poi parlato di ciò che era saggio e ragionevole, e dell'imperatrice di Russia e del re d'Inghilterra, e dei rischi di gravi conseguenze, ma forse non era questo che voleva dire, ma *perché dobbiamo allontanarci da ciò che si chiama amore, è proprio necessario punire come l'amore del pigiatore* e la regina madre non aveva ascoltato.

Guldberg aveva sentito qualcosa che somigliava alla debolezza farsi strada in lui, e si era disperato. Quella era stata la causa della sua disperazione.

La notte era rimasto a lungo sveglio, fissando quelle tenebre in cui dimorava il Dio vendicatore, e la grazia, e l'amore e la giustizia. Allora la disperazione si era impadronita di lui. Non c'era nulla, là nel buio, non c'era nulla, solo il vuoto, e una grande disperazione.

Che vita è mai questa, aveva pensato, in cui trionfano

la giustizia e la vendetta, in cui nel buio non riesco a vedere l'amore di Dio, ma soltanto disperazione, e vuoto.
Il giorno dopo si era ripreso.

Era andato a far visita al re.
Cristiano, da parte sua, sembrava aver rinunciato a tutto. Aveva paura di tutto, rimaneva tremante nella sua stanza, mangiava controvoglia il cibo che gli veniva portato, e parlava solo al cane.
Moranti, il paggio nero, era scomparso. Forse nel corso di quella notte di vendetta, quando aveva cercato di nascondersi sotto il lenzuolo, come gli aveva insegnato Cristiano, senza comunque riuscire a fuggire, forse quella notte era crollato, o era voluto tornare a qualcosa che nessuno conosceva. Oppure era stato ucciso quella notte in cui Copenaghen era esplosa, quando una furia incomprensibile si era impadronita di tutti e tutti avevano capito che qualcosa era finito, e che la rabbia andava indirizzata contro qualcosa e che non si capiva per quali motivi, ma la rabbia c'era, ed esigeva vendetta, nessuno più lo vide dopo quella notte. Scomparve dalla scena della storia. Cristiano l'aveva fatto cercare, ma senza risultato.
Ormai gli era rimasto solo il cane.
Allarmato dai rapporti sullo stato del re, Guldberg aveva voluto verificare di persona cosa stesse accadendo al sovrano. Era andato da Cristiano e gli aveva parlato con calma e amabilità, assicurandolo che tutti i complotti contro la sua vita erano stati sventati, e che poteva sentirsi al sicuro.
Dopo un attimo, bisbigliando, il re aveva cominciato a "confidare" a Guldberg certi segreti.
Tempo addietro, aveva detto a Guldberg, si era fatto delle false idee, come ad esempio che sua madre, la regina Louise, avesse avuto un amante inglese che era diventato suo padre. Altre volte aveva creduto che Caterina la Grande di Russia fosse sua madre. Era comunque sua convinzione che, in un modo o nell'altro, fosse stato "scambiato". Poteva forse essere il figlio "scambiato" di un contadino. Aveva continuamente usato la parola "scambiato", con cui sembrava intendere sia che era avvenuto uno scambio accidentale, sia che era stato scambiato di proposito.
Comunque, a una certezza era giunto. La regina, Caroline Mathilde, era sua madre. Il fatto che ora fosse rin-

chiusa a Kronborg era per lui particolarmente doloroso. Che lei fosse sua madre era in ogni caso assodato.

Guldberg ascoltava, sempre più allarmato e perplesso.

Nella sua attuale "certezza", o più esattamente in quell'immagine alienata che aveva ora di se stesso, Cristiano sembrava mescolare degli elementi di *Amleto*, tratti dalla descrizione di Saxo; Cristiano non poteva in realtà conoscere l'*Amleto* di Shakespeare, che invece Guldberg conosceva bene. Non era stato messo in scena durante il suo soggiorno a Londra, e non c'erano ancora state rappresentazioni in Danimarca.

Lo stato confusionale di Cristiano, e il curioso delirio sulla propria origine non erano una novità. Dalla primavera del 1771, le sue condizioni erano peggiorate. Che vivesse la realtà come in un teatro era ormai noto a tutti. Ma se ora immaginava di far parte di una rappresentazione in cui Caroline Mathilde era sua madre, Guldberg poteva incominciare a domandarsi con inquietudine quale ruolo avesse assegnato a Struensee.

E come avrebbe agito lo stesso Cristiano nel dramma reale. Quale testo avrebbe seguito, e quale interpretazione ne avrebbe dato? Quale ruolo aveva intenzione di assegnare a se stesso? Il fatto che un malato di mente credesse di partecipare a una rappresentazione teatrale non era così insolito. Ma questo attore non vedeva la realtà in modo simbolico o metaforico e non era privo di potere, aveva il potere di trasformare il teatro in realtà. Ancora vigeva il principio che un ordine e una direttiva del re dovessero essere obbedite. Formalmente deteneva tutto il potere.

Se avesse avuto la possibilità di vedere la sua adorata "madre", e di essere manipolato da lei, tutto poteva accadere. Eliminare un Rosenkranz, un Gyldenstern o un Guldberg era fin troppo facile.

"Vorrei," disse Guldberg, "poter consigliare Vostra Maestà in questa faccenda estremamente complessa."

Cristiano aveva abbassato lo sguardo ai suoi piedi nudi – si era tolto le scarpe – e aveva detto in un sussurro:

"Se solo la Sovrana dell'Universo fosse qui. Se solo lei fosse qui, e potesse. E potesse".

"Che cosa?" chiese Guldberg, "potesse cosa?"

"Potesse darmi il suo tempo," mormorò Cristiano.

Guldberg a quel punto se n'era andato. Aveva ordinato che la sorveglianza del re fosse rafforzata, e che per nessun motivo potesse avere contatti con qualcuno senza il permesso scritto di Guldberg.

E sentì con sollievo che la sua temporanea debolezza era svanita, che la sua disperazione era scomparsa, che poteva tornare ad agire in modo sensato.

2.

Secondo le istruzioni del governo, il pastore della parrocchia tedesca di San Pietro, il dottore in teologia Balthasar Münter, aveva fatto visita a Struensee in carcere per la prima volta il 1° marzo 1772.

Erano passate sei settimane dalla notte in cui Struensee era stato arrestato. E lentamente era crollato. C'erano stati due crolli successivi. Il primo all'inizio, davanti alla Commissione di inquisizione, quando aveva confessato, e abbandonato la regina. Poi quello più grande, interiore.

All'inizio, dopo il crollo davanti alla commissione, non aveva provato nulla, solo disperazione, e vuoto, ma poi era arrivata la vergogna. Una vergogna e un senso di colpa che si erano impadroniti di lui come un cancro, che lo rodevano dall'interno. Aveva confessato, aveva esposto la regina alla più grande umiliazione; che sarebbe stato di lei, adesso? E della bambina. In preda al più totale smarrimento, non aveva nessuno con cui parlare e nient'altro che la Bibbia a disposizione, e detestava l'idea di cercare pace in essa. Aveva letto tre volte il libro di Guldberg sulla felice conversione del libero pensatore, e gli era parso sempre più ingenuo e presuntuoso. Ma non c'era nessuno con cui parlare, e di notte il freddo era intenso e gli anelli gli avevano provocato attorno alle caviglie e ai polsi delle piaghe che adesso suppuravano; ma non era quello.

Era il silenzio.

Una volta lo chiamavano "il Taciturno", perché preferiva ascoltare, ma adesso si rendeva conto di cosa fosse il silenzio. Era una belva minacciosa in agguato. I suoni avevano cessato di esistere.

Era allora che era arrivato il pastore.

Ogni notte aveva l'impressione di essere sospinto sempre più indietro nei ricordi.

Si lasciava portare lontano. Fino ad Altona, e ancora

più in là: fino a quell'infanzia a cui non aveva quasi mai voluto pensare, ma che ora riaffiorava. Riandava a quel disagio, alla casa devota e alla madre che non era severa, ma piena di amore. In uno dei primi incontri il pastore aveva portato una lettera del padre di Struensee, che esprimeva la sua disperazione, "la tua ascesa, che abbiamo seguito attraverso i giornali, non ci ha rallegrati", e ora, scriveva, la disperazione è infinita.

La madre aveva aggiunto qualche parola di dolore e di compassione; ma il vero senso della lettera era che soltanto una totale conversione e la sottomissione a nostro Salvatore Gesù Cristo e alla Sua grazia avrebbero potuto salvarlo.

Era insopportabile.

Seduto sulla sedia, il prete lo guardava con calma e, con voce misurata, aveva analizzato il suo problema secondo schemi logici. Non mancava di sensibilità. Il pastore aveva notato le sue ferite e si era rammaricato di quel trattamento crudele, e l'aveva lasciato piangere. Ma mentre Münter parlava, Struensee aveva improvvisamente riprovato quello strano senso di inferiorità per non essere un pensatore, né un teorico, per essere soltanto un medico di Altona che aveva sempre desiderato mantenere il silenzio.

E per non essere all'altezza.

Ma la cosa più consolante era che il piccolo pastore dal volto magro e affilato e dagli occhi tranquilli, formulava domande che relegavano il peggio in secondo piano. Il peggio non era la morte, né il dolore, e neppure che forse l'avrebbero torturato a morte. Il peggio era un'altra domanda che lo rodeva dentro, notte e giorno.

Cos'ho fatto di sbagliato? Era quella, la domanda peggiore.

Una volta, quasi di sfuggita, il prete l'aveva sfiorata, quella domanda. Aveva detto:

"Conte Struensee, come potevate voi, dal vostro studio, in quell'isolamento, conoscere ciò che era giusto? Per quale ragione eravate convinto di possedere la verità, quando non conoscevate la realtà?".

"Per molti anni," aveva risposto Struensee, "avevo lavorato ad Altona, e conoscevo la realtà."

"Sì," aveva detto Münter dopo un attimo di riflessione. "Come medico ad Altona. Ma i seicentoventitré decreti?"

E, dopo un silenzio, aveva aggiunto, quasi con curiosità:

"Chi si occupava di preparare le basi?".

E Struensee aveva risposto, quasi sorridendo:

"Un funzionario coscienzioso prepara sempre basi accurate, fosse anche per pianificare il proprio supplizio".

Il pastore aveva annuito come se avesse trovato la spiegazione sia vera sia scontata.

Non aveva fatto niente di sbagliato.

Dal suo studio aveva realizzato la rivoluzione danese, con calma e in silenzio, senza uccidere, senza imprigionare, senza costringere, senza esiliare, senza essersi lasciato corrompere o aver ricompensato i suoi amici o essersi procurato vantaggi personali, o aver desiderato quel potere per oscure ragioni egoistiche. Eppure qualcosa di sbagliato doveva averlo fatto. Nei suoi incubi notturni tornava costantemente il viaggio tra i contadini danesi oppressi, e l'incidente del ragazzo morente sul cavalletto.

Era lì. C'era qualcosa lì che non voleva mollare la presa.

Non era tanto il fatto che aveva avuto paura della folla che sopraggiungeva. Piuttosto che quella era stata l'unica volta che si era trovato vicino a loro. E aveva voltato le spalle, si era messo a rincorrere la carrozza nel buio e nel fango.

In realtà, aveva tradito se stesso. Aveva spesso rimpianto di non aver concluso il viaggio in Europa ad Altona. Ma in effetti già ad Altona l'aveva abbandonato.

Aveva disegnato volti di uomini sui margini della sua tesi di laurea. C'era qualcosa di importante che sembrava essersi scordato. Vedere il meccanismo, e il grande gioco, ma non dimenticare i volti degli uomini. Era quello?

Bisognava reprimere quei pensieri. Il piccolo pastore razionale gli offriva un altro argomento. Era la questione dell'eternità, se esisteva, e lui tendeva con riconoscenza la mano al piccolo pastore, e accettava il dono.

Poteva evitare l'altra domanda. La peggiore. E provava gratitudine.

Ventisette volte il pastore Münter visitò Struensee nella sua prigione.

Alla seconda visita aveva detto di aver saputo con certezza che Struensee sarebbe stato giustiziato. A quel punto si presentava un problema intellettuale: se la morte significava un annullamento totale – se era così, d'accordo, non c'era niente da fare. Non esisteva l'eternità, né Dio, né un paradiso o un castigo eterno. Allora cosa importavano le riflessioni di Struensee in quelle ultime settimane? Quindi? Primo: forse Struensee avrebbe dovuto concentrarsi sull'altra possibilità che restava, quella che prevedeva che ci fosse una vita dopo la morte, e secondo: esaminare quali opportunità esistessero di trarre il meglio da questa restante possibilità.

Münter aveva dolcemente domandato a Struensee se fosse d'accordo sull'analisi, e Struensee era rimasto a lungo in silenzio. Poi aveva poi chiesto:

"Se questa seconda possibilità è reale, tornereste assiduamente, pastore Münter, per analizzarla insieme?".

"Sì," aveva risposto Münter. "Ogni giorno. E ogni giorno per molte ore."

Così era iniziato il loro dialogo. E così era cominciata la storia della conversione di Struensee.

Le oltre duecento pagine della dichiarazione di conversione sono redatte in forma di domande e risposte. Struensee legge assiduamente la Bibbia, si sofferma su certi problemi, vuole avere risposte, e le ottiene. *"Ditemi, conte Struensee, cosa trovate di urtante in questo passaggio? Sì, quando Cristo dice a sua Madre: Donna, che vuoi tu da me? Questo a mio parere sembra crudo, e se posso osare la parola, indecente."* Segue la minuziosa analisi del pastore, non sappiamo se detta tale e quale a Struensee o redatta in un secondo tempo. Ma ci sono pagine e pagine di dettagliate risposte teologiche. Poi una breve domanda, e una lunga risposta e, alla fine della giornata e delle note del verbale, l'assicurazione che il conte Struensee ha perfettamente compreso il soggetto.

Domande brevi, lunghe risposte, e un accordo conclusivo. Sull'attività politica di Struensee, neanche una parola.

Questa dichiarazione di conversione fu pubblicata, in molte lingue.

Nessuno sa cosa fu realmente detto. Il pastore Münter trascorse intere giornate chino sul suo blocco di appunti. Poi sarebbe stato tutto stampato, e avrebbe acquistato grande fama, come pubblica ammenda di un celebre libero pensatore e illuminista.

Era Münter che scriveva. La regina madre era intervenuta più tardi sul testo, aveva dato il suo parere e censurato qualche passaggio.

Quindi fu dato alle stampe.

Il giovane Goethe si indignò quando lo lesse. Molti altri si indignarono. Non per la conversione in sé, ma perché era stata estorta con la tortura. In realtà non era vero, e mai Struensee abiurò le sue idee illuministe, ma parve gettarsi con gioia nell'abbraccio del Salvatore e rifugiarsi nelle sue ferite. Coloro che parlarono di abiura e di ipocrisia estorta sotto tortura difficilmente potevano comunque immaginare com'erano davvero andate le cose: che quel calmo, analitico, discreto e partecipe pastore Münter, nel suo dolce e melodioso tedesco, in tedesco, finalmente in tedesco!, gli parlava eludendo il punto difficile: perché lui aveva fallito in questo mondo, e gli parlava di eternità, che era liberatoria e indulgente. E tutto questo in quel tedesco che talora pareva riportare Struensee al passato, a un lontano passato che dava serenità e calore, che includeva l'università di Halle, sua madre e le sue esortazioni e la pietà e la lettera di suo padre, che avrebbero presto appreso che loro figlio riposava nelle piaghe di Cristo, e la loro gioia, e Altona e l'applicazione delle ventose e gli amici di Halle e tutto, tutto ciò che sembrava ormai perduto.

Ma che era esistito, e che in quei giorni e in quelle ore era riportato in vita in compagnia del pastore Münter, seduto davanti a lui, in quella gelida e spaventosa Copenaghen dove non sarebbe mai dovuto venire in visita, e dove ormai solo i discorsi logici, intellettuali, teologici di qualche ora potevano liberare "il Taciturno", il medico di Altona, dalla paura che era la sua debolezza, e forse in fondo la sua forza.

3.

La sentenza di condanna contro Struensee fu firmata dalla commissione sabato 25 aprile.

La motivazione non fu che aveva commesso adulterio con la regina, ma che aveva sistematicamente operato per soddisfare la sua sete di potere, e aveva soppresso il Consiglio dei ministri, e che era da imputarsi a lui se Sua Maestà, che tanto amava il suo popolo, aveva perso la fiducia nel suo Consiglio dei ministri, e che inoltre Struensee aveva istigato una catena di violenze, di interessi personali e di disprezzo per la religione, la morale e i buoni costumi.

Niente sull'adulterio, soltanto un'oscura formula a proposito di "un misfatto, che lo rendeva colpevole al massimo grado del crimine di lesa Maestà". Niente sulla malattia mentale di Cristiano.

Niente sulla bambina. Solo questo "crimen laesae Majestatis" "al massimo grado". La pena fu formulata secondo l'articolo primo del capitolo quarto, libro sesto della legge danese:

"Che il conte Struensee venga, per meritata pena, e come esempio e avvertimento ad altri consimili, privato dell'onore, della vita e delle proprietà, e degradato dalla sua dignità di conte e da altri titoli che gli siano stati concessi; che il suo blasone di conte venga spezzato dal carnefice; in seguito a questo la mano destra di Johann Friedrich Struensee dovrà essergli recisa lui vivo, e quindi la testa; il suo corpo sarà squartato ed esposto sulla ruota, mentre la testa e la mano saranno esposte su pali".

La pena di Brandt fu la stessa. Mano, testa, squartamento, esposizione di parti del corpo.

La motivazione della sentenza era tuttavia sostanzialmente diversa; quella curiosa storia del dito indice era la causa della sentenza di morte e dei dettagli dell'esecuzione.

Aveva usato violenza contro la persona del re.

Ventiquattr'ore più tardi, il pomeriggio del 27 aprile, la sentenza doveva essere ratificata da re Cristiano VII. La sua firma era indispensabile. C'era grande preoccupazione, in proposito, esisteva il rischio di una grazia. A quello scopo Cristiano era stato mantenuto intensamente occupato, come se si fosse voluto stremarlo, stordirlo a furia di cerimonie, oppure introdurlo in modo rituale in un universo teatrale dove nulla, e in particolare non le condanne a morte, avesse realtà.

La sera del 23 aprile fu organizzato un grande ballo in maschera, in cui il re e la regina madre si degnarono di accogliere personalmente tutti gli invitati. Il 24, in presenza della famiglia reale, si diede un concerto al Teatro danese. Il 25 fu pronunciata la sentenza contro Struensee e Brandt, e la sera stessa il re assistette all'opera *Adriano in Siria*. Il 27 re Cristiano, ormai totalmente esausto e in stato confusionale, secondo i testimoni oculari, fu condotto con tutta la sua corte a un pranzo a Charlottenlund, da dove fece ritorno alle sette di sera. Firmò le sentenze e fu immediatamente portato all'Opera dove, gli occhi chiusi per la maggior parte del tempo o piombato nel sonno, assistette a un melodramma italiano.

Il timore che il re potesse concedere la grazia era stato grandissimo. Tutti paventavano un contraccolpo, e in quel caso molte teste avrebbero potuto cadere. Il timore di un intervento di altre nazioni si era tuttavia calmato dopo il 26 aprile, quando arrivò un corriere da San Pietroburgo con una lettera per il re di Danimarca.

Fu letta con attenzione.

Caterina la Grande era preoccupata, ma non minacciosa. L'imperatrice supplicava il re che "la compassione che appartiene a tutti i cuori onesti e sensibili" potesse fargli "preferire la via dell'indulgenza a quella della severità e della durezza" verso gli "infelici" che avevano suscitato la sua collera "per quanto giustificata potesse essere".

Ovviamente, non si lasciò leggere il messaggio a Cristiano. Il tono era mite. La Russia non sarebbe intervenuta. E così pure il re d'Inghilterra. I dissoluti potevano essere tranquillamente eliminati.

L'ultimo problema era Cristiano.

Purché Cristiano, nella sua confusione, non creasse problemi, e firmasse! Senza la sua firma, non c'era legittimità giuridica.

Tutto era andato nel migliore dei modi. Cristiano era rimasto seduto al tavolo del consiglio, borbottando, pieno di tic e confuso, era parso rianimarsi solo per pochi istanti, e aveva protestato per il linguaggio strano e complicato della lunga sentenza, e a un tratto aveva esclamato che chi scriveva in una lingua così strampalata "meritava cento frustate".

Poi aveva continuato a borbottare debolmente, e senza proteste aveva firmato.

Più tardi, avviandosi verso la carrozza che doveva condurlo all'Opera, aveva fermato Guldberg, l'aveva preso in disparte e bisbigliando gli aveva "confidato" qualcosa.

Confidò a Guldberg che non era certo che Struensee

avesse voluto ucciderlo. Ma, continuò, se era vero che lui stesso, Cristiano, non era un comune essere umano, ma un prescelto da Dio, allora non era indispensabile la sua *concreta* presenza sul luogo dell'esecuzione per graziare i condannati! Non bastava che lui ordinasse a Dio, come suo mandante, di fare la grazia? Era obbligato a mostrarsi di persona, a mostrare il suo volto? E, confidò ancora a Guldberg che, dal momento che era stato a lungo incerto se fosse un essere umano, un essere umano in carne e ossa, magari un bambino scambiato i cui veri genitori erano contadini dello Jutland, forse quell'esecuzione avrebbe potuto fornire una prova per se stesso! una prova che! che se con la sola forza del proprio pensiero, che fosse o meno presente all'esecuzione, fosse stato in grado di provocare la grazia, si sarebbe allora dimostrato, sì, dimostrato!!! che lui non era un essere umano. Se invece la cosa non avesse funzionato, lui avrebbe comunque! comunque! dimostrato in fin dei conti di essere veramente un uomo. L'esecuzione avrebbe dunque dato quel segno che da tanto tempo aspettava, un segno di Dio per comunicargli quale fosse la sua vera origine, una risposta alla domanda se davvero era un essere umano.

Tutto questo aveva detto a Guldberg, con un insistente mormorio, e alla fine non aveva fatto che ripetere:

"Un segno!!! Finalmente un segno!!!".

Guldberg aveva ascoltato quel confuso torrente di pensieri senza minimamente rivelare i propri sentimenti. Aveva notato che il re non aveva più fatto parola sull'ipotesi che Caroline Mathilde fosse sua madre. Cristiano Amleto sembrava per il momento sparito.

"Un'analisi corretta e brillante," si era limitato a commentare Guldberg.

Poi Cristiano era stato condotto all'Opera. Guldberg l'aveva seguito a lungo con lo sguardo, pensieroso, e subito dopo aveva cominciato a organizzare le necessarie misure di sicurezza in vista dell'esecuzione.

4.

Allestirono il luogo dell'esecuzione come un palcoscenico.

Non appena la sentenza era stata firmata dal re, si era

dato inizio alla costruzione del patibolo a Østre Fælled. Una struttura quadrangolare di legno, alta circa cinque metri; sulla sommità era stata eretta una piattaforma supplementare, una sopraelevazione che rendeva ben visibili sia il carnefice sia la vittima; con i ceppi sui quali le teste e le mani sarebbero state mozzate particolarmente in vista.

Si costruì molto rapidamente, e fu fatta venire una piccola orchestra per creare durante i lavori un'atmosfera di cerimonia intorno a quel teatro di morte. La notizia si diffuse veloce; le esecuzioni avrebbero avuto luogo il mattino del 28 aprile alle nove, e già un paio d'ore prima la gente incominciò ad affluire. In quelle ore circa trentamila persone lasciarono Copenaghen per raggiungere a piedi, a cavallo o in carrozza Fælleden, una spianata che si stendeva subito a nord dei bastioni.

Tutti i militari che si trovavano a Copenaghen erano stati richiamati per l'esecuzione. Si stima che circa cinquemila uomini furono collocati intorno a Fælleden, sia per proteggere il luogo dell'esecuzione, sia raggruppati un po' dappertutto sulla spianata per intervenire in caso di disordini.

I due pastori, Münter e Hee, erano andati all'alba a visitare i condannati. I prigionieri avrebbero lasciato la cittadella alle otto e trenta, in un convoglio di carrozze protetto da duecento soldati appiedati, con le baionette inastate, e da duecentotrentaquattro dragoni a cavallo.

I prigionieri in una carrozza per ciascuno.

Nelle ultime ore della sua vita Brandt suonò il flauto.

Appariva allegro e per niente spaventato. Aveva letto la sentenza, e la motivazione, con un sorriso; aveva affermato di conoscere bene il cerimoniale di quella commedia; ovviamente sarebbe stato graziato, tenuto conto dell'assurdità delle accuse e della sproporzione tra le accuse e la pena. Quando gli avevano tolto il flauto alla partenza dal carcere, aveva detto soltanto:

"Continuerò la mia sonatina stasera, quando questa commedia sarà conclusa e io sarò graziato e libero".

Quando gli comunicarono che sarebbe stato giustiziato prima di Struensee, era apparso per un istante perplesso, forse inquieto. A suo parere, in un procedimento di grazia, era più logico che il criminale più importante, vale a dire Struensee, fosse giustiziato per primo, in modo che l'innocente, cioè lui stesso, potesse essere successivamente graziato.

Ma a quel punto diede per scontato che sarebbero stati graziati entrambi.

Preferibilmente, aveva detto salendo in carrozza, avrebbe desiderato che la grazia arrivasse durante il tragitto verso il patibolo, per evitare di essere esposto alla violenza della plebaglia. Riteneva che la sua posizione di *maître de plaisir*, responsabile dei divertimenti culturali della corte e della capitale, avesse suscitato una certa avversione in gran parte della popolazione. C'era nella plebe una grande ostilità nei confronti della cultura, e se fosse stato graziato sul patibolo rischiava di scatenare le reazioni della plebaglia, "correrei allora il rischio di essere scorticato vivo".

Si era però tranquillizzato nell'apprendere che cinquemila soldati erano stati schierati per difenderlo dal popolo. Brandt indossava l'abito da cerimonia verde ornato di galloni d'oro, coperto dal suo mantello di pelliccia bianca.

Le carrozze erano avanzate molto lentamente.

Accanto al patibolo, ai piedi della scala, era in attesa l'amica e amante che Brandt aveva frequentato negli ultimi tempi; Brandt l'aveva salutata con aria intrepida e allegra, aveva chiesto alle guardie se doveva veramente salire sul patibolo prima della grazia, ma era stato invitato a farlo.

Il pastore Hee l'aveva accompagnato.

Una volta sul palco, diede a Brandt l'assoluzione dai peccati. Poi fu letta ad alta voce la sentenza, e il boia, Gottschalk Mühlhausen, si fece avanti, mostrò lo stemma araldico di Brandt, lo spezzò e pronunciò la formula prescritta: "Questo non viene compiuto senza ragione, ma perché meritato". Il pastore Hee chiese quindi a Brandt se era pentito del suo delitto di lesa maestà, e Brandt rispose affermativamente; questo era l'ovvio presupposto per la grazia che stava per essergli accordata. Prima che venisse comunicata, gli ordinarono di togliere il mantello di pelliccia, il cappello, l'abito verde da cerimonia e anche il gilet; cosa che fece con una certa irritazione, ritenendolo del tutto inutile. Fu costretto a inginocchiarsi, ad appoggiare la testa sul ceppo e la mano destra tesa sull'altro ceppo posto accanto. Era pallido ora, ma ancora tranquillo, perché quello doveva essere il momento in cui la parola "grazia" sarebbe stata pronunciata.

In quel preciso istante il boia gli recise la mano destra con un colpo d'ascia.

Solo allora aveva capito che si faceva sul serio, in uno spasimo aveva voltato il capo e fissato il moncherino da cui il sangue sgorgava copioso, allora aveva cominciato a urlare di terrore; ma l'avevano tenuto fermo, gli avevano premuto la testa sul ceppo, e il colpo successivo l'aveva decapitato. La testa era poi stata brandita in alto e mostrata alla folla.

Gli spettatori erano rimasti in assoluto silenzio, cosa che aveva stupito molti.

Il corpo era stato quindi denudato, i genitali tagliati e gettati sul carro in attesa sotto il patibolo alto cinque metri. Era stato aperto il ventre, i visceri estratti e gettati, e il corpo era stato squartato in quattro pezzi, anch'essi successivamente gettati sul carro.

Brandt si era sbagliato. Non era stata prevista alcuna grazia, in ogni caso non per lui, e non da chi deteneva il potere in quel momento.

Forse una possibilità c'era stata. Ma era stata impedita.

La sera precedente re Cristiano VII aveva ordinato di essere svegliato presto. Alle otto del mattino, solo e senza esprimere le proprie intenzioni, era uscito nel cortile del castello e aveva raggiunto la rimessa delle carrozze.

Aveva ordinato di preparare una carrozza con cocchiere.

Dava l'impressione di essere nervoso, tremava in tutto il corpo come in preda all'angoscia per ciò che stava per fare, ma nessuno l'aveva contraddetto o fermato. Una carrozza era in realtà già pronta, i cavalli sellati, e sei soldati agli ordini di un ufficiale della Guardia reale scortavano la vettura. Il re non si era minimamente insospettito, e aveva ordinato che lo conducessero al luogo dell'esecuzione a Østre Fælled.

Nessuno l'aveva contraddetto, e la carrozza con la scorta si era messa in moto.

Durante il tragitto Cristiano era rimasto rannicchiato in un angolo, lo sguardo come al solito abbassato sui piedi; era pallido e appariva confuso, ma non aveva alzato gli occhi che una mezz'ora dopo, quando la carrozza si era fermata. Aveva guardato fuori, e capito dove si trovava. L'avevano portato ad Amager. Si gettò allora contro una portiera e poi contro l'altra, ma le trovò ambedue chiuse a chiave, aprì un finestrino e gridò alla scorta che l'avevano portato nel posto sbagliato.

Non gli risposero, e lui capì. L'avevano portato ad Amager. Era stato imbrogliato. La carrozza era ora ferma a cento metri dalla riva del mare, e avevano staccato i cavalli. Chiese cosa stesse succedendo; ma l'ufficiale che aveva il comando si avvicinò alla carrozza e gli comunicò che erano obbligati a sostituire i cavalli, perché erano esausti, e che avrebbero ripreso il viaggio non appena fossero arrivati i ricambi.

Si era poi allontanato al piccolo trotto.

Le portiere della vettura erano chiuse a chiave. I cavalli erano stati staccati. I dragoni, sempre in sella a un centinaio di metri di distanza, attendevano, schierati.

Il re sedeva solo nella sua carrozza senza cavalli. Smise di gridare, e sprofondò smarrito sul sedile. Lasciò correre lo sguardo sulla riva del mare, che in quel punto non era coperta di vegetazione, e sull'acqua che era molto calma. Sapeva che era venuto il momento di concedere la grazia ai condannati. Ma non poteva uscire dalla carrozza. Le sue grida non raggiungevano nessuno. I dragoni lo videro fare degli strani gesti con le braccia e le mani al finestrino, indirizzati a un Dio che forse l'aveva scelto come suo figlio, che forse esisteva, che forse deteneva un potere, che forse aveva il potere di concedere grazie; ma dopo un po' il suo braccio parve stancarsi, o il re fu preso da scoramento; il braccio si abbassò.

Cristiano tornò a rifugiarsi nell'angolo della carrozza. Da est nuvole di pioggia venivano ammassandosi su Amager. I dragoni attendevano in silenzio. I cavalli non arrivavano. Nessun Dio si manifestava.

Forse in quel momento aveva capito. Forse aveva ricevuto il segno. Era solo un essere umano, niente di più. La pioggia cominciò a cadere, sempre più pesante, forse i cavalli sarebbero presto arrivati e forse allora si sarebbe potuto tornare, alla reggia forse, e forse esisteva un Dio misericordioso *ma perché allora mai mi hai mostrato il Tuo volto e mai mi hai guidato e consigliato, perché non mi hai dato un po' del Tuo tempo, del Tuo tempo, perché mai mi hai dato del tempo*, e ora questa pioggia sempre più fitta e fredda.

Nessuno sentiva le sue grida. Niente cavalli. Nessun Dio. Solo esseri umani.

5.

Il re svedese Gustavo III fu incoronato nel 1771, in pieno regno di Struensee, cui guardava con sentimenti contrastanti e con molto interesse. Della sua incoronazione esiste un celebre quadro dipinto da Carl Gustaf Pilo.

È appunto intitolato *L'incoronazione di Gustavo III*. Pilo era stato l'insegnante di disegno del giovane Cristiano, aveva vissuto alla corte danese durante il tempo di Struensee, ma nel 1772 era stato espulso e aveva fatto ritorno a Stoccolma. Cominciò allora il suo grande dipinto dell'incoronazione di Gustavo III, che non riuscì mai a terminare, e che fu il suo ultimo lavoro.

Forse aveva cercato di raccontare in quel dipinto qualcosa di troppo doloroso.

Al centro del quadro l'immagine del re di Svezia, ancora giovane. La sua figura risplende di dignità e di cultura, ma è anche, come sappiamo, impregnato di idee illuministe. Passeranno molti anni prima che cambi, prima che sia assassinato durante un ballo in maschera. È attorniato dalla sua corte, altrettanto splendente.

È lo sfondo che lascia sconcertati.

Il re e la sua corte non sembrano essere stati ritratti in una sala del trono, ma in una foresta molto buia, con tronchi massicci e scuri, come se l'incoronazione avesse avuto luogo in una foresta secolare, nelle terre selvagge dell'Europa del nord.

No, niente colonne, niente pilastri di una chiesa. Tronchi d'albero scuri, impenetrabili, una foresta vergine e la sua oscurità minacciosa, con al centro quella splendente assemblea.

È quell'oscurità che è luce, o quello splendore che è oscurità? Si può scegliere. Così accade con la storia, si può scegliere ciò che si vede, e ciò che è luce, e ciò che è oscurità.

6.

Struensee aveva dormito tranquillo quella notte, e quando si era svegliato era perfettamente calmo.

Sapeva ciò che sarebbe accaduto. Era rimasto a lungo sdraiato a occhi aperti, fissando il soffitto di pietra grigia della cella, concentrato su un unico pensiero. Caroline

Mathilde. Si era concentrato sui momenti belli, sull'amore che provava per lei, sul messaggio che gli era giunto in cui lo perdonava di aver confessato; aveva ripensato a ciò che aveva provato quando gli aveva annunciato di aspettare un bambino, e che era figlio suo. In realtà, già in quell'istante aveva capito che tutto era perduto, ma che non importava. Lui aveva avuto una figlia, e la figlia sarebbe vissuta, e gli avrebbe dato la vita eterna. La figlia sarebbe vissuta e avrebbe avuto dei figli, e così l'eternità era presente, e nient'altro importava.

A questo pensava.

Il pastore Münter era entrato nella cella, aveva cominciato a leggergli un brano della Bibbia, ma la sua voce tremava e non era razionale come al solito. Sembrava aver ceduto a una tempesta emotiva, che pareva indicare che egli non nutriva per Struensee alcuna avversione, anzi al contrario provava per lui un grande affetto. Struensee gli aveva tuttavia gentilmente detto che quel mattino, il suo ultimo, desiderava circondarsi di silenzio, e concentrarsi interamente sul significato della vita eterna, e che sarebbe stato felice se il pastore l'avesse capito.

Il pastore aveva annuito energicamente per comunicargli che aveva capito. E avevano trascorso quell'ora mattutina insieme, nella tranquillità e nel silenzio.

Poi, la partenza.

Münter non viaggiò nella stessa carrozza di Struensee, vi era salito solo in prossimità del patibolo; la vettura si era fermata molto vicino al luogo dell'esecuzione e, dal finestrino aperto, avevano potuto vedere Brandt salire la scala, sentire le parole del pastore Hee e del carnefice, e poi l'urlo di Brandt quando la mano con sua grande sorpresa gli era stata mozzata, e poi i tonfi sordi dello squartamento e dei pezzi del suo corpo gettati nel carro ai piedi del patibolo.

Münter non era stato di grande aiuto. Aveva cominciato a leggere la Bibbia, ma aveva preso a tremare e a singhiozzare senza ritegno. Invano Struensee aveva cercato di calmarlo. Il pastore tremava in tutto il corpo, e singhiozzava e tra i singhiozzi cercava balbettando di leggere parole di consolazione nella sua Bibbia, mentre Struensee lo confortava porgendogli il fazzoletto. Dopo una mezz'ora lo squartamento di Brandt era stato completato, i tonfi dei pezzi del corpo erano cessati, ed era venuto il momento.

Struensee era in piedi là in alto e guardava la folla. In quanti erano venuti! La folla era infinita: era quella gente che era venuto a visitare, erano quelli che avrebbe aiutato. Perché non l'avevano ringraziato!, ma era la prima volta che li vedeva.

Adesso li vedeva, *ho visto, o mio Dio, che forse esisti, uno spiraglio in cui era mio destino infilarmi, era per loro, e tutto questo è stato fatto invano, e avrei dovuto domandare loro, o Dio mio, io li vedo e loro mi vedono ma è troppo tardi ora e forse avrei dovuto parlare loro e non rinchiudermi e forse loro avrebbero dovuto parlarmi ma io non lasciai mai la mia stanza e per questo dobbiamo incontrarci così per la prima volta, adesso che è troppo tardi* e spezzarono il suo blasone e pronunciarono le parole rituali. Lo spogliarono. I ceppi erano ancora imbrattati e lui pensò *questi brandelli di carne e questo sangue e questo muco sono Brandt che cos'è allora un uomo quando il sacro scompare e restano solo brandelli di carne e sangue e questo è Brandt che cos'è allora un uomo*, lo presero per le braccia, e mansueto come un agnello sacrificale appoggiò il collo sul ceppo e la mano sull'altro ceppo e guardò dritto davanti a sé quell'infinito numero di volti pallidi e grigi con le bocche aperte che lo fissavano, e in quell'attimo il boia gli recise la mano con un colpo di scure.

Il suo corpo fu allora colto da spasmi così violenti che il boia, abbassando la scure per mozzargli la testa, mancò il bersaglio, Struensee si sollevò in ginocchio, aprì la bocca come per parlare a quelle migliaia di persone che vedeva per la prima volta, *non vedo che un'immagine Signore Gesù ed è l'immagine della piccola ma se avessi potuto parlare a tutti questi che non hanno capito e davanti ai quali ho peccato tralasciando di* e poi lo costrinsero di nuovo sul ceppo e quando il boia aveva alzato la scure per la seconda volta, le ultime parole che lui aveva detto a Caroline Mathilde gli tornarono in mente luminose, *per tutta l'eternità*, e la scure finì per colpire nel segno, e mozzò il capo del medico personale del re; concludendo così la sua visita in Danimarca.

Da est erano venute ammassandosi pesanti nuvole di pioggia, e quando era iniziato lo squartamento del corpo di Struensee la pioggia aveva cominciato a cadere; ma non fu questo che spinse le masse ad abbandonare il posto.

La gente lasciava il luogo dello spettacolo come se ne avesse avuto abbastanza, come se volesse dire: no, questo

Struensee e il pastore Münter assistono dalla carrozza all'esecuzione di Enevold Brandt.

tion
GRAF ENE WOLD BRANDT

non lo vogliamo vedere, c'è qualcosa di sbagliato, non era questo che volevamo.

Ci hanno ingannati?

No, non fuggirono, cominciarono soltanto a camminare, all'inizio qualche centinaio, poi qualche migliaio, infine se ne andarono tutti. Come se ne avessero avuto abbastanza, non c'era niente di divertente in ciò che avevano visto, nessuna gioia maligna e nessuna vendetta, tutto era diventato semplicemente insostenibile. All'inizio erano stati una folla sterminata che fissava in silenzio ciò che accadeva, perché in un tale silenzio?, poi avevano cominciato ad allontanarsi, dapprima lentamente, poi sempre più veloci, come in preda a un dolore. Camminavano e si dirigevano verso la città, la pioggia cadeva sempre più fitta, ma alla pioggia erano abituati; era come se alla fine fossero stati raggiunti dalla consapevolezza del significato di quello spettacolo, e non lo volevano più.

Era la crudeltà che non sopportavano? O si sentivano ingannati?

Guldberg aveva fatto fermare la sua carrozza a cento cubiti dal patibolo. Non era sceso, ma aveva ordinato che venti soldati gli stessero vicini, per proteggerlo. Per proteggerlo da cosa? Tutto si era svolto secondo i piani. Ma all'improvviso qualcosa sembrava minacciarlo, essere sfuggito al suo controllo, qualcosa legato alla folla, perché abbandonavano lo spettacolo, che cosa c'era in quei volti stanchi, tristi e segnati che tanto lo inquietava? Gli passavano accanto come una massa grigia e amareggiata, un fiume, in muto corteo funebre che non aveva parole né sentimenti ma che sembrava solo esprimere – sì, dolore. Era un dolore totalmente silenzioso e insieme incontrollabile. Avevano assistito alla fine ineluttabile del regno di Struensee, e al tempo stesso Guldberg sentiva che il pericolo non era passato. Che il contagio del peccato si era diffuso anche in loro. Che la nera luce della fiaccola dell'Illuminismo non era stata spenta. Che quelle idee li avevano stranamente contagiati, nonostante a malapena sapessero leggere e non fossero comunque in grado di capire, e mai avrebbero capito, e che per questo dovevano essere tenuti sotto controllo, e guidati; ma forse il contagio si era comunque diffuso. Forse il tempo di Struensee non era finito; e lui sapeva che era necessario essere estremamente vigili.

La testa era stata recisa, ma le idee erano rimaste, e la

gente non aveva neppure voluto fermarsi a guardare: perché se ne andava?

Era un avvertimento. Aveva sbagliato qualcosa? Ciò che poteva leggere su quei volti sciupati, addolorati, era forse rassegnazione? Sì, senza dubbio. Era lì nella sua carrozza e la folla immensa lo circondava come un fiume, e non si trovava sulla riva di un fiume! ma in mezzo! in mezzo! e non sapeva come interpretarlo.

La massima vigilanza, ci voleva ora. Il tempo di Struensee era finito. Ma il contagio?

I trentamila non avevano salutato la testa mozzata con un'esplosione di gioia. Erano fuggiti, correndo, inciampando, trascinando i bambini, lontano dal patibolo che era avvolto in una pioggia sempre più fitta. Non volevano più vedere. Qualcosa era andato storto. Guldberg rimaneva immobile nella sua carrozza, ben protetto. Ma ciò che mai avrebbe dimenticato era quella massa interminabile che si muoveva in silenzio; quella folla come un fiume che si divideva attorno alla sua carrozza, e lui seduto lì, non sulla riva del fiume come un interprete, ma nel mezzo del fiume. E per la prima volta si sentì incapace di interpretare i gorghi della corrente.

Cosa c'era nelle loro menti? Il tempo di Struensee non era dunque finito?

Eppure, tre mesi prima, l'unanimità era stata così grande. Ricordava i tumulti di gioia in gennaio. L'immensa rabbia del popolo. E adesso erano lì, e tacevano, e se ne andavano, e non mostravano alcuna gioia, in un immane corteo funebre pervaso da un silenzio che per la prima volta fece provare a Guldberg paura.

Era rimasto qualcosa, che non si era potuto recidere?

Il carro era fermo sotto il patibolo.

Quando il carro, che avrebbe dovuto trasportare i pezzi dei cadaveri a Vestre Fælled, dove le teste e le mani sarebbero state issate su pali e le membra e le viscere disposte sulla ruota, quando il carro fu finalmente carico e poté mettersi in moto, la spianata era deserta: a parte i cinquemila soldati che, in silenzio e immobili, sorvegliavano sotto la pioggia battente il vuoto lasciato dalle trentamila persone, che da tempo avevano abbandonato il luogo in cui si era creduto di recidere e porre fine al tempo di Struensee.

Epilogo

Il giorno dopo l'esecuzione l'aveva saputo.

Il 30 maggio, Caroline Mathilde era stata prelevata dalle tre navi inglesi, e condotta a Celle, nel principato di Hannover. Il castello, situato nel centro della città, era stato costruito nel 1600 ed era rimasto disabitato, ma ora era diventato la sua residenza. Si diceva che non avesse perso la sua vivace natura, che si dedicasse con ardore a opere di beneficenza tra i poveri di Celle, e che esigesse il rispetto della memoria di Struensee. Parlava spesso di lui, chiamandolo "il povero conte", e presto fu molto amata a Celle, dove ci si convinse che era stata trattata ingiustamente.

Molti si erano interessati al ruolo politico che avrebbe potuto avere. Cristiano, definitivamente precipitato nella sua malattia, era ancora re, e il figlio che aveva avuto da Caroline Mathilde era l'erede al trono. La malattia del re creava, ora come in passato, un vuoto al centro del potere, riempito da altri al posto di Struensee.

Guldberg era il vero detentore del potere. Era in pratica divenuto sovrano assoluto, col titolo di Primo ministro; tuttavia in certe cerchie danesi si era diffuso il malcontento, e si erano orditi piani di un colpo di stato per ristabilire Caroline Mathilde e il suo bambino, rovesciando Guldberg e il suo partito.

Il 10 maggio 1775, queste cospirazioni già in stadio avanzato furono vanificate dall'improvviso e misterioso decesso di Caroline Mathilde, attribuito a una "febbre contagiosa". Le voci di un avvelenamento ordinato dal governo danese non poterono mai essere comprovate.

Aveva solo ventitré anni. Non aveva più rivisto i suoi bambini.

La rivoluzione che Struensee aveva intrapreso fu rapidamente sospesa; in sole poche settimane si era ritornati al vecchio regime, o ancora più indietro. Come se i suoi seicentotrentadue decreti rivoluzionari, emanati in quei due anni che furono chiamati "il tempo di Struensee", non fossero stati che rondini di carta, che in parte avevano toccato terra, e in parte svolazzavano ancora al livello del suolo senza aver avuto il tempo di posarsi sul paesaggio danese.

Seguì il tempo di Guldberg, e durò fino al 1784, quando fu rovesciato. Che tutto nel suo tempo tornasse come prima, era indubitabile. Come indubitabile era che nulla rimanesse del tempo di Guldberg.

La produttività politica di Struensee fu davvero considerevole. Quanta tuttavia divenne realtà?

Vederlo unicamente come un intellettuale da scrivania, che si era ritrovato in mano un potere stupefacente, non è corretto. La Danimarca non fu più uguale a quella che era stata, dopo il tempo di Struensee. Guldberg aveva ragione a nutrire dei timori; il contagio dell'Illuminismo aveva fatto presa, le parole e i pensieri non si lasciano decapitare. E una delle riforme che Struensee non aveva avuto il tempo di realizzare, l'abolizione della servitù della gleba, divenne realtà nel 1788, alla vigilia della Rivoluzione francese.

Struensee era destinato a sopravvivere anche in un altro modo.

La figlia di Struensee e di Caroline Mathilde, Louise Augusta, fu educata in Danimarca; suo fratello, il solo figlio di Cristiano, fu un attivo animatore del colpo di stato del 1784 che rovesciò Guldberg, e nel 1808 successe al trono del padre malato di mente.

La figlia andò incontro ad altri destini. Viene descritta come molto bella, con una vitalità "inquietante". Condividendo apparentemente gli ideali politici paterni, si era tenuta attivamente al corrente degli avvenimenti della Rivoluzione francese, aveva simpatizzato per Robespierre, e di suo padre era solita dire che il suo unico difetto era stato quello di avere "più animo che scaltrezza".

Effettivamente era un'analisi corretta. La bellezza e la vitalità la rendevano attraente, anche se forse non proprio la compagna più tranquilla e rassicurante in una relazione. Sposò il duca Federico Cristiano di Augustenborg, che non era certo alla sua altezza. Ne ebbe tuttavia tre figli, una dei quali, Caroline Amalie, sposò nel 1815 il principe

Cristiano Federico, erede al trono di Danimarca e più tardi re; così tutto fu ristabilito, alla corte di Copenaghen. Furono molti i discendenti di Struensee che si inserirono nelle strane e misteriose e ormai decadenti case reali europee, in cui lui stesso era stato un ospite così indesiderabile e di breve durata. Una sua pronipote, Augusta Vittoria, andò in sposa al Kaiser tedesco Guglielmo II e mise al mondo otto figli. Non c'è forse oggi casa regnante in Europa, compresa quella di Svezia, che non possa risalire nella sua genealogia a Johann Friedrich Struensee, alla sua principessa inglese e alla loro piccola figlia.

Questo può forse non avere alcuna importanza. Ma se in prigione ebbe mai un sogno di eternità biologica, quello di raggiungere la vita eterna continuando a vivere attraverso i propri figli, il suo sogno fu esaudito. Certamente mai giunse a una conclusione sul sogno dell'eternità, e nemmeno sull'essenza dell'uomo – che, con la sua caratteristica mancanza di chiarezza teorica, aveva tentato di descrivere come "la macchina uomo". Ma che cos'era, in realtà, un uomo, se poteva essere sezionato e smembrato e appeso su pali e ruote, e tuttavia in qualche modo continuare a vivere? Cos'era, questo elemento sacro? "Sacro è ciò che il sacro fa" aveva pensato: l'uomo considerato come la somma delle sue scelte e delle sue azioni. In fin dei conti, fu qualcosa d'altro, e di più importante, che restò del regno di Struensee. Non la biologia, non solo le azioni, ma un sogno sulle possibilità dell'uomo, ciò che vi è di più sacro e di più difficile da catturare, ciò che continuava ad aleggiare nell'aria come l'insistente suono di un flauto dal tempo di Struensee, e che non si lasciò decapitare.

Nel settembre del 1782, l'ambasciatore inglese Keith, aveva riferito al suo governo l'episodio avvenuto una sera al Teatro di corte.

Si trattava dell'incontro tra lui, re Cristiano VII e il Primo ministro Guldberg. Cristiano aveva lasciato intendere che Struensee era ancora vivo; e Keith aveva notato la rabbia, pur dominata, da cui era stato colto Guldberg.

Tutti parlavano del tempo di Struensee. Non era giusto. Non era giusto!!!

Poi quella sera Cristiano era sparito.

Dove fosse andato proprio quella sera non lo sappiamo. Ma si sa dove aveva l'abitudine di sparire e che spesso

Brano della confessione autografa di Struensee, datato 14 aprile 1772.

spariva. E da chi. Possiamo quindi immaginare cosa fosse avvenuto anche quella sera: aveva percorso a piedi il breve tragitto tra il Teatro di corte e una casa del centro di Copenaghen, in Studiestræde. E che anche dopo l'episodio descritto da Keith fosse entrato in quella casa di Studiestræde per essere accolto da colei che insisteva a chiamare la Sovrana dell'Universo, che era ritornata ed era sempre stata la sola su cui avesse potuto contare, la sola che avesse amato con la sua bizzarra forma d'amore, il solo benefattore che avesse conosciuto questo ragazzo reale ormai trentatreenne, che la vita aveva così maltrattato.

Era Caterine-Polacchina, che dopo alcuni anni e dopo il soggiorno ad Amburgo e a Kiel, era tornata a Copenaghen. Secondo le descrizioni dell'epoca, aveva ora i capelli grigi, era più robusta e forse anche più saggia.

Si può allora supporre che anche quella sera si fossero ripetuti i riti d'amore che avevano consentito a Cristiano di sopravvivere tanti anni in quel manicomio. Si era seduto ai suoi piedi sul piccolo sgabello che usava sempre, lei gli aveva tolto la parrucca, aveva inumidito un panno morbido in una ciotola d'acqua e aveva terso la polvere e la cipria dal suo viso; gli aveva poi pettinato i capelli mentre restava là seduto, calmo e a occhi chiusi, sullo sgabello ai suoi piedi, la testa abbandonata sulle sue ginocchia.

Cristiano sapeva che lei era la Sovrana dell'Universo, che era la sua benefattrice, che aveva tempo per lui, che lei aveva tutto il tempo, che lei era il tempo.

Indice

Stampa Grafica Sipiel
Milano, settembre 2006